| まえがき

税法学習は、税理士への真の第一歩!

　本書を手にしたみなさんの多くは、税理士試験の会計科目(簿記論、財務諸表論)の受験をされた方や無事合格された方だと思います。よくぞ、ここまで来られました！

　そして、いよいよ税法科目の学習をはじめようとされる方にあらためて伝えておきたいことがあります。それは、税理士とは「税法のプロフェッショナルであり、法律家である」ということです。

　ですから、税法の学習は税理士への真の第一歩を踏み出したことになります。

　ここからまた気を引き締めていけば、税理士試験の合格も間近です。

　さて、ネットスクールでは税理士試験を目指す方への資格支援の学校として、画期的なことを行いました。それは、本来、高額な受講料を払ってのみ手にすることのできる講座使用教材を書店やネットショップで市販することでした。

　これにより、独学者にも平等に合格を目指す機会を提供することができましたし、また、独学者が同じ教材を使用して講座学習に切り替えられるという利便性を高めることができました。

　一方で、講座使用教材を誰もが購入できるということは、講座の付加価値の希薄化を招き、さらには講座のノウハウの流出というリスクも抱えてしまうことになりかねません。

　しかしそれでも、人生を賭けてチャレンジする受験生にとってよりよい教材は生命線であり、その気持ちを想像したときに、講座使用教材を市販することについて一縷の迷いも生じることはありませんでした。さらに言えば、基本問題から応用問題まで網羅することにより段階を追って学習できる問題集に仕上げることに注力しました。

　合格するための状況は我々が整えます。

　みなさんは、この本で勇気を持って始め、本気で学んでください。

　そうすれば、みなさん自身ばかりではなく、みなさんの周りの人たちをも幸せにできる、そんな人生が開けてきます。

　さあ、この一歩、いま踏み出しましょう！

税理士WEB講座
講師一同

目次
Contents

税理士試験　問題集
消費税法Ⅲ　応用編

本書の構成・特長 ……………………………………… iii
著者からのメッセージ ………………………………… iv
ネットスクールの税理士WEB講座 …………………… v
税理士試験合格に向けた学習 ………………………… vi
ネットスクールWEB講座　合格者の声 ……………… viii
試験概要／法令等の改正情報の公開について ……… x

		問題	解答解説	答案用紙
Chapter 1	電気通信利用役務の提供及び特定役務の提供	1-1 (11)	1-2 (132)	2 (308)
Chapter 2	非課税資産の輸出等	2-1 (19)	2-1 (141)	10 (316)
Chapter 3	調整対象固定資産	3-1 (27)	3-1 (152)	18 (324)
Chapter 4	棚卸資産に係る消費税額の調整	4-1 (39)	4-1 (175)	35 (341)
Chapter 5	課税期間	5-1 (45)	5-1 (182)	41 (347)
Chapter 6	納税地	6-1 (49)	6-1 (188)	42 (348)
Chapter 7	相続があった場合の納税義務の免除の特例	7-1 (51)	7-1 (190)	43 (349)
Chapter 8	合併があった場合の納税義務の免除の特例	8-1 (57)	8-1 (196)	46 (352)
Chapter 9	会社分割があった場合の納税義務の免除の特例	9-1 (67)	9-1 (211)	55 (361)
Chapter 10	合併があった場合の中間申告に係る納付税額の計算	10-1 (79)	10-1 (226)	66 (372)
Chapter 11	簡易課税制度	11-1 (85)	11-1 (231)	70 (376)
Chapter 12	資産の譲渡等の時期の特例	12-1 (95)	12-1 (261)	95 (401)
Chapter 13	国、地方公共団体等に対する特例	13-1 (101)	13-1 (267)	99 (405)
Chapter 14	特殊論点	14-1 (109)	14-1 (282)	110 (416)
Chapter 15	適格請求書発行事業者	15-1 (121)	15-1 (298)	120 (426)
Chapter 16	信託	16-1 (125)	16-1 (302)	124 (430)
Chapter 17	届出等	17-1 (127)	17-1 (303)	125 (431)

合格に必要な知識を効果的に習得するために

本書の構成・特長

本試験対策に必要な問題を基本レベルから解くことができます。

解答時間の目安を示しています。試験ではスピードも合格に必要な要素です。

教科書の学習内容に応じた問題番号を記載しています。

> 計算　　　　　　　　　　　　答案用紙：2頁　解答解説：1-2頁
>
> **問題 1**　電気通信利用役務の提供の判定　　　　　　　基本　5分
>
> 次の内国法人が行った各取引につき、電気通信利用役務の提供となるものを選びなさい。
> ⑴ 内国法人は、日本の消費者と外国法人間のデータ伝送サービスを行っている。
> ⑵ 内国法人は、クラウド上のデータベースを利用させるサービスを行っている。
> ⑶ 内国法人は、特別にソフトウェアの制作を請負い、制作が終了したため、インターネットで配信を行っている。
> ⑷ 内国法人は、インターネットを通じて、ゲームソフトの配信を行っている。
> ⑸ 内国法人は、インターネットを通じて、ゲームソフトの著作権の譲渡を行った。
> ⑹ 内国法人は、クラウド上で顧客の電子データの保存を行う場所の提供を行うサービスを行っている。

答案用紙については、ネットスクールホームページにてダウンロードサービスを行っております。

学習をはじめる前に

著者からのメッセージ

　本書の著者であり、WEB講座の講師でもある山本和史先生から、本書を学習する前の心構えとしてメッセージがございます。本書を最大限に有効活用するためにも、まずはこのメッセージをお読みください。

プロフィール
講師　山本和史
講師歴38年。わかりやすい講義をモットーとし、長年の講師歴の中で培った受験生の陥りやすい誤りを未然に防ぐ授業を展開し受験生を合格へと導く。

◆学習アドバイス

　この「応用編」は、「基礎導入編」、「基礎完成編」と学習してきた内容を基に特殊論点を学習していきます。税理士試験に毎年出題されている内容の学習となりますので頑張っていきましょう。

　本書は上記にも書きましたが、「基礎導入編」及び「基礎完成編」で学習した内容を基に学習を進めて行きますので、本書の復習を行う際は「基礎導入編」及び「基礎完成編」も合わせて復習するようにしてください。

　本書では、各問題に「理論」、「計算」と見出しを付けています。「理論」が付されている問題では、別冊の「理論集」を使用し理論暗記を行うようにし、「計算」が付されている問題では、問題右上に表記されている解答時間を意識しながら解答するようにしてください。

　では、具体的に学習方法について説明していきたいと思います。この「応用編」の教材も「基礎完成編」と同じく消費税法の理論対策と計算対策を行っていきますので定期的に週4日程度学習する日を設けて学習してください。週4日のうち2日は新しい単元を学習する日、残り2日は今まで学習した内容を復習する日とします。

　新しい単元を学習する日は1時間程度別冊の「教科書」で新しい単元を学習し、その後1時間程度この「問題集」を解答し知識の定着を図ってください。

　また、復習する日は、1日を理論対策、残り1日を計算対策としてください。理論対策の日は、別冊の「教科書」と「理論集」を使用し各理論の内容を理解した上で暗記を行うようにしてください。そして、「基礎完成編」から理論の暗記を行っていますので、この「応用編」の学習時期は、新しい理論を覚えるだけでなく、過去に覚えた理論の再暗記を行い理論の定着を図るようにしてください。

　次に、計算対策の日は、「基礎導入編」及び「基礎完成編」と同じくその週に新しく学習した単元の「問題集」を再度解答し学習した内容が自分のものになっているかどうか確認するようにしてください。この「応用編」の学習時期は、「基礎導入編」及び「基礎完成編」の学習内容も合わせて復習していくことから計画的に学習時間を確保するようにしてください。

"講師がちゃんと教える" だから学びやすい！分かりやすい！
ネットスクールの税理士WEB講座

【開講科目】簿記論、財務諸表論、法人税法、消費税法、相続税法、国税徴収法

ネットスクールの税理士 WEB 講座の特長

◆自宅で学べる！　オンライン受講システム

臨場感のある講義をご自宅で受講できます。しかも、生配信の際には、チャットやアンケート機能を使った講師とのコミュニケーションをとりながらの授業となります。もちろん、講義は受講期間内であればお好きな時に何度でも講義を見直すことも可能です。

▲講義画面イメージ▲

★講義はダウンロード可能です★

オンデマンド配信されている講義は、お使いのスマートフォン・タブレット端末にダウンロードして受講することができます。事前に Wi-Fi 環境のある場所でダウンロードしておけば、通信料や通信速度を気にせず、外出先のスキマ時間の学習も可能です。
※講義をダウンロードできるのはスマートフォン・タブレット端末のみです。
※一度ダウンロードした講義の保存期間は1か月間ですが、受講期間内であれば、再度ダウンロードして頂くことは可能です。

ネットスクール税理士 WEB 講座の満足度

◆受講生からも高い評価をいただいております

WEB講座 79.5%

- ▶ Zoom 面談は、孤独な自宅学習の励みになりましたし、試験直前にお電話をいただいたときは本当に感動しました。（消費／上級コース）
- ▶ 合格できた要因は、質問を 24 時間受け付けている「学び舎」を積極的に利用したことだと思います。（簿財／上級コース）
- ▶ 質問事項や添削のレスポンスも早く対応して下さり、大変感謝しております。（相続／上級コース）
- ▶ 講義が1コマ 30 分程度と短かったので、空き時間等を利用して自分のペースで効率よく学習を進めることができました。（国徴／標準コース）

教材 82.3%

- ▶ 理論教材のミニテストと「つながる会計理論」のおかげで、今まで理解が難しかった論点が頭の中でつながった瞬間は感動しました。（財表／標準コース）
- ▶ テキストが読みやすく、側注による補足説明があって理解しやすかったです。（全科目共通）

講師 78.2%

- ▶ 財務諸表論の穂坂先生の理論講義がとてもわかり易く良かったです。（簿財／上級コース）
- ▶ 先生方の学習面はもちろん精神的にもきめ細かいサポートのおかげで試験を乗り越えることができました。（法人／上級コース）
- ▶ 堀川先生の授業はとても面白いです。印象に残るお話をからめて授業を進めて下さるので、記憶に残りやすいです。（国徴／標準コース）
- ▶ 田中先生の熱意に引っ張られて、ここまで努力できました。（法人／標準コース）

※ 2019～2023 年度試験向け税理士 WEB 講座受講生アンケート結果より

各項目について5段階評価
不満← 1 2 3 4 5 ➡満足

税理士 WEB 講座の詳細はホームページへ　**ネットスクール株式会社 税理士 WEB 講座**

https://www.net-school.co.jp/　ネットスクール 税理士講座 検索

※税理士講座の最新情報は、ホームページ等をご確認ください。

ネットスクールの書籍シリーズのご案内
税理士試験合格に向けた学習

教科書・問題集　Ⅰ基礎導入編

基礎導入編は"教科書（テキスト）"と"問題集"の内容を1冊にまとめた構成となっており、『教科書編』ではインプットを、『問題集編』ではアウトプットを繰り返すことにより、効率的に学習を進めることができます。何事も最初が肝心となりますので、まずは本書で消費税法学習の土台を作りあげていきましょう。

教科書／問題集　Ⅱ基礎完成編

基礎導入編での学習が終わったら、基礎完成編に移ります。基礎導入編と同様に、税理士試験で頻繁に出題される重要論点の基礎的事項を学習していきます。

基礎完成編も基礎導入編と同様に、教科書でインプットしたことを必ず問題集（教科書と別売りとなります）を使ってアウトプットし、学習した知識を定着させましょう。

理論集

理論学習に特化したテキストで、効果的で無駄のない理論学習を行えます。

また、重要理論については音声＆デジタル版のWダウンロードサービスを付帯し、移動中や外出先でも理論学習を行えるようにしております（別途有料サービス）ので、あわせてご利用ください。

教科書／問題集　Ⅲ応用編

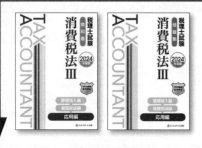

基礎完成編での学習が終わったら、応用編の学習に移ります。試験対策として重要となる応用的な内容及び特殊論点を学習していくことになりますが、基礎導入編及び基礎完成編で学習した内容を基に学習を進めていただければ、無理なく学習を進めることができますので、復習する際は、基礎導入編及び基礎完成編も併せて復習するようにしましょう。

全経　税法能力検定試験　公式テキスト（3級／2級・1級）

公益社団法人　全国経理教育協会（全経協会）では、経理担当者として身に付けておきたい法人税法・消費税法・相続税法・所得税法の実務能力を測る検定試験が実施されています。試験を受けることで、実務のスキルアップを図れるだけでなく、税理士試験の基礎学力の確認としても有効に活用することができます。税理士試験の学習と並行して、全経　税法能力検定試験の学習を進めることをお勧めします。

※検定試験の詳細は、全経協会公式ホームページをご確認ください。
https://www.zenkei.or.jp/

ラストスパート模試

　教科書（テキスト）での学習が一通り終わったら、本試験形式で構成された模擬試験問題を解きましょう。本シリーズでは、ネットスクールの税理士講師の先生が作成した模擬問題を3回分収載しています。
　試験問題を本体から取り外し、YouTubeで配信している「試験タイマー」を流しながら解くことで、試験本番の臨場感の中で解くことができます。学習してきた力を試験本番で十分に発揮できるよう訓練をしましょう。

試験合格！

ネットスクール公式YouTubeチャンネル

試験勉強や合格後の実務に役立つ動画も随時配信中！

☑ 出題予想や本試験の講評・解説
☑ 最新の実務の動向を解説する「ネットスクール学びちゃんねる」
☑ 試験会場の雰囲気を味わえる試験タイマーなど

アカウントをお持ちの方はぜひチャンネル登録のうえ、ご覧ください。

※掲載している書影は、すべて2024年8月現在の最新版、教科書／問題集シリーズは2024年度版のものとなります。
※書籍のお求めは全国の書店・インターネット書店、またはネットスクールWEB-SHOPをご利用ください。

多数の"合格者の声"が信頼と実績の証です！
ネットスクールWEB講座 合格者の声

ネットスクールで見事！合格を勝ち取った受講生様からのお言葉を紹介いたします。

イトウ　ハルカ様（20代女性／学生）　第72回試験／消費税法合格

私は他の予備校と併用する形で受講させていただいたのですが、画面を通しての講義でも質問などに親身に対応してくれてとても勉強しやすかったです。また、常に前向きな言葉をかけてくださる所にもとても勇気をもらいました。

勉強方法については、学生で本業の学業も手を抜くことができないため、試験勉強は、毎日何時から何をするかの計画を立てて勉強しました。また、直前期は毎日総合問題を解き、問題解答のフォームやルーティーンを定着させるようにしました。直前期は複数の予備校の直前対策問題を解くようにしましたが、ネットスクールの教材は、特に予想問題が主要論点を抑えつつ初見の問題もあったため何度も活用させていただきました。

YouTubeの解答速報を拝見し、丁寧な解説と勇気をもらえるような言葉を伝えてくれるネットスクールに興味を持ち、複数の科目を受講しましたが、丁寧な解説、教材、出題予想で本当に助かりました。受講してよかったです。

Y・K様（30代男性／一般会社勤務）　第72回試験／相続税法合格

相続税法の受験は3回目となりますが過去2回不合格となった際には、計算・理論共に基本論点で解答できておりませんでした。そのため、基本論点を見直し、ネットスクールの参考書や問題集を何度も回転させて記憶の定着を図りました。

また、単なる暗記ではなく理解力も伸ばさなければ本番の試験には対応できないので、制度の概要やなぜその制度が創設されたのかといった背景を理解することも重視しておりました。ネットスクールでは講義が分かりやすく、何度も気になったところは再生できるので納得いかないところは何度も視聴して理解することを心がけておりました。

最後になりますが、試験直前になるとSNS等で他校の生徒が高得点を取った情報や理論予想などの投稿を目にすることがありますが、そのような情報に惑わされずにまずはネットスクールのカリキュラムをしっかりと消化してその中での問題は確実に解けるようにすることが非常に重要だと思いました。実際に相続税法の理論では、ネットスクールで出題されたところを完璧に理解しておりましたので、他校の理論の出題ランクは低い論点でしたがしっかりと点数を取ることが出来ました。

これからは法人税法・消費税法の合格を目指して引き続きネットスクールにお世話になろうと考えております。引き続きどうぞよろしくお願いいたします。

官報合格者も続々輩出！

M・S様（50代男性／一般会社勤務）第71回試験／国税徴収法・官報合格

以前は独学で市販の理論集や問題集を購入して勉強していましたが、配当額の計算でどうしてこのような計算結果となるのか、いまひとつ理解できないところもあり、本試験でも配当額を間違えて計算してしまったことから、その年度は残念ながら不合格となりました。

その後、国税徴収法のテキストを探していたところ、ネットスクールの通信講座を知り、もう一度勉強しなおそうと思い立ち、受講を決めました。

実際に講義を受けてみると、これまで理解が不完全だった「なぜこうなるのか」がすっきりと理解でき、まさに目からウロコが落ちる、という体験でした。

理論は、試験に直結する重要度が高いものに加え、「これは覚えておくべき」と自分が判断したものを全部暗記し、2～3日間で一回転するやり方で精度の向上に努めました。ただ単に暗記するだけではなく、横のつながりを意識することが大切だと思いましたので、どことつながっているのかもいっしょに覚えるようにしました。

答練は、通信講座のなかの問題と過去問で練習を繰り返しました。「ラストスパート模試」は過去8年分と模擬試験4回分が収録されていましたので、これだけでも練習量としては充分だったと思います。答案の書き方自体もあまりよく知らず、以前は隙間なくビッシリと書いていましたので、適度にスペースを空ける書き方を教えてもらったことも受講してよかった、と思いました。

おかげさまで国税徴収法に合格することができました。ありがとうございました。

S・K様（40代男性） 第72回試験／法人税法・官報合格

この度、ようやく官報合格となりました。これまでにお世話になった先生方、本当に本当にありがとうございました。私は他校の受講経験がなく比較することはできませんが、一番ありがたかったのは「学び舎」です。理解力不足や勘違いで何度もくだらない質問をしましたが、すぐに丁寧に詳しく解説を頂けたことが合格に結び付いたと確信しています。

受験勉強で私が一番苦労したのは、何と言っても勉強時間の確保です。仕事との両立はやはり厳しく、平日夜はほぼ時間がとれないため、毎朝3時に起床し朝に勉強するというスタイルで、1日約3～4時間は勉強に充てていました。主な1日のスケジュールは、朝は計算メインの勉強、通勤時間は車の中で、自分が吹き込んだオリジナル理論音声を聞きながらブツブツ念仏を唱え、昼休みは理論集の暗記、ベッドに入って寝るまでの時間も理論集の暗記といった内容でした。

私の理論暗記法は、短期間で繰り返し理論集を何回転もさせるやり方です。最初は重要語句を暗記ペンでマーカーし、覚えたら次の理論という感じでどんどん進めていき、少しずつ暗記ペンでマーカーした部分を増やしていきます。30～40回転目になると、ほとんどマーカーした状態になり、その頃からは、理論集を見ずに暗唱し、つまれば理論集を見て確認するというやり方に徐々にシフトしていきます。この方法は職場の先輩から教えてもらったもので、前回受験した国税徴収法と今回受験した法人税法はこの方法でほぼ全部暗記しました。直前期は数日で1回転できるようになり、最終的には60回転くらいさせたと思います。理論暗記に悩んでいる人にはお勧めです。

税理士試験はかなり長い年数を勉強に費やすことになり、それに比例して犠牲にしなければならないことも多いと思います。私も何度も諦めそうになりました。しかし、なんとか踏みとどまり、ネットスクールを信じて諦めずに継続したことで、5科目合格することができました。

税理士WEB講座の詳細はホームページへ　**ネットスクール株式会社 税理士WEB講座**

https://www.net-school.co.jp/　　ネットスクール 税理士講座　[検索]

税理士試験とは
試験概要

【試験科目】

税理士試験は、会計科目2科目・税法科目9科目の全11科目あります。このうち、会計科目2科目と税法科目3科目(選択必須科目1科目以上を含む)の合計5科目に合格する必要があります。1度の受験で5科目全てに合格する必要はなく、1科目ずつ受験することもできます。なお、1度合格した科目は生涯有効となります。

【試験日】

通常、8月第1又は第2週の火曜日～木曜日に実施されます。

【合格点・合格発表】

合格基準点は各科目とも満点の60パーセントです。合格発表は11月下旬になります。
その他、税理士試験の詳細については、国税庁ホームページをご覧下さい。

https://www.nta.go.jp/index.htm
国税庁ホームページ ＞ 税の情報・手続・用紙 ＞ 税理士に関する情報 ＞ 税理士試験

本書シリーズ
法令等の改正情報の公開について

本書税理士シリーズについて、法令等の改正や会計基準等の変更があった場合には、改正・変更に関する情報を公開いたします。

https://www.net-school.co.jp/
読者の方へ ＞ 税理士試験／科目 ＞ 改正情報

```
凡例(略式名称……正式名称)
    法……消費税法       令……消費税法施行令       規……消費税法施行規則
    基通……消費税法基本通達
    別表第一、第二、第三……消費税法別表第一、第二、第三
    所法……所得税法     所令……所得税法施行令     法法……法人税法
    法令……法人税法施行令       国通法……国税通則法
    措法……租税特別措置法
    措令……租税特別措置法施行令
引用例
    法7①三   …   消費税法第7条第1項第3号
    基通10-1-19   …   消費税法基本通達10-1-19
```

(注) 本書は、令和6年(2024年)4月1日現在施行されている法令等に基づき作成しています。

Chapter 1

電気通信利用役務の提供及び特定役務の提供

計算　　　　　　　　　　答案用紙：2頁　解答解説：1-2頁

問題1　電気通信利用役務の提供の判定　　基本　5分

次の内国法人が行った各取引につき、電気通信利用役務の提供となるものを選びなさい。

(1) 内国法人は、日本の消費者と外国法人間のデータ伝送サービスを行っている。
(2) 内国法人は、クラウド上のデータベースを利用させるサービスを行っている。
(3) 内国法人は、特別にソフトウェアの制作を請負い、制作が終了したため、インターネットで配信を行っている。
(4) 内国法人は、インターネットを通じて、ゲームソフトの配信を行っている。
(5) 内国法人は、インターネットを通じて、ゲームソフトの著作権の譲渡を行った。
(6) 内国法人は、クラウド上で顧客の電子データの保存を行う場所の提供を行うサービスを行っている。
(7) 内国法人は、インターネット上でゲームソフトを販売する場所を利用させるサービスを行っている。
(8) 内国法人は、インターネットを通じて、他の内国法人に対して電子新聞の配信を行っている。
(9) 内国法人は、インターネットを通じて、他の内国法人に対して電子書籍の配信を行っている。
(10) 内国法人は、インターネットを通じて、他の内国法人に対して広告の配信を行っている。

計算　　　　　　　　　　答案用紙：2頁　解答解説：1-2頁

問題2　電気通信利用役務の提供を行った場合の国内取引の判定　　基本　5分

次の内国法人が行った各取引につき、国内取引となるものを選びなさい。

(1) 内国法人は、外国法人が行っているクラウド上で顧客の電子データの保存を行う場所の提供を行う国内事業者向けサービスを受けた。
(2) 内国法人は、国内の個人事業者が行っているクラウド上で顧客の電子データの保存を行う場所の提供を行う国内事業者向けサービスを受けた。
(3) 内国法人は、外国法人が行っているインターネット上のショッピングサイトを利用させる国内事業者向けサービスを受けた。
(4) 内国法人は、外国法人に対してインターネット上のショッピングサイトを利用させる事業者向けサービスを行った。
(5) 内国法人は、国外の消費者に対して、電子書籍をインターネットにより配信を行った。

計算　　　　　　　　　　　答案用紙： 2頁　　解答解説： 1-2頁

問題 3　特定役務の提供　　　　　　　　　　基本　3分

次の各取引につき、特定役務の提供となるものを選びなさい。

(1) アメリカのメジャーリーグの球団が、日本国内において野球の試合を行い観客（一般消費者）から観戦料を徴収した。

(2) アメリカのメジャーリーグの選手が、日本国内において内国法人から依頼を受けテレビＣＭの撮影を行い、ＣＭ出演料を受け取った。

(3) 韓国の俳優が、日本国内において、日本のテレビ局が撮影するテレビドラマに出演し出演料を受け取った。

(4) 日本の俳優がアメリカの映画に出演し出演料を受け取った。

(5) 日本のプロ野球選手が、日本国内において、日本のテレビ局が撮影するバラエティ番組に出演し出演料を受け取った。

計算　　　　　　　　　　　答案用紙： 2頁　　解答解説： 1-3頁

問題 4　課税標準額(1)　　　　　　　　　　基本　5分

次の資料より甲社の当課税期間（令和7年4月1日～令和8年3月31日）に係る課税標準額に対する消費税額を割戻し計算の方法により計算しなさい。

(1) 商品（衣料品）売上高 77,000,000 円の内訳は次のとおりである。

① 国内事業者に対する商品売上高　　　　　　　　　　49,000,000 円

② 国内消費者に対する商品売上高　　　　　　　　　　18,000,000 円

③ 輸出免税に係る商品輸出売上高　　　　　　　　　　10,000,000 円

いずれも非課税取引に係るものはない。

(2) 国外事業者（法人税法に規定する外国法人）に対して支払った広告料

3,240,000 円

国外事業者が開設するウェブサイトに商品の広告を出稿した際の原稿料であり、その契約において事業者向けサービスであることが明記されている。

(3) 甲社は、税込経理を行っている。

計算　　　　　　　　　　　　　　答案用紙： 3頁　　解答解説： 1-4頁

問題 5　課税標準額(2)　　　　　　　　　　　　　　　基本　7分

　次の資料より乙社（食料品及び家庭用雑貨の販売業）の当課税期間（令和7年4月1日〜令和8年3月31日）に係る課税標準額に対する消費税額を割戻し計算の方法により計算しなさい。

(1)　売上高の内訳は次のとおりである。
　　① 国内の消費者に対する飲食料品の売上高　　　　　　　　184,800,000 円
　　　　なお、この取引は軽減税率が適用される取引である。
　　② 国内の消費者に対する家庭用雑貨の売上高　　　　　　　 46,200,000 円
(2)　国外のプロスポーツ選手に対して支払ったテレビCM出演料　　5,650,000 円
　　　国外のプロスポーツ選手は所得税法に規定する非居住者である個人事業者に該当する者であり、テレビCMでは乙社で販売している飲食料品の紹介を行っている。
(3)　乙社は、税込経理を行っている。

計算　　　　　　　　　　　　　　答案用紙： 4頁　　解答解説： 1-5頁

問題 6　控除対象仕入税額(1)　　　　　　　　　　　　基本　10分

　次の資料から丙社（電気器具の販売業）の当課税期間（令和7年4月1日〜令和8年3月31日）に係る控除対象仕入税額を個別対応方式（割戻し計算）により計算しなさい。なお、軽減税率が適用される取引は含まれていない。

(1)　丙社の当課税期間の課税売上割合は90％であった。
(2)　丙社の当課税期間の課税仕入れに係る支払対価の額は次のとおりであった。
　　① 課税資産の譲渡等にのみ要する課税仕入れ　　　　　　　 68,392,000 円
　　② その他の資産の譲渡等にのみ要する課税仕入れ　　　　　　8,549,000 円
　　③ 課税資産の譲渡等とその他の資産の譲渡等に共通して要する課税仕入れ
　　　　　　　　　　　　　　　　　　　　　　　　　　　　　 54,713,000 円
(3)　丙社の当課税期間の特定課税仕入れに係る支払対価の額　　 3,270,000 円
　　　法人税法に規定する外国法人に該当する国外事業者が開設するウェブサイトに丙社の電気器具の広告を掲載した際の広告掲載料である。
(4)　丙社は、税込経理を行っている。

計算　　　　　　　　　　　答案用紙：　5頁　　解答解説：　1-6頁

問題7　控除対象仕入税額(2)　　　　　　　　　　基本　10分

次の資料から丁社（事務用品販売業）の当課税期間（令和7年4月1日～令和8年3月31日）に係る控除対象仕入税額を割戻し計算の方法により計算しなさい。なお、軽減税率が適用される取引は含まれていない。

(1) 丁社の当課税期間の課税売上割合は80％であった。
(2) 丁社の当課税期間の課税仕入れに係る支払対価の額は次のとおりであった。
　① 課税資産の譲渡等にのみ要する課税仕入れ　　　　　　　　40,850,000円
　② その他の資産の譲渡等にのみ要する課税仕入れ　　　　　　4,840,000円
　③ 課税資産の譲渡等とその他の資産の譲渡等に共通して要する課税仕入れ
　　　　　　　　　　　　　　　　　　　　　　　　　　　　32,750,000円
(3) 丁社の当課税期間の特定課税仕入れに係る支払対価の額　　　4,320,000円
　所得税法に規定する非居住者である個人事業者に該当する国外タレントに支払ったテレビCMの出演料である。なお、このテレビCMは丁社の社名を広めるためのイメージCMである。
(4) 丁社は、税込経理を行っている。

計算　　　　　　　　　　　答案用紙：　6頁　　解答解説：　1-7頁

問題8　総合問題　　　　　　　　　　　　　　　基本　30分

甲株式会社（以下「甲社」という。）の令和7年4月1日～令和8年3月31日までの当課税期間（事業年度）の以下の資料に基づき、当課税期間の確定申告により納付すべき消費税額を計算過程を示し計算しなさい。なお、消費税法の規定に基づき適用される計算方法が2以上ある事項については、それぞれの計算方法による計算結果を示し、納付税額が最も少なくなる方法を採用するものとする。

1. 解答に当たっての留意事項
　(1) 甲社は、衣料品の販売業及び不動産賃貸業を営む事業者である。
　(2) 会計帳簿による経理は、すべて消費税及び地方消費税込みの金額により処理（税込経理）している。
　(3) 問題文において特段断りのないものは、国内における取引に係るものである。
　(4) 甲社は、前課税期間まで課税売上割合が95％未満となる課税期間（平成24年4月1日以後に開始する課税期間については、課税期間における課税売上高が5億円を超える課税期間を含む。）については、消費税法第30条第2項第一号に規定する方法（個別対応方式）によって計算している。

(5) 課税売上割合に準ずる割合の承認は受けていない。
(6) 課税標準額に対する消費税額及び控除対象仕入税額は割戻し計算の方法により計算する。
(7) 当課税期間中に行った課税仕入れ等については、その事実を明らかにする帳簿及び請求書等が、又、輸出取引については、それに係る書類が、それぞれ法令に従って保存されている。
(8) 甲社の当課税期間に係る中間納付税額は 5,000,000 円であった。

2. 甲社の当課税期間に係る試算表（一部）

試　算　表　　　　　　　　（単位：円）

商　品　仕　入　高	286,584,254	商　品　売　上　高 804,957,352
販売費一般管理費	155,357,189	受　取　家　賃 8,400,000
支　払　手　数　料	1,500,000	受　取　利　息 447,729
売　上　値　引	15,896,640	受　取　配　当　金 300,000
		雑　　収　　入 4,230,000
		土　地　売　却　益 35,000,000

(1) 「売上高」の内訳は、次のとおりである。
① 国内における衣料品の売上高　　　　　　　 783,211,619円
② 国外の事業者に対する衣料品の輸出売上高　　21,745,733円

(2) 「売上値引」は、当課税期間の売上高に係るものであり、上記(1)①に係るものが 12,974,500円、(1)②に係るものが2,922,140円である。

(3) 「受取家賃」の内訳は、次のとおりである。
① 居住用マンションの賃貸料収入　　　　　　　1,920,000円
　なお、賃貸料収入のうち500,000円は非居住者に2ヵ月賃貸した際の賃貸料収入である。
② 事務所用建物の賃貸料収入　　　　　　　　　6,480,000円

(4) 「受取利息」は、そのすべてが国内銀行の預金利息である。

(5) 「受取配当金」には、合同運用信託の収益分配金が50,000円含まれており、残額は保有株式に係る剰余金の配当である。

(6) 「雑収入」の内訳は、次のとおりである。
① 居住用マンションの屋上に設置した広告看板の広告料収入
　　　　　　　　　　　　　　　　　　　　　　3,000,000円

② 前事業年度に係る法人税、住民税及び事業税の還付金

　　　　　　　　　　　　　　　　　　　　　　1,230,000円

(7) 「土地売却益」は、甲社の保有する土地（帳簿価額185,000,000円、時価250,000,000円）を220,000,000円で売却した際に計上したものである。

　なお、不動産会社に支払った土地売却の仲介手数料1,500,000円は支払手数料勘定に計上している。

(8) 「商品仕入高」は、そのすべてが国内の事業者から仕入れた衣料品である。

(9) 「販売費一般管理費」には、国外事業者からインターネットを通じて行われた事業者向けのソフトウェアの配信を受けた金額52,180円が含まれており、残額のうち課税仕入れとなるものは132,554,837円である。なお、販売費一般管理費のうち課税仕入れとなるものは、課税資産の譲渡等とその他の資産の譲渡等に共通して要するものとする。

　また、課税仕入れとなる132,554,837円のうち382,420円は軽減税率が適用されるものである。

(10) 上記以外に、当課税期間中に国外事業者に甲社の業務全般に使用するソフトウェアの制作を依頼し、対価として500,000円を支払いインターネットによりソフトウェアの引渡しを受け無形固定資産として計上している。

······· *Memorandum Sheet* ·······

Chapter 2

非課税資産の輸出等

計算　　　　　　　　　　　　答案用紙： 10頁　解答解説： 2-1頁

問題 1　非課税資産の輸出の判定　　　基本　10分

次の取引のうち、非課税資産の輸出の規定が適用されるものを選択しなさい。

(1)　内国法人が、国外の事業者（非居住者）に対して、国内に所有する土地を譲渡する行為
(2)　内国法人が、国外の事業者（非居住者）に対して、商標権（日本で登録）を譲渡する行為
(3)　内国法人が、国外の事業者（非居住者）を債務者とする貸付金に係る利息を収受する行為
(4)　内国法人が、国外の事業者（非居住者）の債務を保証したことに係る保証料を収受する行為
(5)　内国法人が、国外の事業者（非居住者）に対して、有価証券を貸し付ける行為
(6)　内国法人が、外国銀行の本店（非居住者）から預金に係る利息を収受する行為
(7)　内国法人が、国外の事業者（非居住者）に対して、貸付金を譲渡する行為
(8)　内国法人が、国内の事業者に対して、検定済教科書を販売する行為
(9)　内国法人が、国外の事業者（非居住者）に対して、検定済教科書を輸出販売する行為
(10)　内国法人が、国内の事業者に対して、身体障害者用物品を販売する行為
(11)　内国法人が、国外の事業者（非居住者）に対して、身体障害者用物品を輸出販売する行為
(12)　内国法人が、国内の銀行から外貨預金に係る利息を収受する行為
(13)　内国法人が発行した社債の償還に係る償還差益
(14)　外国法人（非居住者）が発行した社債の償還に係る償還差益
(15)　内国法人が、国外の事業者（非居住者）が発行した株式に係る配当金を収受する行為

計算　　　　　　　　　答案用紙： 10頁　解答解説： 2-2頁

問題2　非課税資産の輸出等(1)　　基本　15分

当社は、スポーツ用品（課税商品）の販売業及び車いす（非課税商品）の製造販売業を営んでいる。

次の【資料】に基づいて、当課税期間（令和7年4月1日から令和8年3月31日）における控除対象仕入税額を割戻し計算の方法により求めなさい。なお、当社は、税込経理方式を採用している。

【資料】

(1) 売上高

	国内販売分	輸出販売分
① スポーツ用品の売上高	70,350,000円	25,000,000円
② 車いすの売上高	14,000,000円	6,000,000円

(2) 受取利息
　① 国内の銀行に対する預金に係るもの　　　　　　　　　　　250,000円
　② 国外の銀行（非居住者）に対する預金に係るもの　　　　　350,000円

(3) 国内所有の土地の譲渡収入　　　　　　　　　　　　　　　10,000,000円

(4) (1)の売上高に係る課税仕入れ（軽減税率が適用される取引は含まれていない。）

	国内販売分	輸出販売分
スポーツ用品の売上げに係る課税仕入れ	28,140,000円	10,000,000円
車いすの売上げに係る課税仕入れ	8,400,000円	3,600,000円

(5) 上記(4)以外の課税仕入れ（軽減税率が適用される取引は含まれていない。）
　① 課税資産の譲渡等にのみ要するもの　　　　　　　　　　7,000,000円
　② その他の資産の譲渡等にのみ要するもの　　　　　　　　4,100,000円
　③ 共通して要するもの　　　　　　　　　　　　　　　　15,100,000円

計算

答案用紙： 12頁　解答解説： 2-4頁

問題3　非課税資産の輸出等(2)　　基本　15分

次の【資料】に基づいて、当課税期間（令和7年4月1日～令和8年3月31日）の控除対象仕入税額を割戻し計算の方法により求めなさい。なお、当社は税込経理方式を採用している。また、軽減税率が適用される取引は含まれていない。

【資料】

(1)　国内課税売上高　　　　　　　　　　　　　　　　45,600,000円

(2)　国外支店における売上高　　　　　　　　　　　　16,700,000円

(3)　土地の譲渡収入　　　　　　　　　　　　　　　　20,750,000円

(4)　建物の譲渡収入　　　　　　　　　　　　　　　　12,600,500円

(5)　課税仕入れ

　①　課税資産の譲渡等にのみ要するもの　　　　　　22,065,000円

　②　その他の資産の譲渡等にのみ要するもの　　　　　　520,000円

　③　共通して要するもの　　　　　　　　　　　　　18,500,000円

　上記以外に、海外支店に輸出した商品に係る課税仕入れ9,875,000円がある。なお、当該商品の関税法施行令に規定する本船甲板渡し価格は11,670,000円である。

計算　　　　　　　　　答案用紙： 13頁　解答解説： 2-6頁

問題 4　非課税資産の輸出等(3)　　応用　20分

　当社は、スポーツ用品（課税商品）の販売業及び車いす（非課税商品）の製造販売業を営んでいる。

　次の【資料】に基づいて、当課税期間（令和7年4月1日から令和8年3月31日）における控除対象仕入税額を割戻し計算の方法により求めなさい。なお、当社は、当課税期間まで継続して課税事業者に該当し、税込経理方式を採用している。

【資料】

1　当社の当課税期間の損益計算書は、次のとおりである。

損　益　計　算　書　　　（単位：円）

【　売　上　高　】		
総　売　上　高	63,440,500	
売　上　割　戻	1,998,000	61,442,500
【　売　上　原　価　】		
期首商品・製品棚卸高	5,660,000	
当 期 商 品 仕 入 高	24,245,000	
当 期 製 品 製 造 原 価	8,000,000	
合　　　　　計	37,905,000	
期末商品・製品棚卸高	8,450,000	29,455,000
売　上　総　利　益		31,987,500
【販売費及び一般管理費】		24,740,000
営　業　利　益		7,247,500
【　営　業　外　収　益　】		
受　取　利　息	999,000	
有価証券売却益	451,000	1,450,000
【　営　業　外　費　用　】		
支　払　利　息		500,000
経　常　利　益		8,197,500

【 特 別 損 失 】
固 定 資 産 売 却 損　　　　　　　　　1,000,000
　　　税引前当期純利益　　　　　　　　　7,197,500

2　損益計算書の内容に関して付記すべき事項は、次のとおりである。
⑴　総売上高の内訳は、以下のとおりである。
　①　スポーツ用品に係るもの
　　イ　国内販売分　　　　　　　　　35,600,000円
　　ロ　輸出販売分　　　　　　　　　 4,240,000円
　　ハ　海外支店における販売分　　　14,650,500円
　②　車いすに係るもの
　　イ　国内販売分　　　　　　　　　 3,500,000円
　　ロ　輸出販売分　　　　　　　　　 5,450,000円
⑵　売上割戻しの内訳は、以下のとおりである。なお、売上割戻しはすべて当課税期間の売上げに係るものである。
　①　スポーツ用品の国内販売分に係るもの　　1,812,800円
　②　車いすの輸出販売分に係るもの　　　　　　185,200円
⑶　当期商品仕入高24,245,000円はスポーツ用品の仕入代金である。
　　なお、上記金額には、海外の支店に対して輸出したスポーツ用品の仕入代金15,250,000円が含まれている。
⑷　当期製品製造原価は車いすの製造に係るものであり、そのうち課税仕入れに該当するものは、次のとおりである。
　①　国内販売分に係る課税仕入れ　　　2,000,000円
　②　輸出販売分に係る課税仕入れ　　　3,000,000円
⑸　販売費及び一般管理費には、商品及び製品に係る国内運賃1,990,000円（スポーツ用品に係るもの1,510,000円及び車いすに係るもの480,000円（国内販売分210,000円、輸出販売分270,000円）の合計額）とその他の課税仕入れ（共通課税仕入れに該当する。）が7,000,000円含まれており、これら以外は課税仕入れに該当しない。なお、軽減税率が適用される取引は含まれていない。
⑹　受取利息の内訳は、以下のとおりである。
　①　内国法人（居住者）に対する貸付金に係る利息
　　　　　　　　　　　　　　　　　649,000円
　②　外国法人（非居住者）に対する貸付金に係る利息
　　　　　　　　　　　　　　　　　350,000円

(7) 有価証券売却益は、国外の法人（非居住者）に対して帳簿価額1,999,000円の株式を2,500,000円で売却した際の売却益から国内の証券会社に支払った売却手数料50,000円を控除した残額である。

(8) 固定資産売却損は、帳簿価額9,000,000円の建物を8,000,000円で売却したことにより生じたものである。

3 海外の支店に移送した商品（スポーツ用品）の関税法施行令に規定する本船甲板渡し価格は16,550,000円である。

計算　　　　　　　　　　　　　　　　　答案用紙：15頁　解答解説：2-9頁

問題5　非課税資産の輸出等(4)　　応用　15分

甲社は、健康増進機器（課税資産）の製造販売業及び身体障害者用物品（車いす）の販売業等を営んでいる。次の【資料】に基づいて、当課税期間（令和7年4月1日から令和8年3月31日）における課税標準額に対する消費税額（割戻し計算の方法）及び課税売上割合を求めなさい。なお、甲社は、当課税期間まで継続して課税事業者に該当し、税込経理方式を採用している。

【資料】

損益計算書に計上されている総売上高の内訳等は、次のとおりである。

(1) 健康増進機器（以下「製品」という。）に係る売上高　　　　306,785,400円

　製品に係る売上高には、輸出売上高174,519,100円が含まれているが、これ以外はすべて国内における課税資産の譲渡等に該当する。

(2) 身体障害者用物品に係る売上高（すべて国内販売分）　　　　75,627,800円

(3) その他の売上高　　　　　　　　　　　　　　　　　　　　　　186,000円

　これは、車いすの修理に係る役務の提供の対価として受け取ったものである。

　(2)の売上げに係る車いすのメーカーである非居住者（C社）から輸入したものについてはC社の保証書が発行されており、国内の消費者に販売した後1年以内に通常の用途で故障した場合には、C社の負担で修理が受けられることとされているが、C社は国内に支店等を有していないことから、その修理を甲社に委託している。この修理の対価を甲社がC社から収受したものである。（当該修理については、厚生労働省告示において非課税として規定されている。）

(4) その他の事項

　甲社の海外営業所に移送した製品（その輸出時の本船甲板渡し価格は1,000,000円）がある。

（平成16年本試験問題　改題）

理論　　　　　　　　　　　　　答案用紙： 16頁　解答解説： 2-10頁

問題6　非課税資産の輸出等の理論(1)　　　　　基本　7分

問1　非課税資産の輸出等に係る次の文章の空欄①～④に入る適切な語句を記入しなさい。

(1) 事業者（免税事業者を除く。）が国内において（　①　）のうち（　②　）に該当するものを行った場合において、その（　①　）が（　②　）に該当するものであることにつき証明がされたときは、その証明がされたものは、課税資産の譲渡等に係る（　②　）に該当するものとみなして、（　③　）の規定を適用する。

(2) 事業者（免税事業者を除く。）が国外における資産の譲渡等又は（　④　）のため、資産を輸出した場合において、その資産が輸出されたことにつき証明がされたときは、その証明がされたものは、課税資産の譲渡等に係る（　②　）に該当するものとみなして、（　③　）の規定を適用する。

問2　非課税資産の輸出に含まれない資産の輸出を3つあげなさい。

理論　　　　　　　　　　　　　答案用紙： 17頁　解答解説： 2-11頁

問題7　非課税資産の輸出等の理論(2)　　　　　応用　10分

甲社の次の取引に対する課税売上割合の計算に関して消費税の取扱いを簡潔に述べなさい。

　甲社は精密機械の製造メーカーであるが、取引の国際化に伴い生産体制の見直しを行なうこととした。

　具体的には、国内の自社工場を廃止し、海外に自社工場を建設するとともに、海外の現地法人の工場を拡充・整備することとしている。この国外への生産拠点のシフトに伴って当課税期間において以下の取引を行っている。

1　国内の自社工場において有している製造設備の海外自社工場への移送
　（注）当該製造設備の帳簿価額は1億2千万円であり、再調達価格は2億円、ＣＩＦ（運賃・保険料込み）価格は1億8千万円、ＦＯＢ（本船甲板渡し）価格は1億7千万円である。

2　外国法人Ｂ社との合弁会社である海外の現地法人Ｃ社に対して貸し付けている5億円に係る本年上半期分の利息1千万円の受取り
　（注）この貸付けに係る契約の締結は、すべて国内の甲社財務部において行っている。

（平成11年本試験問題　改題）

Chapter 3

調整対象固定資産

計算　　　　　　　　　　　　　答案用紙： 18頁　解答解説： 3-1頁

問題1　調整対象固定資産の判定　　　　　　　基本　10分

次の資産（すべて令和元年10月1日以後取得したものである。）について、調整対象固定資産に該当するか判定しなさい。なお、当社は税込経理方式を採用している。

(1) 床暖房の設置に要した費用　　　　　　　990,000円
(2) 棚卸資産の購入に要した費用　　　　　1,100,000円
(3) 土地造成のために要した資本的支出　　2,750,000円
(4) マンションの改装工事に要した資本的支出　1,320,000円
(5) 株式の購入に要した費用　　　　　　　1,500,000円
(6) 暖房設備の設置に要した費用　　　　　1,100,000円
(7) 商標権の購入に要した費用　　　　　　1,760,000円
(8) ＯＡ機器の購入に要した費用　　　　　1,980,000円
　　なお、1台当たりの購入単価は660,000円である。
(9) 機械の購入に要した費用　　　　　　　1,320,000円
　　なお、上記1,320,000円には引取運賃330,000円が含まれている。
(10) 照明器具の購入に要した費用　　　　　2,078,900円
　　なお、この照明器具は輸入により取得したものであり、上記金額の内訳は、課税貨物に係る消費税の課税標準額1,890,000円、保税地域からの引取りに際して税関に納付した消費税額147,400円及び地方消費税額41,500円である。

計算　　　　　　　　　　　　　答案用紙： 19頁　解答解説： 3-2頁

問題2　課税売上割合が著しく変動した場合(1)　　基本　10分

次の【資料】に基づいて、当課税期間（令和7年4月1日～令和8年3月31日）の調整対象固定資産に係る調整税額を計算しなさい。なお、当社は設立以来課税事業者に該当し、事業年度の変更は行っていない。

【資料】
　令和5年10月1日に車両7,150,000円（税込）を購入し当課税期間末日まで保有している。なお、当社は前々課税期間（令和5年4月1日～令和6年3月31日）、前課税期間（令和6年4月1日～令和7年3月31日）とも一括比例配分方式により控除対象仕入税額の計算を行っている。

	前々課税期間	前課税期間	当課税期間
課税売上高（税抜）	25,000,000円	30,000,000円	35,000,000円
非課税売上高	50,000,000円	2,000,000円	3,500,000円

計算　　　　　　　　　　　　　　　答案用紙：20頁　解答解説：3-4頁

問題3　課税売上割合が著しく変動した場合(2)　応用　30分

問1

次の【資料】に基づいて、当課税期間（令和7年4月1日～令和8年3月31日）の調整対象固定資産に係る調整税額を計算しなさい。なお、当社は設立以来課税事業者に該当し、事業年度の変更は行っていない。

【資料】

令和5年9月1日に課税製品製造用機械7,700,000円（税込）を購入し当課税期間末日まで保有している。なお、当社は前々課税期間（令和5年4月1日～令和6年3月31日）は、課税仕入れ等の税額の全額を控除している。

	前々課税期間	前課税期間	当課税期間
課税売上高（税抜）	65,000,000円	55,000,000円	45,000,000円
非課税売上高	500,000円	100,000,000円	150,000,000円

問2

次の【資料】に基づいて、当課税期間（令和7年4月1日～令和8年3月31日）の控除対象仕入税額を計算しなさい。なお、当社は設立以来課税事業者に該当している。

【資料】

1　令和5年8月1日に機械8,800,000円及び車両990,000円（いずれも課税資産の譲渡等とその他の資産の譲渡等に共通して要する課税仕入れに該当する。）を購入しており、当課税期間の末日において保有している。なお、仕入れ等の課税期間においては、課税仕入れ等の全額を控除している。

2　当社の各課税期間に係る取引は次のとおりである。なお、当社は税込経理方式を採用している。

3　軽減税率が適用される取引は行われていない。

取引の状況	前々事業年度 自令和5年4月1日 至令和6年3月31日	前事業年度 自令和6年4月1日 至令和7年3月31日
Ⅰ 資産の譲渡等の金額	26,000,000円	60,655,550円
Ⅰのうち非課税取引に係るもの	1,000,000円	40,000,000円
Ⅰのうち免税取引に係るもの	3,000,000円	2,500,000円

4 当社の当課税期間に係る取引は以下のとおりである。
 (1) 国内課税売上高　　　　　　　　　　　　33,428,571円
 (2) 輸出免税売上高　　　　　　　　　　　　 5,000,000円
 (3) 非課税資産の国内売上高　　　　　　　　53,000,000円
　　　有価証券等の譲渡は含まれていない。
 (4) 受取利息　　　　　　　　　　　　　　　　 500,000円

5 当課税期間における調整前の控除対象仕入税額は、以下のとおりである。
 (1) 個別対応方式　　　　　　　　　　　　　 1,000,000円
 (2) 一括比例配分方式　　　　　　　　　　　 1,200,000円

計算　　　　　　　　　　　　答案用紙：22頁　解答解説：3-8頁

問題 4　課税売上割合が著しく変動した場合(3)　応用　30分

次の【資料】から、当社の当課税期間（令和7年4月1日～令和8年3月31日）における控除対象仕入税額を計算しなさい。なお、当社は設立以来課税事業者に該当する。

【資料】
1　当社は前課税期間まで、課税売上割合が95%未満となる場合の課税期間については、個別対応方式により仕入れに係る消費税額の計算を行っている。
2　会計帳簿における経理は、すべて消費税及び地方消費税を含んだ金額により処理されている。
3　当社の各課税期間に係る取引は、次のとおりである。なお、各課税期間共に軽減税率が適用される取引は行われていない。

（単位：円）

取引の状況	前々事業年度 自令和5年4月1日 至令和6年3月31日	前事業年度 自令和6年4月1日 至令和7年3月31日
Ⅰ 資産の譲渡等の金額	196,592,490円	84,354,520円
Ⅰのうち非課税取引に係るもの	125,565,500円	4,578,900円
Ⅰのうち免税取引に係るもの	24,525,000円	28,975,000円

4 当社の当課税期間に係る取引は以下のとおりである。

- (1) 国内課税売上高　　　　　　　　　　　42,368,000円
- (2) 輸出免税売上高　　　　　　　　　　　25,670,000円
- (3) 非課税資産の国内売上高　　　　　　　 4,150,400円
- (4) 受取利息　　　　　　　　　　　　　　　 100,000円
- (5) 有価証券の譲渡収入　　　　　　　　　 2,450,000円

5 当課税期間の課税仕入れの区分及びその金額は以下のとおりである。

- (1) 課税資産の譲渡等にのみ要するもの　　32,450,600円
- (2) その他の資産の譲渡等にのみ要するもの　　250,000円
- (3) 共通して要するもの　　　　　　　　　12,404,000円

6 当社の資産の取得状況

取得年月日	種類	取得金額	用途等
令和5年10月30日	建物A	16,291,000円	課税業務用に供している。
令和6年2月15日	車両	5,500,000円	課税業務と非課税業務の共通の用に供している。なお、令和7年7月31日に売却している。
令和5年12月20日	建物B	9,416,000円	課税業務と非課税業務の共通の用に供している。
令和5年10月1日	機械	4,400,000円	1台当たり1,100,000円の機械を4台購入したものであり、課税業務と非課税業務の共通の用に供している。
令和5年11月1日	土地	15,000,000円	課税業務と非課税業務の共通の用に供している。

(注) 特に指示があるものを除いて当課税期間の末日において保有している。

計算　　　　　　　　　　答案用紙：26頁　解答解説：3-12頁

問題5　課税売上割合が著しく変動した場合(4)　　応用　10分

甲社は、健康増進機器（課税資産、以下「製品」という。）の製造販売業及び身体障害者用物品（車いす）の販売業等を営んでいる。次の【資料】に基づいて、当課税期間（令和7年4月1日から令和8年3月31日）における仕入れに係る消費税額の調整税額を求めなさい。

【資料】

1　甲社は、令和5年2月1日に資本金の額25,000,000円で設立された株式会社である。
　　なお、設立事業年度は令和5年2月1日から令和5年3月31日までであり、その後は毎年4月1日から3月31日までを課税期間としている。

2　設立以来前課税期間まで、甲社は消費税の納税義務者となる場合で課税売上割合が95％未満となるときの課税期間については、個別対応方式により課税仕入れ等に係る消費税額の計算を行っている。

3　甲社の各課税期間の固定資産の取得状況は次のとおりであるが、特に断りのある場合を除き当課税期間の末日において所有している。

	取得年月日	名　称	取得金額	用途等
①	令和5年2月12日	倉庫用設備一式	3,960,000円	身体障害者用物品保管用
②	令和5年2月12日	自動車	2,800,000円	製品配送用
③	令和5年2月25日	内装工事	7,000,000円	本社事務所兼製品工場

4　甲社の設立事業年度は、開業準備行為のみを行っており、資産の譲渡等の対価の額は生じていない。また、設立事業年度から当課税期間末までの通算課税売上割合は74％である。

（平成16年本試験問題　改題）

理論　　　　　　　　　　答案用紙：27頁　解答解説：3-13頁

問題6　課税売上割合が著しく変動した場合の理論　　基本　7分

問1　課税売上割合が著しく変動した場合の仕入れに係る消費税額の調整の適用要件について、空欄を埋めなさい。
　　事業者（（　①　））が、国内において調整対象固定資産の（　②　）を行い、かつ、その（　②　）の税額につき（　③　）により（　④　）を計算した場合において、

その事業者が（　⑤　）の末日においてその調整対象固定資産を有しており、かつ、（　⑤　）における（　⑥　）が仕入れ等の課税期間における課税売上割合に対して（　⑦　）した場合に該当するときは、一定の調整税額をその者のその（　⑤　）の仕入れに係る消費税額に（　⑧　）又は控除する。

この場合において、その（　⑧　）又はその控除後の金額をその課税期間の仕入れに係る消費税額と（　⑨　）。

問2　調整対象固定資産の意義を述べなさい。

計算　　　　　　　　　　　　　答案用紙：28頁　解答解説：3-14頁

問題7　調整対象固定資産を転用した場合(1)　　基本　10分

次の【資料】に基づいて当課税期間（令和7年4月1日から令和8年3月31日）の仕入れに係る消費税額の調整税額を計算しなさい。

【資料】
1　当社は、設立以来課税事業者に該当し、控除対象仕入税額の計算方法については、個別対応方式を採用している。また、設立以来事業年度の変更は行われていない。
2　当課税期間において転用した資産は以下のとおりである。

取得年月	種類	取得金額（税込）	用　途
令和5年10月5日	マンション	33,000,000円	令和7年12月1日に事務所用貸付けとしていたものを社宅用貸付けに転用している。
令和4年10月15日	自動車	5,500,000円	令和7年12月20日に身体障害者用物品配送用としていたものを課税製品配送用に転用している。
令和6年12月10日	テナントビル	66,000,000円	令和7年11月1日から本社建物として使用していたものを貸事務所用として転用している。

計算　　　　　　　　　　答案用紙： 29頁　解答解説： 3-16頁

問題 8　調整対象固定資産を転用した場合(2)　　基本　15分

問1　次の【資料】に基づいて当課税期間（令和7年4月1日から令和8年3月31日）の控除対象仕入税額を計算しなさい。なお、当社は税込経理方式を採用している。

【資料】

1　当課税期間の仕入れに係る消費税額
　　個別対応方式による場合　　　　7,000,000円
　　一括比例配分方式による場合　　5,000,000円

2　令和6年10月1日に建物15,235,000円を購入し、課税業務用として使用していたが、令和7年12月15日に非課税業務用に転用している。

3　令和7年1月20日に機械7,733,000円を購入し、課税業務用として使用していたが、令和7年12月1日に非課税業務用に転用している。

4　令和5年2月10日に備品1,221,000円を購入し、課税業務用として使用していたが、令和7年11月1日に非課税業務用に転用している。

5　当社は設立以来課税事業者に該当し、個別対応方式に基づいて控除対象仕入税額を計算している。また、設立以来事業年度の変更は行われていない。

問2　次の【資料】に基づいて当課税期間（令和7年4月1日から令和8年3月31日）の控除対象仕入税額を計算しなさい。なお、当社は税込経理方式を採用している。

【資料】

1　当課税期間の仕入れに係る消費税額
　　個別対応方式による場合　　　　7,000,000円
　　一括比例配分方式による場合　　5,000,000円

2　令和6年3月16日に車両9,317,000円を購入し、非課税業務用として使用していたが、令和7年11月15日に課税業務用に転用している。なお、当該車両は令和5年6月25日に売却している。

3　令和6年11月17日に機械2,442,000円を購入し、非課税業務用として使用していたが、令和7年10月1日に課税業務用に転用している。

4　当社は設立以来課税事業者に該当し、個別対応方式に基づいて控除対象仕入税額を計算している。また、設立以来事業年度の変更は行われていない。

計算　　　　　　　　　　　答案用紙： 31頁　解答解説： 3-19頁

問題 9　調整対象固定資産（まとめ）　　応用　30分

次の【資料】から当社の当課税期間（令和7年4月1日から令和8年3月31日）における控除対象仕入税額を割戻し計算の方法により計算しなさい。なお、当社は設立以来課税事業者に該当する。

【資料】

1　当社は前課税期間まで課税売上割合が95％未満となる場合の課税期間については、個別対応方式により仕入れに係る消費税額の計算を行っている。

2　会計帳簿による経理は、すべて消費税及び地方消費税を含んだ金額により処理されている。

3　当社の各課税期間に係る取引は、次のとおりである。

（単位：円）

取引の状況	前々々事業年度 自令和4年4月1日 至令和5年3月31日	前々事業年度 自令和5年4月1日 至令和6年3月31日
Ⅰ　資産の譲渡等の金額	45,024,000	144,200,000
Ⅰのうち非課税取引に係るもの	4,200,000	98,000,000

取引の状況	前事業年度 自令和6年4月1日 至令和7年3月31日
Ⅰ　資産の譲渡等の金額	65,700,000
Ⅰのうち非課税取引に係るもの	3,000,000

4　当社の当課税期間に係る取引は以下のとおりである。

(1)　国内における課税資産の売上高　　　　49,500,000円

(2)　非課税資産の国内売上高　　　　　　　 4,500,000円

　　有価証券等の譲渡は含まれていない。

(3)　受取利息　　　　　　　　　　　　　　　 500,000円

5　当課税期間の課税仕入れの区分及びその金額は以下のとおりである。

(1)　課税資産の譲渡等にのみ要するもの　　23,500,000円

(2)　その他の資産の譲渡等にのみ要するもの　2,100,000円

(3)　共通して要するもの　　　　　　　　　14,500,000円

6　当課税期間以前の取引に軽減税率が適用される取引は含まれていない。

7 資産の取得に関する事項

取得年月	種類	取得金額（税込）	用　　途
令和5年7月4日	建物	16,500,000円	課税業務用と非課税業務用の共通の用に供している。なお、当課税期間の末日まで保有している。
令和5年5月25日	備品	4,950,000円	課税業務用に供していたが令和7年12月1日に非課税業務用に転用している。
令和6年5月22日	機械	2,200,000円	非課税業務用に供していたが令和7年10月15日に課税業務用に転用している。

理論　　　　　　　　　　　　　　　答案用紙： 34頁　解答解説： 3-22頁

問題10　調整対象固定資産を転用した場合の理論　　基本　7分

問1　調整対象固定資産を非課税業務用から課税業務用に転用した場合の仕入れに係る消費税額調整について、次の文章中の空欄を埋めなさい。

1　内容

　事業者（（　①　））が、国内において調整対象固定資産の課税仕入れ等を行い、かつ、（　②　）につき（　③　）によりその他の資産の譲渡等にのみ要するものとして仕入れに係る消費税額が（　④　）場合において、その事業者がその調整対象固定資産をその（　⑤　）から（　⑥　）以内に（　⑦　）に係る業務の用に供したときは、一定の方法により計算した（　⑧　）をその業務の用に供した日の属する課税期間の仕入れに係る消費税額に（　⑨　）する。

　この場合において、その（　⑨　）後の金額をその課税期間の仕入れに係る消費税額と（　⑩　）。

2　調整税額

⑴　調整対象固定資産の（　⑤　）から（　⑪　）までの期間
　　調整対象税額

⑵　⑴の期間の（　⑫　）から（　⑪　）までの期間
　　調整対象税額の（　⑬　）

⑶　⑵の期間の（　⑫　）から（　⑪　）までの期間
　　調整対象税額の（　⑭　）

問2　以下の文章のうち、調整対象固定資産を転用した場合の仕入れに係る消費税額の調整の規定が適用されないものを選択しなさい。

　なお、転用は、すべて調整対象固定資産の課税仕入れ等の日から3年以内に行われたものとする。

(1)　非課税業務用から課税業務用に転用した

(2)　課税業務用から非課税業務用に転用した

(3)　共通業務用から課税業務用に転用した

(4)　非課税業務用から共通業務用を経て課税業務用に転用した

········ *Memorandum Sheet* ········

Chapter 4

棚卸資産に係る消費税額の調整

計　算　　　　　　　　　　　　　　　答案用紙： 35頁　解答解説： 4-1頁

問題 1　棚卸資産に係る消費税額の調整(1)　　基本　5分

次の【資料】から、当課税期間（令和7年4月1日から令和8年3月31日まで）における控除対象仕入税額を割戻し計算の方法により計算しなさい。なお、棚卸資産はすべて課税商品に係るものである。

【資料】

(1) 当課税期間の資料

　① 課税売上割合　　　　　　　　　　　　　　　　　　70％

　② 課税仕入れの区分経理

　　イ　課税資産の譲渡等にのみ要するもの　　　　8,800,000円

　　ロ　その他の資産の譲渡等にのみ要するもの　　1,660,000円

　　ハ　共通して要するもの　　　　　　　　　　　4,220,000円

　③ 期首棚卸資産（前課税期間（自令和6年4月1日至令和7年3月31日）に取得したもの）　　　　　　　　　　　　　　　　　　　　672,000円

　④ 期末棚卸資産　　　　　　　　　　　　　　　　787,500円

(2) 設立以来前課税期間まで免税事業者であったが、当課税期間は課税事業者となった。なお、翌課税期間も課税事業者である。

(3) 当社は、税込経理方式を採用しており、軽減税率が適用されるものは含まれていない。

計　算　　　　　　　　　　　　　　　答案用紙： 36頁　解答解説： 4-2頁

問題 2　棚卸資産に係る消費税額の調整(2)　　基本　5分

次の【資料】から、当課税期間（令和7年4月1日から令和8年3月31日まで）における控除対象仕入税額を割戻し計算の方法により計算しなさい。なお、棚卸資産はすべて課税商品に係るものである。

【資料】

(1) 当課税期間の資料

　① 課税売上割合　　　　　　　　　　　　　　　　　　70％

　② 課税仕入れの区分経理

　　イ　課税資産の譲渡等にのみ要するもの　　　　13,230,000円

　　ロ　その他の資産の譲渡等にのみ要するもの　　5,260,000円

　　ハ　共通して要するもの　　　　　　　　　　　7,360,000円

③ 期首棚卸資産　　　　　　　　　　　　　　　　　1,765,000円

　　上記棚卸資産はすべて前課税期間（自令和6年4月1日至令和7年3月31日）に仕入れたものであるが、このうち課税仕入れに該当するものは1,365,000円である。

④ 期末棚卸資産　　　　　　　　　　　　　　　　　1,670,000円

　　上記棚卸資産はすべて当課税期間に仕入れたものであるが、このうち課税仕入れに該当するものは1,480,000円である。

(2) 設立以来当課税期間まで課税事業者であったが、翌課税期間は免税事業者となる。

(3) 当社は、税込経理方式を採用しており、軽減税率が適用されるものは含まれていない。

計算　　　　　　　　　　　　　　　　答案用紙： 38頁　解答解説： 4-3頁

問題3　棚卸資産に係る消費税額の調整(3)　　応用　15分

　当社は、課税商品の販売を行う小売業を営んでいるが、前課税期間（令和6年4月1日から令和7年3月31日まで）より身体障害者用物品の仕入販売も行っている。

　次の【資料】から、当社の当課税期間（令和7年4月1日から令和8年3月31日まで）における控除対象仕入税額を割戻し計算の方法により計算しなさい。なお、当社は、税込経理方式を採用しており、軽減税率が適用されるものは含まれていない。

【資料】

1　当課税期間の損益計算書（営業利益まで）は、次のとおりである。なお、これら以外の項目については、考慮する必要はない。

損　益　計　算　書　　　　　　　　（単位：円）

Ⅰ　売　上　高		15,171,000
Ⅱ　売　上　原　価		
期首商品棚卸高	976,500	
当期商品仕入高	6,825,000	
小　　計	7,801,500	
期末商品棚卸高	960,000	6,841,500
売　上　総　利　益		8,329,500
Ⅲ　販売費及び一般管理費		2,100,000
営　業　利　益		6,229,500

2 損益計算書の内容に関して付記すべき事項
(1) 「売上高」には、次のものが含まれているが、これら以外はすべて国内における課税資産の譲渡等に該当する。
① 課税商品の輸出売上高　　　　　　　　1,960,000円
② 身体障害者用物品の販売に係る売上高　2,100,000円
(2) 「期首商品棚卸高」には、課税商品の仕入れに係るもの364,972円及び課税商品の保税地域からの引取りに係るもの239,330円（うち税関に納付した消費税額16,900円及び地方消費税額4,700円）が含まれており、すべて前課税期間に仕入れ又は引き取ったものである。なお、残額は身体障害者用物品の仕入れに係るものである。
(3) 「当期商品仕入高」のうち、5,190,000円は課税商品の国内仕入高であり、残額は身体障害者用物品の仕入高である。
(4) 「期末商品棚卸高」には、課税商品の国内仕入高に係るもの897,600円が含まれており、この897,600円のうち当課税期間に仕入れたものが830,000円、前課税期間に仕入れたものが67,600円である。なお、期末商品の残額62,400円は当課税期間に仕入れた身体障害者用物品に係る金額である。
(5) 販売費及び一般管理費に関する事項
販売費及び一般管理費のうち課税仕入れに該当するものは1,855,000円であり、その内訳は、次のとおりである。
① 課税資産の譲渡等にのみ要するもの　　1,100,000円
② その他の資産の譲渡等にのみ要するもの　325,000円
③ 共通して要するもの　　　　　　　　　　430,000円
(6) 当社は、設立以来前課税期間まで免税事業者であったが、当課税期間は課税事業者となった。また、翌課税期間は免税事業者となる。

計算　　　　　　　　　　　　　　　答案用紙： 39頁　解答解説： 4-5頁

問題4　棚卸資産に係る消費税額の調整(4)　　応用　7分

次の【資料】に基づき、甲社の当課税期間（令和7年4月1日から令和8年3月31日まで）の棚卸資産に係る消費税の調整税額を求めなさい。なお、甲社は税込経理方式を採用しており、軽減税率が適用されるものは含まれていない。

【資料】
1 甲社は、健康増進機器（製品）の製造販売業及び身体障害者用物品の販売業を営んでおり、前々事業年度は課税事業者、前事業年度は免税事業者に該当し、当課税期間は再び課税事業者となっている。

2 期首製品・商品棚卸高に関する事項
 (1) 期首製品棚卸高　　　11,441,520円
　　このうちには、課税仕入れからなるもの5,989,700円及び保税地域からの引取りに係るもの2,138,800円（うち税関に納付した消費税額151,600円及び地方消費税額42,700円）が含まれており、すべて前事業年度に仕入れ若しくは引き取ったものである。
 (2) 期首商品棚卸高　　　6,287,000円
　　すべて身体障害者用物品に該当する。
3 当期製品製造原価に関する事項
 (1) 期首材料棚卸高5,011,409円には、前々事業年度の課税仕入れに係るもの150,000円が含まれているが、その他はすべて前事業年度の課税仕入れに係るものである。
 (2) 期首仕掛品原価5,117,800円は、すべて前事業年度の仕入れに係るものであるが、このうち課税仕入れからなるもの4,660,610円が含まれている。

（平成16年本試験問題　改題）

理論　　　　　　　　　　　　　　　　　答案用紙：40頁　解答解説：4-6頁

問題5 棚卸資産に係る消費税額の調整の理論(1)　基本　10分

棚卸資産に係る消費税額の調整に関して、以下の問に答えなさい。

(1) 次の資産のうち、小規模事業者に係る納税義務の免除の規定により消費税を納める義務が免除される事業者が、同規定の適用を受けないこととなった場合（消費税法第36条第1項）の調整対象となるものを選びなさい。なお、当社は、設立以来免税事業者であったが、当課税期間より課税事業者となったものとする。
① 当課税期間に取得した期末商品（課税仕入れに係るもの）
② 前課税期間に取得した期首材料（課税仕入れに係るもの）
③ 前々課税期間に取得した期首商品（課税仕入れに係るもの）
④ 前課税期間に取得した期首仕掛品（課税仕入れに係るもの）
⑤ 前課税期間に取得した期首商品（身体障害者用物品）
⑥ 前課税期間に取得した期首商品（保税地域からの引取りに係る課税貨物）

(2) 次の資産のうち、事業者が、小規模事業者に係る納税義務の免除の規定により消費税を納める義務が免除されることとなった場合（消費税法第36条第5項）の調整対象となるものを選びなさい。なお、当社は、設立以来課税事業者であったが、翌課税期間より免税事業者となるものとする。
① 当課税期間に取得した期末商品（課税仕入れに係るもの）
② 前課税期間に取得した期首商品（課税仕入れに係るもの）
③ 前々課税期間に取得した期末材料（課税仕入れに係るもの）
④ 当課税期間に取得した期末商品（身体障害者用物品）
⑤ 当課税期間に取得した期末商品（保税地域からの引取りに係る課税貨物）

(3) 納税義務の免除を受けないこととなった場合の棚卸資産に係る消費税額の調整の手続上の適用要件を説明しなさい。

理論　　　　　　　　　　　　　　　答案用紙： 40頁　解答解説： 4-7頁

問題6　棚卸資産に係る消費税額の調整の理論(2)　　応用　10分

次の【資料】の場合に、甲社は、当該事例に係る消費税額相当額について、当課税期間において仕入れに係る消費税額の調整をしなければならないかどうかをその理由を付して簡潔に述べなさい。

なお、調整する場合であっても、調整する税額を計算する必要はない。また、特定期間における課税売上高については考慮する必要はない。

【資料】

　甲社は、前々課税期間に設立（合併又は分割により設立されたものではない。）された電気製品を製造する資本金300万円の法人である。

　当課税期間については課税事業者に該当することになったが、前課税期間の末日において原材料550万円（税込み）を有している。

（平成12年本試験問題　改題）

Chapter 5

課税期間

理論　　　　　　　　　　　　　　答案用紙： 41頁　解答解説： 5-1頁

問題 1　課税期間の原則と特例　　　　　　基本　5分

課税期間の原則と特例について以下の空欄を埋めなさい。

1. 原　則
   (1) 個人事業者
       （ ① ）から（ ② ）までの期間
   (2) 法　人
       （ ③ ）
2. 課税期間の特例の選択
   (1) 区分される期間
       課税期間を（ ④ ）又は（ ⑤ ）することについて、その納税地の所轄税務署長に（ ⑥ ）を提出した場合
   ① 個人事業者
       イ　3月ごとの期間に（ ④ ）又は（ ⑤ ）する場合
           （ ① ）以後（ ⑦ ）に区分した各期間
       ロ　1月ごとの期間に（ ④ ）又は（ ⑤ ）する場合
           （ ① ）以後（ ⑧ ）に区分した各期間
   ② 法　人
       イ　その事業年度が3月を超える法人が3月ごとの期間に（ ④ ）又は（ ⑤ ）する場合
           その事業年度をその（ ⑨ ）以後（ ⑦ ）に区分した各期間（最後に3月未満の期間を生じたときは、その3月未満の期間）
       ロ　その事業年度が1月を超える法人が1月ごとの期間に（ ④ ）又は（ ⑤ ）する場合
           その事業年度をその（ ⑨ ）以後（ ⑧ ）に区分した各期間（最後に1月未満の期間を生じたときは、その1月未満の期間）

理論　　　　　　　　　　　　答案用紙： 41頁　解答解説： 5-2頁

問題 2　届出書・みなし課税期間(1)　　基本　7分

課税期間に関して、以下の問に答えなさい。

問1　課税期間に係る届出書に関して、以下の文章の空欄を埋めなさい。

課税期間を短縮又は変更する場合、（　①　）に（　②　）を提出しなければならない。

問2　以下の場合におけるみなし課税期間を答えなさい。

(1) 個人事業者Aは、令和7年5月10日に課税期間を1月ごとに短縮する届出書を納税地の所轄税務署長に提出した。なお、これまで個人事業者Aは課税期間の短縮に係る届出書を提出したことはなかった。

(2) 法人Bは、令和7年8月10日に課税期間を3月ごとに短縮する届出書を納税地の所轄税務署長に提出した。なお、法人Bの事業年度は毎期4月1日から翌年3月31日までであり、これまで法人Bは課税期間の短縮に係る届出書を提出したことはなかった。

(3) 法人Cは、令和7年8月10日に課税期間を1月ごとに変更する届出書を納税地の所轄税務署長に提出した。なお、法人Cの事業年度は毎期4月1日から翌年3月31日までであり、届出書の提出時における法人Cの課税期間は3月ごとであった。

理論　　　　　　　　　　　　答案用紙： 41頁　解答解説： 5-3頁

問題 3　届出書・みなし課税期間(2)　　基本　5分

課税期間に関して、以下の問に答えなさい。

問1　課税期間に係る届出書に関して、以下の文章の空欄を埋めなさい。

課税期間の特例の適用を受けることをやめようとするとき、又は事業を廃止したときは、（　①　）に（　②　）を提出しなければならない。

問2　以下の場合におけるみなし課税期間を答えなさい。

法人Dは、令和4年4月1日から課税期間を3月ごとに短縮していたが、令和7年5月20日に課税期間の特例の選択をやめようとする届出書を納税地の所轄税務署長に提出した。なお、法人Dの事業年度は毎期4月1日から翌年3月31日までである。

理論　　　　　　　　　　　　答案用紙： 42頁　解答解説： 5-4頁

問題 4　届出書の提出制限　　　　　　　　　　応用　15分

届出書の提出制限に関して、以下の文章の空欄を埋めなさい。

(1) 法人E（事業年度：毎期4月1日〜翌年3月31日）は、令和5年9月1日に課税期間を3月とする課税期間特例選択・変更届出書を提出した。

　その後、法人Eが3月ごとの課税期間の特例をやめようとする場合、課税期間特例選択不適用届出書は（　①　）から提出可能となる。

(2) 法人F（事業年度：毎期4月1日〜翌年3月31日）は、令和5年9月10日に課税期間を1月とする課税期間特例選択・変更届出書を提出した。

　その後、法人Fが1月ごとの課税期間の特例をやめようとする場合、課税期間特例選択不適用届出書は（　②　）から提出可能となる。

(3) 法人G（事業年度：毎期4月1日〜翌年3月31日）は、令和5年9月1日に課税期間を3月とする課税期間特例選択・変更届出書を提出した。

　その後、法人Gが3月ごとの課税期間を1月ごとの課税期間に変更する場合、課税期間特例選択・変更届出書は（　③　）から提出可能となる。

(4) 法人H（事業年度：毎期4月1日〜翌年3月31日）は、令和5年9月10日に課税期間を1月とする課税期間特例選択・変更届出書を提出した。

　その後、法人Hが1月ごとの課税期間を3月ごとの課税期間に変更する場合、課税期間特例選択・変更届出書は（　④　）から提出可能となる。

Chapter 6

納税地

理論　　　　　　　　　　　　　答案用紙： 42頁　解答解説： 6-1頁

問題 1　納税地　　　　　　　　　　　　　　　　　基本　3分

次の各ケースにおける原則による消費税の納税地を答えなさい。

(1)　A市に事業所、B市に居所、C市に住所を有する個人事業者
(2)　D市に工場、E市に居所を有し、住所が国外にある個人事業者
(3)　F市に事務所を有し、住所が国外にある個人事業者
(4)　G市に本店、H市に支店を有する内国法人
(5)　国外に本店、I市に支店を有する外国法人
(6)　J市に本店、K市に支店を有する内国法人が、L市に所在する保税地域から引き取られる外国貨物に係る消費税

理論　　　　　　　　　　　　　答案用紙： 42頁　解答解説： 6-1頁

問題 2　納税地の指定　　　　　　　　　　　　　　基本　3分

納税地の指定について以下の空欄を埋めなさい。

(1)　指　定
　　事業者の行う資産の譲渡等及び特定仕入れの状況からみて納税地として（　①　）には、所轄（　②　）又は（　③　）は、納税地を指定することができる。

(2)　通　知
　　所轄（　②　）又は（　③　）は、消費税の納税地を指定したときは、その事業者に対し、（　④　）によりその旨を通知する。

理論　　　　　　　　　　　　　答案用紙： 42頁　解答解説： 6-2頁

問題 3　納税地の異動の届出　　　　　　　　　　　基本　3分

法人の納税地の異動の届出（消費税法第25条）に関して、次の問に答えなさい。

(1)　納税地の異動の届出を行うのはどのような場合か説明しなさい。
(2)　納税地の異動の届出の提出先はどこか説明しなさい。

Chapter 7

相続があった場合の納税義務の免除の特例

計算　　　　　　　答案用紙：43頁　　解答解説：7-1頁

問題 1　相続があった場合の納税義務の免除の特例(1)　　基本　　7分

次の【資料】により、各問に示した課税期間における個人事業者甲の納税義務の有無を判定しなさい。なお、甲、乙ともに消費税課税事業者選択届出書は提出していない。

問1　令和7年1月1日～令和7年12月31日
問2　令和8年1月1日～令和8年12月31日
問3　令和9年1月1日～令和9年12月31日

【資料】
1　個人事業者甲は、令和7年9月29日（相続があった日）に死亡した個人事業者乙の事業を相続により承継している。

2　甲の各課税期間における課税売上高（税抜）

課税期間	課税売上高	左の期間のうち1月1日～6月30日までの期間の課税売上高
令和5年1月1日～令和5年12月31日	8,520,000円	4,089,000円
令和6年1月1日～令和6年12月31日	7,930,000円	3,806,000円
令和7年1月1日～令和7年12月31日	8,200,000円	3,936,000円
令和8年1月1日～令和8年12月31日	11,025,000円	5,292,000円

3　乙の各課税期間における課税売上高（税抜）

課税期間	課税売上高
令和5年1月1日～令和5年12月31日	3,980,000円
令和6年1月1日～令和6年12月31日	3,050,000円
令和7年1月1日～令和7年9月29日	1,550,000円

計算　　　　　　　　　答案用紙：44頁　　　解答解説：7-2頁

問題 2　相続があった場合の納税義務の免除の特例(2)　応用　10分

　喫茶店を営む個人事業者Aは、令和7年11月8日（相続があった日）に死亡した個人事業者者Bの営む洋品店を相続により承継することとなった。次の【資料】により各問に示した課税期間における個人事業者Aの納税義務の有無を判定しなさい。なお、A、Bともに消費税課税事業者選択届出書は提出していないものとする。

問1　令和7年1月1日〜令和7年12月31日
問2　令和8年1月1日〜令和8年12月31日
問3　令和9年1月1日〜令和9年12月31日
問4　令和10年1月1日〜令和10年12月31日

【資料】
1　Aの各課税期間における課税売上高（税抜）

課税期間	課税売上高	左の期間のうち1月1日〜6月30日までの期間の課税売上高
令和5年1月1日〜令和5年12月31日	8,310,000円	4,404,000円
令和6年1月1日〜令和6年12月31日	7,201,000円	3,816,000円
令和7年1月1日〜令和7年12月31日	7,750,000円	4,107,000円
令和8年1月1日〜令和8年12月31日	9,836,000円	5,213,000円
令和9年1月1日〜令和9年12月31日	10,694,000円	5,667,000円

2　Bの各課税期間における課税売上高（税抜）

課税期間	課税売上高
令和5年1月1日〜令和5年12月31日	10,920,000円
令和6年1月1日〜令和6年12月31日	6,352,000円
令和7年1月1日〜令和7年11月8日	2,182,000円

計算　　　　　　　　　答案用紙：45頁　解答解説：7-4頁

問題3　相続があった場合の納税義務の免除の特例(3)　応用　10分

甲は、木工機械の製造・修理業を営んでいる個人事業者であり、かつ、賃貸用の建物を一棟所有し不動産賃貸業を営んでいる。甲の令和7年1月1日から令和7年12月31日までの課税期間（以下「当課税期間」という。）に関連する取引等の状況は、以下の【資料】のとおりである。

これに基づき、甲の当課税期間における消費税の納税義務の有無を判定しなさい。

【資　料】

1　甲は、甲の父乙が営む木工機械の製造・修理業に従事しながら不動産賃貸業を営んでいたが、令和5年11月に乙が死亡し、乙が営んでいた木工機械の製造・修理業を相続により承継した。甲の不動産賃貸業（表1）及び承継前後の甲又は乙の木工機械の製造・修理業（表2）に係る令和6年以前の取引状況は次のとおりである。

なお、乙は継続して消費税の納税義務者である。

2　甲及び乙共に、消費税法第9条第4項に規定する届出書（消費税課税事業者選択届出書）を提出したことはない。

（表1）　　　　　　　　　　　　　　　　　　　　　　　　　　　　　　　（単位：円）

甲の不動産賃貸業の取引状況		令和2年	左の金額のうち1月1日から6月30日までの期間に係る金額
Ⅰ	資産の譲渡等の金額	13,200,000	6,600,000
	Ⅰのうち非課税取引に係るもの	6,000,000	3,000,000
甲の不動産賃貸業の取引状況		令和3年	左の金額のうち1月1日から6月30日までの期間に係る金額
Ⅰ	資産の譲渡等の金額	13,200,000	6,600,000
	Ⅰのうち非課税取引に係るもの	6,000,000	3,000,000
甲の不動産賃貸業の取引状況		令和4年	左の金額のうち1月1日から6月30日までの期間に係る金額
Ⅰ	資産の譲渡等の金額	13,200,000	6,600,000
	Ⅰのうち非課税取引に係るもの	6,000,000	3,000,000

甲の不動産賃貸業の取引状況	令和5年		
	1/1～6/30	7/1～11/30	12/1～12/31
Ⅰ 資産の譲渡等の金額	6,600,000	5,500,000	1,148,000
Ⅰのうち非課税取引に係るもの	3,000,000	2,500,000	500,000

甲の不動産賃貸業の取引状況	令和6年	左の金額のうち1月1日から6月30日までの期間に係る金額
Ⅰ 資産の譲渡等の金額	13,776,000	6,888,000
Ⅰのうち非課税取引に係るもの	6,000,000	3,000,000

(表2)　　　　　　　　　　　　　　　　　　　　　　　　(単位：円)

甲または乙の木工機械の製造・修理業の取引状況	令和3年
Ⅰ 資産の譲渡等の金額	12,991,700
Ⅰのうち非課税取引に係るもの	230
Ⅰのうち免税取引に係るもの	0
Ⅱ Ⅰの売上げに係る対価の返還等	33,000
Ⅱのうち免税取引に係るもの	0

甲または乙の木工機械の製造・修理業の取引状況	令和4年
Ⅰ 資産の譲渡等の金額	14,317,000
Ⅰのうち非課税取引に係るもの	450
Ⅰのうち免税取引に係るもの	0
Ⅱ Ⅰの売上げに係る対価の返還等	293,700
Ⅱのうち免税取引に係るもの	0

甲または乙の木工機械の製造・修理業の取引状況	令和5年	
	自令和5年1月1日 至令和5年11月30日	自令和5年12月1日 至令和5年12月31日
Ⅰ 資産の譲渡等の金額	15,159,600	988,400
Ⅰのうち非課税取引に係るもの	560	0
Ⅰのうち免税取引に係るもの	207,160	0
Ⅱ Ⅰの売上げに係る対価の返還等	70,800	4,410 円
Ⅱのうち免税取引に係るもの	7,160	0

甲または乙の木工機械の製造・修理業の取引状況		令和6年	左の金額のうち1月1日から6月30日までの期間に係る金額
I	資産の譲渡等の金額	16,470,960	4,941,280
	Iのうち非課税取引に係るもの	680	320
	Iのうち免税取引に係るもの	1,118,700	413,200
II	Iの売上げに係る対価の返還等	225,130	90,250
	IIのうち免税取引に係るもの	15,290	0

（注）　令和5年11月30日までは乙の事業に係るものであり、令和5年12月1日からは甲の事業に係るものである。

（平成22年度本試験問題　改題）

理論　　　　　　　　　　　　　　　　答案用紙：46頁　解答解説：7-6頁

問題 4　相続があった場合の納税義務の免除の特例の理論　　基本　5分

相続があった場合の納税義務の免除の特例について、次の空欄を埋めなさい。

(1) 相続があった年

　（　①　）において（　②　）があった場合において、次の要件を満たすときは、その相続人のその（　③　）からその年の（　④　）までの間における（　⑤　）については、納税義務は免除されない。

・相続人の（　⑥　）が（　⑦　）であること
・被相続人の（　⑥　）が（　⑧　）こと

(2) 相続があった年の翌年以後

　その年の（　⑨　）又は（　⑩　）に相続があった場合において、次の要件を満たすときは、その相続人のその年における（　⑤　）については、納税義務は免除されない。

・相続人の（　⑥　）が（　⑦　）であること
・相続人の（　⑥　）とその相続に係る（　⑪　）の（　⑥　）との合計額が（　⑧　）こと

(3) 適用除外

　この規定は、相続人が次のいずれかに該当する場合には適用しない。

・（　⑫　）の適用を受けていること
・（　⑬　）が（　⑧　）こと

Chapter 8

合併があった場合の納税義務の免除の特例

計算　　　　　　　　　　答案用紙：46頁　解答解説：8-1頁

問題 1　吸収合併があった場合の納税義務の免除の特例(1)　　基本　10分

次の【資料】により、各問に示した課税期間における法人Xの納税義務の有無を判定しなさい。なお、法人X、法人Yともに消費税課税事業者選択届出書は提出しておらず、課税期間と事業年度は一致しているものとする。

問1　令和7年4月1日～令和8年3月31日

問2　令和8年4月1日～令和9年3月31日

問3　令和9年4月1日～令和10年3月31日

【資料】

1　法人Xは、令和7年8月1日に法人Yを吸収合併した。

2　法人Xの各事業年度における課税売上高（税抜）

課税期間	課税売上高	左の期間のうち4月1日～9月30日までの期間の課税売上高
令和5年4月1日～令和6年3月31日	6,520,000円	3,390,000円
令和6年4月1日～令和7年3月31日	7,730,000円	4,019,000円
令和7年4月1日～令和8年3月31日	9,900,000円	5,148,000円
令和8年4月1日～令和9年3月31日	14,410,000円	7,495,000円

3　法人Yの各事業年度における課税売上高（税抜）

課税期間	課税売上高
令和5年1月1日～令和5年12月31日	10,362,000円
令和6年1月1日～令和6年12月31日	9,660,000円
令和7年1月1日～令和7年7月31日	4,655,000円

計算　　　　　　　　答案用紙：48頁　解答解説：8-3頁

問題2　吸収合併があった場合の納税義務の免除の特例(2)　基本　10分

　令和8年2月1日にA法人はB法人を吸収合併した。次の【資料】に基づき、各問に示した事業年度におけるA法人の納税義務の有無を判定しなさい。なお、A法人、B法人ともに消費税課税事業者選択届出書は提出しておらず、事業年度と課税期間は一致しているものとする。

問1　令和7年4月1日～令和8年3月31日
問2　令和8年4月1日～令和9年3月31日
問3　令和9年4月1日～令和10年3月31日

【資料】
1　A法人の各事業年度における課税売上高（税抜）

課税期間	課税売上高	左の期間のうち4月1日～9月30日までの期間の課税売上高
令和5年4月1日～令和6年3月31日	7,620,000円	3,505,000円
令和6年4月1日～令和7年3月31日	7,800,000円	3,588,000円
令和7年4月1日～令和8年3月31日	9,825,000円	4,519,000円
令和8年4月1日～令和9年3月31日	16,520,000円	7,599,000円

2　B法人の各事業年度における課税売上高（税抜）

課税期間	課税売上高
令和5年1月1日～令和5年12月31日	9,816,000円
令和6年1月1日～令和6年12月31日	11,016,000円
令和7年1月1日～令和7年12月31日	9,499,000円
令和8年1月1日～令和8年1月31日	790,890円

計算

答案用紙：49頁　解答解説：8-4頁

問題3　吸収合併があった場合の納税義務の免除の特例(3)　応用　10分

　株式会社甲（以下「甲社」という。）は、不動産の販売業及び賃貸業を営んでいる法人であり、甲社の令和7年4月1日から令和8年3月31日までの課税期間（以下「当課税期間」という。）に関連する取引等の状況は、次の【資料】のとおりである。

　これに基づき、甲社の当課税期間における消費税の納税義務の有無を判定しなさい。

【資　料】

1　甲社は、令和6年1月5日に代表者個人が営んでいた不動産販売業を法人成りし設立した資本金の額が800万円の法人であり、前事業年度（令和6年4月1日から令和7年3月31日まで）から新築住宅の販売を行っている。また、令和6年8月1日に、不動産賃貸業を営んでいた乙株式会社（以下「乙社」という。）を吸収合併し、資本金の額が3,000万円となった。

　甲社及び乙社の前事業年度以前の取引状況は次のとおりである。なお、甲社は、課税事業者選択届出書（消費税法第9条第4項に規定する届出書）を提出したことはなく、会計帳簿における経理処理は税込経理方式により処理している。

甲社（合併法人） （単位：円）

取　引　の　状　況	（前々事業年度）自令和6年1月5日 至令和6年3月31日
Ⅰ　資産の譲渡等の金額	26,733,465
Ⅰのうち非課税取引に係るもの	25,000,065

取　引　の　状　況	（前事業年度）自令和6年4月1日 至令和6年7月31日	自令和6年8月1日 至令和7年3月31日
Ⅰ　資産の譲渡等の金額	15,854,073	305,708,147
Ⅰのうち非課税取引に係るもの	9,876,963	147,383,927

（注）　前事業年度の取引の状況のうち、令和6年8月1日から令和6年9月30日に係る資産の譲渡等の金額は7,927,036円（うち、非課税取引に係るもの3,759,980円）である。

乙社（被合併法人）　　　　　　　　　　　　　　　　　　　　　　　　（単位：円）

取 引 の 状 況	自令和3年10月1日 至令和4年9月30日 （前々々事業年度）	自令和4年10月1日 至令和5年9月30日 （前々事業年度）
I　資産の譲渡等の金額	65,940,963	188,334,444
I のうち非課税取引に係るもの	55,440,963	55,941,234

取 引 の 状 況	自令和5年10月1日 至令和6年7月31日 （前事業年度）
I　資産の譲渡等の金額	45,949,675
I のうち非課税取引に係るもの	18,480,000

※　乙社は、前事業年度（令和5年10月1日から令和6年7月31日まで）まで継続して課税事業者であり、会計帳簿における経理処理はすべて消費税等相当額を除いた税抜経理方式により処理している。

計算　　　　　　　　　　　　答案用紙： 50頁　解答解説： 8-6頁

問題 4　新設合併があった場合の納税義務の免除の特例(1)　応用　10分

令和7年11月1日にX社とY社は合併し、新たにN社を設立した。

次の【資料】に基づき、各問に示した事業年度におけるN社の納税義務の有無を判定しなさい。なお、各社ともに消費税課税事業者選択届出書は提出しておらず、また、事業年度と課税期間は一致しているものとする。

N社の設立時の資本金の額は1,000万円であり、その後の増減はない。

問1　令和7年11月1日～令和8年3月31日
問2　令和8年4月1日～令和9年3月31日
問3　令和9年4月1日～令和10年3月31日

【資料】

1　N社の各事業年度における課税売上高（税抜）

課税期間	課税売上高	左の期間のうち4月1日～9月30日までの期間の課税売上高
令和7年11月1日～令和8年3月31日	4,150,000円	―
令和8年4月1日～令和9年3月31日	10,200,000円	4,896,000円

2　X社の各事業年度における課税売上高（税抜）

課税期間	課税売上高
令和5年4月1日～令和6年3月31日	4,536,000円
令和6年4月1日～令和7年3月31日	4,860,000円
令和7年4月1日～令和7年10月31日	2,870,000円

3　Y社の各事業年度における課税売上高（税抜）

課税期間	課税売上高
令和5年1月1日～令和5年12月31日	10,320,000円
令和6年1月1日～令和6年12月31日	9,300,000円
令和7年1月1日～令和7年10月31日	7,600,000円

計算　　　　　　　　　　答案用紙：51頁　解答解説：8-8頁

問題5　新設合併があった場合の納税義務の免除の特例(2)　応用　10分

次の【資料】により、各問に示した課税期間におけるC社の納税義務の有無を判定しなさい。なお、各社ともに消費税課税事業者選択届出書は提出しておらず、課税期間と事業年度は一致しているものとする。

C社の設立時の資本金の額は1,000万円であり、その後の増減はない。

問1　令和7年8月1日～令和8年3月31日
問2　令和8年4月1日～令和9年3月31日
問3　令和9年4月1日～令和10年3月31日

【資料】

1　A社とB社は、令和7年8月1日に新設合併を行いC社を設立した。

2　A社の各事業年度における課税売上高（税抜）

課税期間	課税売上高
令和4年10月1日～令和5年9月30日	8,880,000円
令和5年10月1日～令和6年9月30日	8,616,000円
令和6年10月1日～令和7年7月31日	6,490,000円

3　B社の各事業年度における課税売上高（税抜）

課税期間	課税売上高
令和5年5月1日～令和6年4月30日	7,500,000円
令和6年5月1日～令和7年4月30日	7,320,000円
令和7年5月1日～令和7年7月31日	1,815,000円

4　C社の各事業年度における課税売上高（税抜）

課税期間	課税売上高	左の期間のうち特定期間の課税売上高
令和7年8月1日～令和8年3月31日	6,544,000円	3,926,000円
令和8年4月1日～令和9年3月31日	11,400,000円	5,928,000円

計算　　　　　　　　　　　　答案用紙：53頁　解答解説：8-11頁

問題6　新設合併があった場合の納税義務の免除の特例(3)　応用　15分

次の【資料】により、各問に示した課税期間における丙社の納税義務の有無を判定しなさい。なお、各社ともに消費税課税事業者選択届出書は提出しておらず、課税期間と事業年度は一致しているものとする。

丙社の設立時の資本金の額は1,000万円であり、その後の増減はなく、丙社は設立2期目において調整対象固定資産に該当する課税仕入れを行っている。

問1　令和7年8月1日～令和8年3月31日
問2　令和8年4月1日～令和9年3月31日
問3　令和9年4月1日～令和10年3月31日

【資料】

1　甲社と乙社は、令和7年8月1日に新設合併を行い丙社を設立した。

2　甲社の各事業年度における課税売上高（税抜）

課税期間	課税売上高
令和4年10月1日～令和5年9月30日	8,550,000円
令和5年10月1日～令和6年9月30日	8,250,000円
令和6年10月1日～令和7年7月31日	4,875,000円

3　乙社の各事業年度における課税売上高（税抜）

課税期間	課税売上高
令和5年4月1日～令和6年3月31日	7,296,000円
令和6年4月1日～令和7年3月31日	6,936,000円
令和7年4月1日～令和7年7月31日	1,315,000円

4　丙社の各事業年度における課税売上高（税抜）

課税期間	課税売上高	左の期間のうち特定期間の課税売上高
令和7年8月1日～令和8年3月31日	6,650,000円	4,452,000円
令和8年4月1日～令和9年3月31日	12,500,000円	6,875,000円

理論　　　　　　　　　　　　　答案用紙： 55頁　解答解説： 8-14頁

問題 7　合併があった場合の納税義務の免除の特例の理論　　基本　7分

問1　吸収合併があった場合の納税義務の免除の特例について、次の文章を埋めなさい。

(1) 合併事業年度

吸収合併があった場合において、次の要件を満たすときは、その合併法人のその（　①　）から（　①　）の属する（　②　）までの間における（　③　）については、納税義務は免除されない。

① 合併法人の基準期間における課税売上高が（　④　）であること
② 被合併法人（被合併法人が2以上ある場合にはいずれか）の対応する期間の課税売上高が（　⑤　）こと

(2) 合併事業年度の翌事業年度以後

合併法人のその事業年度の（　⑥　）からその（　⑦　）までの間に吸収合併があった場合において、次の要件を満たすときは、その合併法人のその事業年度における（　③　）については、納税義務は免除されない。

① 合併法人の基準期間における課税売上高が（　④　）であること
② 合併法人の基準期間における課税売上高と被合併法人の対応する期間の課税売上高（被合併法人が2以上ある場合には合計額）との合計額が（　⑤　）こと

(3) 適用除外

この規定は、合併法人が次のいずれかに該当する場合には適用しない。

①　（　⑧　）の適用を受けていること
②　（　⑨　）が（　⑤　）こと

問2　新設合併があった場合の納税義務の免除の特例について、次の文章を埋めなさい。

(1) 合併事業年度

新設合併があった場合において、次の要件を満たすときは、その合併法人のその（　①　）の属する事業年度における（　②　）については、納税義務は免除されない。

① 被合併法人の（　③　）の課税売上高のいずれかが（　④　）こと

(2) 合併事業年度の翌事業年度以後

合併法人のその（　⑤　）の2年前の日からその（　⑤　）の前日までの間に新設合併があった場合において、次の要件を満たすときは、その合併法人のその事業年度における（　②　）については、納税義務は免除されない。

① 合併法人の基準期間における課税売上高が（　⑥　）であること
② 合併法人の基準期間における課税売上高（（　⑦　））と各被合併法人の対応する期間の課税売上高の合計額との合計額が（　④　）こと

(3) 適用除外

　この規定は、合併法人が次のいずれかに該当する場合には適用しない。

① （　⑧　）の適用を受けていること

② （　⑨　）が（　④　）こと

Chapter 9

会社分割があった場合の納税義務の免除の特例

計　算　　　　　　　　　　　　　　答案用紙： 55頁　解答解説： 9-1頁

問題 1　分割等があった場合の納税義務の免除の特例(1)　基本　15分

次の【資料】により、各問に示した課税期間におけるB法人の納税義務の有無を判定しなさい。なお、各社ともに消費税課税事業者選択届出書は提出しておらず、課税期間と事業年度は一致しているものとする。

問1　令和7年5月1日～令和8年3月31日
問2　令和8年4月1日～令和9年3月31日
問3　令和9年4月1日～令和10年3月31日
問4　令和10年4月1日～令和11年3月31日

【資料】

1　A法人は、令和7年5月1日に新設分割によりB法人（資本金700万円）を設立した。なお、A法人はB法人の各事業年度の末日においてB法人の発行する株式のすべてを保有している。

2　A法人の各事業年度における課税売上高（税抜）

課税期間	課税売上高
令和5年1月1日～令和5年12月31日	17,040,000円
令和6年1月1日～令和6年12月31日	17,232,000円
令和7年1月1日～令和7年12月31日	12,112,000円
令和8年1月1日～令和8年12月31日	9,540,000円
令和9年1月1日～令和9年12月31日	8,976,000円

3　B法人の各事業年度における課税売上高（税抜）

課税期間	課税売上高	左の期間のうち特定期間の課税売上高
令和7年5月1日～令和8年3月31日	6,644,000円	3,551,000円
令和8年4月1日～令和9年3月31日	7,308,000円	3,507,000円
令和9年4月1日～令和10年3月31日	7,892,000円	3,788,000円

計算　　　　　　　　　　　答案用紙：57頁　解答解説：9-3頁

問題2　特定事業年度中に分割等があった場合　　応用　15分

X社は令和7年6月1日に新設分割によりY社（資本金500万円）を設立した。

次の【資料】により、各問に示した課税期間におけるY社の納税義務の有無を判定しなさい。なお、各社ともに消費税課税事業者選択届出書は提出しておらず、課税期間と事業年度は一致しているものとする。

問1　令和7年6月1日～令和8年1月31日
問2　令和8年2月1日～令和9年1月31日
問3　令和9年2月1日～令和10年1月31日
問4　令和10年2月1日～令和11年1月31日

【資料】
1　X社の各事業年度における課税売上高（税抜）

課税期間	課税売上高
令和5年4月1日～令和6年3月31日	9,600,000円
令和6年4月1日～令和7年3月31日	10,320,000円
令和7年4月1日～令和8年3月31日	7,332,000円
令和8年4月1日～令和9年3月31日	6,696,000円

2　Y社の各事業年度における課税売上高（税抜）

課税期間	課税売上高	左の期間のうち特定期間の課税売上高
令和7年6月1日～令和8年1月31日	2,160,000円	1,539,000円
令和8年2月1日～令和9年1月31日	3,300,000円	1,518,000円
令和9年2月1日～令和10年1月31日	3,465,000円	1,593,000円

3　各事業年度の末日において、X社のY社株式保有比率は80%とする。

計算　　　　　　　　　　　　答案用紙：59頁　解答解説：9-5頁

問題3　分割等があった場合の納税義務の免除の特例(2)　基本　15分

次の【資料】により、各問に示した課税期間における甲法人の納税義務の有無を判定しなさい。なお、各社ともに消費税課税事業者選択届出書は提出しておらず、課税期間と事業年度は一致しているものとする。

問1　令和7年4月1日～令和8年3月31日
問2　令和8年4月1日～令和9年3月31日
問3　令和9年4月1日～令和10年3月31日
問4　令和10年4月1日～令和11年3月31日

【資料】
1　甲法人は、令和7年11月1日に新設分割により乙法人（資本金800万円で増減はない。）を設立している。なお、甲法人は、各事業年度の末日において乙法人の発行する株式のすべてを保有している。

2　甲法人の各事業年度における課税売上高（税抜）

課税期間	課税売上高	左の期間のうち4月1日から9月30日までの期間の課税売上高
令和5年4月1日～令和6年3月31日	9,816,000円	4,809,000円
令和6年4月1日～令和7年3月31日	10,464,000円	5,127,000円
令和7年4月1日～令和8年3月31日	8,818,000円	4,320,000円
令和8年4月1日～令和9年3月31日	6,648,000円	3,257,000円
令和9年4月1日～令和10年3月31日	6,913,000円	3,387,000円

3　乙法人の各事業年度における課税売上高（税抜）

課税期間	課税売上高
令和7年11月1日～令和8年9月30日	3,146,000円
令和8年10月1日～令和9年9月30日	3,408,000円
令和9年10月1日～令和10年9月30日	3,540,000円

| 計算 | 答案用紙： 61頁 解答解説： 9-7頁 |

問題4　分割等があった場合の納税義務の免除の特例(3)　応用　15分

　X社は令和7年7月1日に新設分割によりY社（資本金600万円で増減はない。）を設立した。

　次の【資料】に基づき、各問に示した課税期間におけるX社の納税義務の有無を判定しなさい。なお、各社ともに消費税課税事業者選択届出書は提出しておらず、また、事業年度と課税期間は一致しているものとする。

問1　令和7年4月1日～令和8年3月31日
問2　令和8年4月1日～令和9年3月31日
問3　令和9年4月1日～令和10年3月31日
問4　令和10年4月1日～令和11年3月31日

【資料】
1　X社の各事業年度における課税売上高（税抜）

課税期間	課税売上高	左の期間のうち4月1日から9月30日までの期間の課税売上高
令和5年4月1日～令和6年3月31日	10,068,000円	5,235,000円
令和6年4月1日～令和7年3月31日	9,708,000円	5,048,000円
令和7年4月1日～令和8年3月31日	7,119,000円	3,701,000円
令和8年4月1日～令和9年3月31日	6,048,000円	3,144,000円
令和9年4月1日～令和10年3月31日	5,538,000円	2,824,000円

2　Y社の各事業年度における課税売上高（税抜）

課税期間	課税売上高
令和7年7月1日～令和7年12月31日	1,824,000円
令和8年1月1日～令和8年12月31日	3,972,000円
令和9年1月1日～令和9年12月31日	4,140,000円

3　各事業年度の末日において、X社はY社発行済株式のすべてを保有している。

計算　　　　　　　　　答案用紙： 62頁　解答解説： 9-9頁

問題 5　特定要件の判定　　　　　　　　　応用　10分

　甲社は乙社の分割により設立された法人であり、この分割（以下「分割」という。）に関する内容は次のとおりである。
　これに基づき、甲社の当課税期間（令和7年4月1日から令和8年3月31日）の納税義務の判定における「特定要件」の判定をしなさい。

(1) 分割計画書の記載事項と分割の状況
　　分割計画書に記載された主な事項の内容は、次のとおりである。
　① 乙社は、その営業の一部である不動産賃貸事業部門を新たに設立する甲社に承継させるため新設分割を行う。
　② 甲社は、分割に際し20,000株を発行し、これを分割する日（以下「分割期日」という。）における乙社の株主名簿の株主に対し、その所有株式5株につき1株の割合をもって交付する。
　③ 乙社の資本減少に伴い、乙社の発行済株式総数の10万株を8万株とし、その方法として発行済株式5株に対し、株式4株の割合をもって併合することとする。
　④ 分割期日は令和5年9月1日とする。

(2) 分割期日における乙社の株主及びその所有株式等の状況
　　分割期日における乙社の株主名簿に記載された株主（乙での役職：親族関係）及びその所有株式数は次のとおりであるが、上記(1)③の併合直前のものであり、その併合後において異動はない。

株　主	所有株式数	株　主	所有株式数
A（代表取締役）	80,000株	D（取締役：Aの次男）	5,000株
B（取締役：Aの妻）	5,000株	丙株式会社	4,000株
C（取締役：Aの長男）	5,000株	E（取締役）	1,000株

　① 丙株式会社（以下「丙社」という。）については、Cがその発行済株式のすべてを所有している。
　② EはAの友人であり、Aとの親族関係は有していない。

(3) 分割期日における甲社の株主及びその所有株式数等の状況
　　分割期日における甲社の株主名簿に記載された株主（甲社での役職）は次のとおりである。

株　　主	所有株式数	株　　主	所有株式数
A（取締役）	16,000株	D（代表取締役）	1,000株
B（取締役）	1,000株	丙社	800株
C（監査役）	1,000株	F	200株

FはAの友人であり、A及び乙社の他の株主等との親族関係は有していない。

（平成19年本試験問題　改題）

理論　　　　　　　　　　　　　　　　　答案用紙：62頁　解答解説：9-10頁

問題 6　分割等があった場合の納税義務の免除の特例の理論　　基本　10分

分割等があった場合の納税義務の免除の特例について、次の文章の空欄を埋めなさい。

(1) 新設分割子法人
　① 分割事業年度
　　分割等があった場合において、次の要件を満たすときは、その新設分割子法人のその（　①　）からその（　①　）の属する（　②　）までの間における（　③　）については、納税義務は免除されない。
　　イ　新設分割親法人（2以上ある場合にはいずれか）の対応する期間の課税売上高が（　④　）こと
　② 分割事業年度の翌事業年度
　　新設分割子法人のその事業年度開始の日の（　⑤　）からその事業年度開始の日の前日までの間に分割等があった場合において、次の要件を満たすときは、その新設分割子法人のその事業年度における（　③　）については、納税義務は免除されない。
　　イ　新設分割親法人（2以上ある場合にはいずれか）の（　⑥　）の課税売上高が（　④　）こと
　③ 分割事業年度の翌々事業年度以後
　　新設分割子法人のその事業年度開始の日の1年前の日の前々日以前に分割等（新設分割親法人が2以上ある場合のものを除く。）があった場合において、次の要件を満たすときは、その新設分割子法人のその事業年度における（　③　）については、納税義務は免除されない。
　　イ　その事業年度の（　⑦　）において新設分割子法人が（　⑧　）に該当すること
　ロ　新設分割子法人の基準期間における課税売上高が（　⑨　）であること
　ハ　新設分割子法人の基準期間における課税売上高として一定の金額とその新設分割親法人の（　⑥　）の課税売上高との合計額が（　④　）こと

④ 適用除外

この規定は、新設分割子法人が次のいずれかに該当する場合には適用しない。

イ （ ⑩ ）の適用を受けていること

ロ （ ⑪ ）が（ ④ ）こと

(2) 新設分割親法人

① 内容

新設分割親法人のその事業年度開始の日の1年前の日の前々日以前に分割等（新設分割親法人が2以上ある場合のものを除く。）があった場合において、次の要件を満たすときは、その新設分割親法人のその事業年度における（ ③ ）については、納税義務は免除されない。

イ その事業年度の（ ⑦ ）において新設分割子法人が（ ⑧ ）に該当すること

ロ 新設分割親法人の基準期間における課税売上高が1,000万円以下であること

ハ 新設分割親法人の基準期間における課税売上高とその（ ⑫ ）の対応する期間の課税売上高との合計額が1,000万円を超えること

② 適用除外

この規定は、新設分割親法人が次のいずれかに該当する場合には適用しない。

イ （ ⑩ ）の適用を受けていること

ロ （ ⑪ ）が（ ④ ）こと

計算　　　　　　　　　　答案用紙：63頁　解答解説：9-12頁

問題 7　吸収分割があった場合の納税義務の免除の特例(1)　基本　10分

乙社は令和7年7月1日に吸収分割により甲社の事業の一部を承継した。

以下の【資料】に基づき、各問に示した課税期間における乙社の納税義務の有無を判定しなさい。なお、各社ともに消費税課税事業者選択届出書は提出しておらず、課税期間と事業年度は一致しているものとする。

問1　令和7年4月1日〜令和8年3月31日

問2　令和8年4月1日〜令和9年3月31日

問3　令和9年4月1日〜令和10年3月31日

【資料】

1　甲社の各事業年度における課税売上高（税抜）

課税期間	課税売上高
令和5年1月1日〜令和5年12月31日	10,680,000円
令和6年1月1日〜令和6年12月31日	9,732,000円
令和7年1月1日〜令和7年12月31日	10,014,000円
令和8年1月1日〜令和8年12月31日	8,208,000円

2　乙社の各事業年度における課税売上高（税抜）

課税期間	課税売上高	左の期間のうち4月1日〜9月30日までの期間の課税売上高
令和5年4月1日〜令和6年3月31日	4,536,000円	2,131,000円
令和6年4月1日〜令和7年3月31日	4,728,000円	2,222,000円
令和7年4月1日〜令和8年3月31日	7,020,000円	2,899,000円
令和8年4月1日〜令和9年3月31日	7,371,000円	3,832,000円

計算　　　　　　　　答案用紙：64頁　解答解説：9-13頁

問題 8　吸収分割があった場合の納税義務の免除の特例(2)　応用　15分

次の【資料】により、各問に答えなさい。なお、各社ともに消費税課税事業者選択届出書は提出しておらず、課税期間と事業年度は一致しているものとする。

問1　B社の令和8年1月1日から令和8年12月31日までの課税期間における納税義務の有無を判定しなさい。

問2　B社の令和9年1月1日から令和9年12月31日までの課税期間における納税義務の有無を判定しなさい。

問3　B社の令和10年1月1日から令和10年12月31日までの課税期間における納税義務の有無を判定しなさい。

問4　A社の令和9年4月1日から令和10年3月31日までの課税期間における納税義務の有無を判定しなさい。

【資料】

1　A社は、令和8年2月1日に吸収分割により甲事業をB社に承継させた。

2　A社の各事業年度における課税売上高（税抜）

課税期間	課税売上高	左の期間のうち4月1日～9月30日までの期間の課税売上高
令和5年4月1日～令和6年3月31日	10,740,000円	5,208,000円
令和6年4月1日～令和7年3月31日	9,924,000円	4,813,000円
令和7年4月1日～令和8年3月31日	9,832,000円	4,768,000円
令和8年4月1日～令和9年3月31日	8,460,000円	4,103,000円

3　B社の各事業年度における課税売上高（税抜）

課税期間	課税売上高	左の期間のうち1月1日～6月30日までの期間の課税売上高
令和5年1月1日～令和5年12月31日	9,096,000円	4,638,000円
令和6年1月1日～令和6年12月31日	8,892,000円	4,534,000円
令和7年1月1日～令和7年12月31日	8,580,000円	4,375,000円
令和8年1月1日～令和8年12月31日	10,168,000円	5,185,000円
令和9年1月1日～令和9年12月31日	10,574,000円	5,498,000円

理論

答案用紙：65頁　解答解説：9-15頁

問題 9　吸収分割があった場合の納税義務の免除の特例の理論　基本　7分

吸収分割があった場合の納税義務の免除の特例について、次の文章の空欄を埋めなさい。

(1) 分割事業年度

吸収分割があった場合において、次の要件を満たすときは、その（　①　）のその（　②　）からその吸収分割があった日の属する（　③　）までの間における（　④　）については、納税義務は免除されない。

① （　①　）の基準期間における課税売上高が1,000万円以下であること

② 分割法人（2以上ある場合にはいずれか）の（　⑤　）の課税売上高が1,000万円を超えること

(2) 分割事業年度の翌事業年度

（　①　）のその事業年度開始の日の1年前の日の前日からその事業年度（　⑥　）までの間に吸収分割があった場合において、次の要件を満たすときは、その分割承継法人のその事業年度における（　④　）については、納税義務は免除されない。

① （　①　）の基準期間における課税売上高が1,000万円以下であること

② 分割法人（2以上ある場合にはいずれか）の（　⑤　）の課税売上高が1,000万円を超えること

(3) 適用除外

この規定は、分割承継法人が次のいずれかに該当する場合には適用しない。

① （　⑦　）の適用を受けていること

② （　⑧　）が1,000万円を超えること

········ *Memorandum Sheet* ········

Chapter 10

合併があった場合の中間申告に係る納付税額の計算

計　算　　　　　　　　　　　　　答案用紙：66頁　解答解説：10-1頁

問題 1　吸収合併があった場合(1)　　　　　　基本　10分

次の各ケースにおけるA社の当課税期間（令和7年4月1日から令和8年3月31日）の中間納付税額を計算しなさい。

〔ケース1〕

A社は令和7年10月1日にB社を吸収合併した。

(1)　A社の前課税期間（令和6年4月1日から令和7年3月31日）における確定消費税額は24,000,000円である。

(2)　B社の合併日の前日の属する課税期間（令和7年4月1日から令和7年9月30日）における確定消費税額は3,000,000円であり、この確定消費税額は令和7年11月25日に確定している。また、B社のその前課税期間（令和6年4月1日から令和7年3月31日）の確定消費税額は5,400,000円である。

〔ケース2〕

A社は令和6年10月1日にB社を吸収合併した。

(1)　A社の前課税期間（令和6年4月1日から令和7年3月31日）における確定消費税額は36,000,000円である。

(2)　B社の合併日の前日の属する課税期間（令和6年4月1日から令和6年9月30日）における確定消費税額は14,400,000円であり、この確定消費税額は令和6年11月25日に確定している。また、B社のその前課税期間（令和5年4月1日から令和6年3月31日）の確定消費税額は30,000,000円である。

計　算　　　　　　　　　　　　　答案用紙：67頁　解答解説：10-2頁

問題 2　吸収合併があった場合(2)　　　　　　応用　7分

A社は令和6年5月1日にB社を吸収合併した。次の【資料】に基づいて、A社の当課税期間（令和7年4月1日から令和8年3月31日）における中間納付税額を計算しなさい。

【資料】

1　A社（事業年度は4月1日～3月31日）

① 令和5年5月31日に納付した確定申告納付税額　　　972,000円
② 令和5年11月30日に納付した中間申告納付税額　　897,000円
③ 令和6年5月31日に納付した確定申告納付税額　　1,033,000円
④ 令和6年11月30日に納付した中間申告納付税額　　1,739,900円
⑤ 令和7年5月31日に納付した確定申告納付税額　　1,980,100円

2　B社（事業年度は1月1日〜12月31日）
　① 令和5年2月28日に納付した確定申告納付税額　　　800,000円
　② 令和5年8月31日に納付した中間申告納付税額　　　870,000円
　③ 令和6年2月28日に納付した確定申告納付税額　　　858,000円
　④ 令和6年6月30日に納付した確定申告納付税額　　　600,000円

計算　　　　　　　　　　　　　答案用紙：68頁　解答解説：10-3頁

問題3　吸収合併があった場合(3)　　応用　10分

甲社の前事業年度（令和6年5月15日から令和7年3月31日まで）における消費税の確定申告の状況は次の【資料】のとおりである。この【資料】に基づき甲社の当課税期間（令和7年4月1日から令和8年3月31日）の中間納付税額を計算しなさい。

【資料】
1　甲社は、令和6年5月15日に、資本金10,000,000円で設立された法人である。甲社は、国内及び国外から衣料品・服飾雑貨（以下「商品」という。）を仕入れ、国内及び国外の事業者に卸売りを行っている。

2　甲社は、令和6年11月1日に、衣料品の製造・販売業を営んでいた乙株式会社（以下「乙社」という。）を吸収合併し、資本金が3,000万円となった。乙社は、国内の自社工場で衣料品（以下「製品」という。）を製造し、国内の事業者に卸売りを行っていた。合併に伴い、工場内にあった乙社の本社機能は、甲社の本社事務所に統合された。

3　甲社の前事業年度（令和6年5月15日から令和7年3月31日まで）に係る消費税等の額645,000円（消費税503,100円、地方消費税141,900円）は、確定申告（期限内申告）により確定したものである。

4　乙社の前事業年度（令和6年1月1日から令和6年10月31日）係る消費税等の額（中間申告により納付すべき消費税額の計算の基礎となる消費税等の額をいう。）2,154,300円（消費税1,680,400円、地方消費税473,900円）は、確定申告（期限内申告）により確定したものである。

（平成25年本試験問題　改題）

計算　　　　　　　　　　　答案用紙：68頁　解答解説：10-4頁

問題 4　新設合併があった場合(1)　　基本　10分

当課税期間（令和7年4月1日から令和8年3月31日）における合併法人C社の中間納付税額を計算しなさい。

〔ケース1〕

A社とB社は令和7年4月1日に合併し、C社を新たに設立した。

(1) A社の合併日の前日の属する課税期間（令和6年4月1日から令和7年3月31日）における確定消費税額は12,600,000円である。

(2) B社の合併日の前日の属する課税期間（令和6年4月1日から令和7年3月31日）における確定消費税額は9,450,000円である。

〔ケース2〕

A社とB社は令和7年4月1日に合併し、C社を新たに設立した。

(1) A社の合併日の前日の属する課税期間（令和6年4月1日から令和7年3月31日）における確定消費税額は1,620,000円である。

(2) B社の合併日の前日の属する課税期間（令和7年1月1日から令和7年3月31日）における確定消費税額は480,000円であり、その前課税期間（令和6年1月1日から令和6年12月31日）における確定消費税額は2,160,000円である。

計算　　　　　　　　　　　答案用紙：69頁　解答解説：10-5頁

問題 5　新設合併があった場合(2)　　応用　10分

A社とB社は令和7年7月1日に合併し、新たにC社を設立した。次の【資料】に基づいて、C社の当課税期間（令和7年7月1日から令和8年6月30日）における中間納付税額を計算しなさい。

【資料】

1　A社（事業年度は4月1日～3月31日）

① 令和5年11月30日に納付した中間申告納付税額　　1,500,000円
② 令和6年5月31日に納付した確定申告納付税額　　　1,620,000円
③ 令和6年11月30日に納付した中間申告納付税額　　1,560,000円
④ 令和7年5月31日に納付した確定申告納付税額　　　1,500,000円
⑤ 令和7年8月31日に納付した確定申告納付税額　　　　840,000円

2 B社（事業年度は1月1日～12月31日）
　① 令和6年2月28日に納付した確定申告納付税額　　　420,000円
　② 令和7年2月28日に納付した確定申告納付税額　　　480,000円
　③ 令和7年8月31日に納付した確定申告納付税額　　　270,000円
　（注） B社は前事業年度まで中間申告を行っていない。

······· *Memorandum Sheet* ·······

Chapter 11
簡易課税制度

計算　　　　　　　　　答案用紙：70頁　解答解説：11-1頁

問題1　控除対象仕入税額の計算　　　　基本　10分

次の【資料】に基づき事務用機器の販売を営む当社の当課税期間（令和7年4月1日〜令和8年3月31日）における納税義務の有無と簡易課税制度の適用の有無を判定し、納付税額を計算しなさい。なお、当社は設立以来継続して課税事業者に該当し、課税標準額に対する消費税額は割戻し計算の方法による。また、当社の商品はすべて他の事業者に対して販売しているものとする。

【資料】
1　当課税期間に関する資料
　(1)　課税売上高　　　　　　　　41,350,000円
　(2)　売上戻り高　　　　　　　　710,000円
　　　（すべて当課税期間の課税売上げに係るものである。）
　(3)　償却債権取立益　　　　　　230,000円
　　　（前課税期間（自令和6年4月1日至令和7年3月31日）に行われた課税売上げに係る売掛金の回収額である。）
2　基準期間における課税売上高　　37,100,000円
3　当社は税込経理方式を採用している。
4　当社は前課税期間以前に消費税簡易課税制度選択届出書を提出している。

理論　　　　　　　　　答案用紙：72頁　解答解説：11-3頁

問題2　簡易課税制度の理論　　　　基本　5分

問1　簡易課税制度の適用要件を2つ述べなさい。なお、届出書の提出期限については、触れる必要はない。

問2　簡易課税制度の不適用及び宥恕規定について、以下の空欄を埋めなさい。

1　選択不適用の届出
　(1)　提出
　　　簡易課税制度選択届出書を提出した事業者は、その規定の（　①　）とするとき又は（　②　）したときは、（　③　）をその（　④　）に提出しなければならない。
　(2)　提出制限
　　　簡易課税制度選択届出書を提出した事業者は、（　②　）した場合を除き、簡易課税制度の適用を受けることとなった課税期間の（　⑤　）から（　⑥　）の属する課税期間の（　⑦　）でなければ（　③　）を提出することができない。

(3) 届出の効力

　　（　③　）の提出があったときは、その提出があった日の属する課税期間の（　⑧　）は、簡易課税制度の選択の届出は、その（　⑨　）を失う。

2　宥恕規定

　事業者が、（　⑩　）があるため簡易課税制度選択届出書又は（　③　）を簡易課税制度の適用を受けようとし又は受けることをやめようとする課税期間の（　⑪　）までに提出できなかった場合において、その（　④　）の（　⑫　）を受けたときは、これらの届出書をその課税期間の（　⑪　）にその税務署長に提出したものと（　⑬　）。

計算　　　　　　　　　　　　答案用紙：72頁　　解答解説：11-4頁

問題3　事業区分の判定(1)　　基本　10分

次の(1)〜(18)に掲げる法人の取引について、事業区分を下記の分類方法に従って答えなさい。なお、特に指示がない限り商品及び製品は課税資産に該当するものとし、取引は国内で行われたものとする。

第一種事業　→　①、第二種事業　→　②、第三種事業　→　③、第四種事業　→　④
第五種事業　→　⑤、第六種事業　→　⑥

---

(1)　物品販売業を営む事業者が、仕入れた商品を他の事業者へ販売した際の売上高
(2)　物品販売業を営む事業者が、仕入れた商品を消費者へ販売した際の売上高
(3)　製造業を営む事業者が、製造した製品を他の事業者へ販売した際の売上高
(4)　製造業を営む事業者が、製造した製品を消費者へ販売した際の売上高
(5)　飲食店業を営む事業者が、自ら調理した飲食物を店内で提供した際の売上高
(6)　宿泊業を営む事業者が、宿泊者から受け取った宿泊料
(7)　不動産業を営む事業者が、自社所有のビルを賃貸することによる賃貸料収入
(8)　製造業を営む事業者が、不要になった設備を売却した際の売却収入
(9)　卸売業を営む事業者が、販売に伴って生じた段ボールを売却した際の売却収入
(10)　小売業を営む事業者が、販売に伴って生じた段ボールを売却した際の売却収入
　　（(9)と(10)は、段ボールが生じた事業区分に属するものとする。）
(11)　不動産業を営む事業者が、他の者から購入した建物を消費者へ販売した際の売上高
(12)　飲食店業を営む事業者が、自ら調理した飲食物を出前した際の売上高

⒀ 製造業を営む事業者が、製造過程で生じた作業くずを売却した際の売却収入
⒁ 製造業を営む事業者が、無償支給された材料を加工することによって受け取った加工賃収入
⒂ 建設業を営む事業者が、自ら調達した材料で建設した建物の販売による売上高
⒃ 不動産業を営む事業者が、建物の売買について受け取った仲介手数料収入
⒄ 飲食店業を営む事業者が、持ち帰り用に調理した飲食物を販売した際の売上高
⒅ 卸売業を営む事業者が行った自社の役員への商品の贈与

計算　　　　　　　　　　　　　　　　答案用紙：73頁　解答解説：11-6頁

問題 4　事業区分の判定⑵　　　応用　10分

次の⑴～⒂に掲げる取引について、事業区分を下記の分類方法に従って答えなさい。なお、特に指示がない限り商品及び製品は課税資産に該当するものとし、取引は国内で行われたものとする。

```
第一種事業 → ①、第二種事業 → ②、第三種事業 → ③、第四種事業 → ④
第五種事業 → ⑤、第六種事業 → ⑥、非課税取引 → ⑦、不課税取引 → ⑧
```

⑴ 鮮魚小売店を営む個人事業者が、仕入れたアジを3枚におろして消費者へ販売した際の売上高
⑵ 鮮魚小売店を営む個人事業者が、仕入れたアジをアジフライにして消費者へ販売した際の売上高
⑶ 鮮魚小売店を営む個人事業者が、業務用冷蔵庫を売却した際の売却収入
⑷ 鮮魚小売店を営む個人事業者が、仕入れた鮮魚を家庭で消費した場合
⑸ 鮮魚小売店を営む個人事業者が、自家用乗用車を売却した際の売却収入
⑹ 飲食設備を有していない宅配すし店が、すしを宅配した際の売上高
⑺ 飲食店業を営む法人が、仕入れた飲料を店内飲食用に提供した際の売上高
⑻ 飲食店業を営む法人が、仕入れた商品を加工せずに土産用に消費者へ販売した際の売上高
⑼ 不動産業を営む法人が、保有する土地を他の事業者へ販売した際の売上高
⑽ 不動産業を営む法人が、他の事業者が保有するビルの管理業務を請負うことにより受け取った管理料収入

⑾　不動産業を営む法人が、他の事業者から購入した販売用建物を他の事業者へ販売した際の売上高

⑿　不動産業を営む法人が、駐車場を貸し付けたことによる駐車料金収入

⒀　不動産業を営む法人が、2週間土地を他の事業者へ貸し付けた際の地代収入

⒁　建設業を営む法人が、自ら請負った建物の建設工事のすべてを下請先に委託して建設された際の建物売上高

⒂　建設業を営む法人が、保有していた株式を売却した際の売却収入

計算　　　　　　　　　　答案用紙：73頁　解答解説：11-7頁

問題5　2以上の事業を営む場合（原則）　応用　20分

次の【資料】に基づき、当社の当課税期間（令和7年4月1日～令和8年3月31日）における納付税額を計算しなさい。なお、当課税期間においては簡易課税制度が適用されるものとする。また、特定1事業又は2事業の課税売上げが75％以上である場合の特例計算は考慮する必要はなく、軽減税率が適用される取引は含まれておらず、課税標準額に対する消費税額の計算は割戻し計算の方法による。

【資料】（当社は税込経理方式を採用している。）

1　第一種事業
　　課税売上高：15,224,000円　　売上戻り高：　566,000円

2　第二種事業
　　課税売上高：　8,612,000円　　売上戻り高：　422,000円

3　第三種事業
　　課税売上高：17,851,000円　　売上戻り高：1,072,000円

4　第四種事業
　　課税売上高：　6,827,000円　　売上戻り高：　211,000円

5　第六種事業
　　課税売上高：　7,976,000円　　売上戻り高：　397,000円

6　合計
　　課税売上高：56,490,000円　　売上戻り高：2,668,000円

　　（注）　売上戻り高は、すべて当課税期間の課税売上げから生じたものである。

計算　　　　　　　　　　　　　答案用紙：76頁　　解答解説：11-10頁

問題6　2以上の事業を営む場合（特例1）　　基本　20分

次の【資料】に基づき、当社の当課税期間（令和7年4月1日～令和8年3月31日）における納付税額を計算しなさい。なお、当課税期間においては簡易課税制度が適用されるものとする。また、当社は税込経理方式を採用しており、軽減税率が適用される取引は含まれておらず、課税標準額に対する消費税額の計算は割戻し計算の方法による。

【資料】

1　第一種事業

　　課税売上高：38,200,000円　　　売上戻り高：　560,000円

2　第四種事業

　　課税売上高：8,500,000円　　　売上戻り高：　320,000円

　　（注）売上戻り高は、すべて当課税期間の課税売上げから生じたものである。

計算　　　　　　　　　　　　　答案用紙：79頁　　解答解説：11-13頁

問題7　2以上の事業を営む場合（特例2）　　基本　20分

次の【資料】に基づき、当社の当課税期間（令和7年4月1日～令和8年3月31日）における納付税額を計算しなさい。なお、当課税期間においては簡易課税制度が適用されるものとする。また、当社は税込経理方式を採用しており、軽減税率が適用される取引は含まれておらず、課税標準額に対する消費税額の計算は割戻し計算の方法による。

【資料】

1　第二種事業

　　課税売上高：9,910,000円　　　売上戻り高：　329,000円

2　第五種事業

　　課税売上高：31,400,000円　　　売上戻り高：　864,000円

3　償却債権取立益　356,000円

　　令和4年11月に課税売上げとして計上された第五種事業に係る売掛金の回収額である。

　　（注）売上戻り高は、すべて当課税期間の課税売上げから生じたものである。

計算　　　　　　　　　　　答案用紙：82頁　解答解説：11-16頁

問題8　2以上の事業を営む場合（特例3）　　基本　25分

次の【資料】に基づき、当社の当課税期間（令和7年4月1日～令和8年3月31日）における納付税額を計算しなさい。なお、当課税期間においては簡易課税制度が適用されるものとする。また、当社は税込経理方式を採用しているものとし、軽減税率が適用される取引は含まれておらず、課税標準額に対する消費税額の計算は割戻し計算の方法による。

【資料】

1　第一種事業

　　課税売上高：17,500,000円　　　売上戻り高：　680,000円

2　第三種事業

　　課税売上高：25,700,000円　　　売上戻り高：　860,000円

3　第五種事業

　　課税売上高：　3,100,000円　　　売上戻り高：　85,000円

（注）売上戻り高は、すべて当課税期間の課税売上げから生じたものである。

計算　　　　　　　　　　　答案用紙：85頁　解答解説：11-20頁

問題9　2以上の事業を営む場合（特例4）　　応用　25分

次の【資料】に基づき、物品販売業を営む当社の当課税期間（令和7年4月1日～令和8年3月31日）における納付税額を計算しなさい。なお、当課税期間においては簡易課税制度が適用されるものとする。また、当社は税込経理方式を採用しているものとし、軽減税率が適用される取引は含まれておらず、課税標準額に対する消費税額の計算は割戻し計算の方法による。

【資料】

1　第一種事業

　　課税売上高：　5,832,000円　　　売上戻り高：　182,000円

2　第二種事業

　　課税売上高：43,487,000円　　　売上戻り高：　407,000円

3　第四種事業

　　課税売上高：　1,781,000円　　　売上戻り高：　31,000円

（注）売上戻り高は、すべて当課税期間の課税売上げから生じたものである。

計算　　　　　　　　　　　　　答案用紙：89頁　解答解説：11-24頁

問題10　事業を区分していない場合の特例　　応用　15分

　次の【資料】に基づき、文房具の卸売業及び小売業を営む当社の当課税期間（令和7年4月1日～令和8年3月31日）における控除対象仕入税額を計算しなさい。なお、当課税期間においては簡易課税制度が適用されるものとする。また、当社は税込経理方式を採用しているものとする。

【資料】

1　当期商品売上高　　　　　　　　　　　　58,450,000円
　　上記売上高は、卸売業に該当する売上高と小売業に該当する売上高の合計額であるがその内訳は区分されていない。
2　営業用車両の売却収入　　　　　　　　　　1,400,000円
3　当課税期間の課税標準額に対する消費税額　4,243,902円

計算　　　　　　　　　　　　　答案用紙：90頁　解答解説：11-25頁

問題11　軽減税率の適用がある場合　　応用　25分

　次の【資料】に基づき、食料品販売業を営む当社の当課税期間（令和7年4月1日～令和8年3月31日）における納付税額を計算しなさい。なお、当課税期間においては簡易課税制度が適用されるものとする。また、当社は税込経理方式を採用しており、課税標準額に対する消費税額は割戻し計算の方法による。

【資料】

1　国内の他の事業者から仕入れた食料品（食品表示法に規定する飲食料品に該当するもの。）の他の事業者に対する売上高　　2,860,000円
2　国内の他の事業者から仕入れた食料品以外の商品の他の事業者に対する売上高
　　　　　　　　　　　　　　　　　　　　　　960,000円
3　国内の他の事業者から仕入れた食料品（食品表示法に規定する飲食料品に該当するもの。）の消費者に対する売上高　　12,450,000円
4　国内の他の事業者から仕入れた食料品以外の商品の消費者に対する売上高
　　　　　　　　　　　　　　　　　　　　　10,960,000円
5　店内で製造した惣菜（食品表示法に規定する飲食料品に該当するもの。）の売上高
　　　　　　　　　　　　　　　　　　　　　 9,460,000円
6　店内で製造した惣菜の製造過程から生じた加工くずを国内の他の事業者に販売した売上高（標準税率が適用される取引である。）　　490,000円

理論　　　　　　　　　　　　　答案用紙：94頁　解答解説：11-29頁

問題12　災害等があった場合の特例の理論(1)　　基本　7分

災害等があった場合における簡易課税制度の特例について、次の文章の空欄を埋めなさい。

1　簡易課税制度選択届出に関する特例

災害その他（　①　）が生じたことにより（　②　）事業者（免税事業者及び簡易課税制度の適用を受ける事業者を除く。）が、その被害を受けたことにより（　③　）につき簡易課税制度の（　④　）となった場合において、（　⑤　）の承認を受けたときは、（　⑥　）をその承認を受けた（　③　）の初日の前日にその税務署長に提出したものと（　⑦　）。

この場合において、（　⑧　）の仕入れ等を行った場合の（　⑥　）の（　⑨　）の規定は、適用しない。

2　簡易課税制度選択不適用届出に関する特例

災害その他（　①　）が生じたことにより（　②　）事業者（簡易課税制度の適用を受ける事業者に限る。）が、その被害を受けたことにより（　⑩　）につき（　⑪　）の適用を受けることの（　⑫　）場合において、（　⑤　）の承認を受けたときは、（　⑬　）をその承認を受けた（　⑩　）の初日の前日にその税務署長に提出したものと（　⑦　）。

この場合において（　⑬　）の（　⑨　）の規定は、適用しない。

理論　　　　　　　　　　　　答案用紙：95頁　解答解説：11-30頁

問題13　災害等があった場合の特例の理論(2)　応用　10分

　課税事業者A社（以下「A社」という。）が行うべき消費税法上の手続きについて述べよ。
　なお、いずれの事業者も課税期間の特例（消費税法第19条第1項第3号から第4号の2に規定する課税期間）の適用はない。

　A社は、平成25年に資本金1,000万円で設立された事業年度1年の3月決算法人である。A社の課税売上高は、これまでいずれの課税期間とも3,000万円前後であったことから、消費税法第37条第1項に規定する届出書を提出して簡易課税制度を適用して申告を行ってきた。
　ところが、当課税期間中である12月20日に火災が発生し事業用設備が焼失したことから、これに代わる新しい事業用設備を翌年1月上旬に850万円（税込価格）で急遽購入し、購入後、1月20日から通常どおり営業を再開した。
　A社は営業再開後、2月上旬に当課税期間の消費税の納税額等を試算したところ、この設備購入により当課税期間については簡易課税制度を適用せずに申告を行えば還付となることが確実であることが分かったので、当課税期間については還付申告を提出することにした。
　なお、翌課税期間以後については、改めて簡易課税制度を適用して申告を行うことを予定している。

（平成30年度出題問題　改題）

Chapter 12

資産の譲渡等の時期の特例

計算　　　　　　　　　答案用紙：95頁　解答解説：12-1頁

問題 1　リース譲渡に係る資産の譲渡等の時期の特例(1)　基本　5分

次の【資料】に基づいて、当課税期間（令和7年4月1日から令和8年3月31日）の課税標準額を計算しなさい。なお、当社は法人税法に規定する延払基準の方法により経理し、消費税についても延払基準を適用する。また、当社は当課税期間まで継続して課税事業者であり、税込経理方式を採用している。

【資料】
1　機械Aのリース譲渡（所有権移転外ファイナンス・リース取引に該当する。）
　(1)　機械Aの引渡日：令和5年10月1日
　(2)　機械Aのリース料総額：1,000,000円
　(3)　リース料の回収方法　：令和5年10月31日を第1回目の支払期日とし、毎月月末に40,000円ずつ25回の均等払い
　(4)　リース料の回収状況　：令和7年3月に令和7年4月に回収期限が到来する40,000円を受け取っている。
2　機械Bのリース譲渡（所有権移転外ファイナンス・リース取引に該当する。）
　(1)　機械Bの引渡日：令和6年8月1日
　(2)　機械Bのリース料総額：3,000,000円
　(3)　リース料の回収方法　：引渡日に300,000円、残額は令和6年8月31日を第1回目の支払期日とし毎月月末に100,000円ずつ27回の均等払い

計算　　　　　　　　　　　答案用紙：96頁　解答解説：12-1頁

問題2　リース譲渡に係る資産の譲渡等の時期の特例(2)　　応用　5分

　以下の【資料】に基づいて、当課税期間（令和7年4月1日から令和8年3月31日）の課税標準額を計算しなさい。なお、当社は前課税期間より法人税法に規定する延払基準の方法により経理しており、消費税においても延払基準の適用を受けていたが、当課税期間より以下の機械Cについては延払基準の適用を受けないこととした。また、当社は当課税期間まで継続して課税事業者であり、税込経理方式を採用している。

【資料】

機械Cのリース譲渡（所有権移転外ファイナンス・リースに該当する。）

(1)　機械Cの引渡日：令和6年7月1日

(2)　機械Cのリース料総額：7,500,000円

(3)　リース料の回収方法：引渡日に450,000円、残額は令和6年7月31日を第1回目の支払期日とし毎月月末に235,000円ずつ30回の均等払い

理論　　　　　　　　　　　答案用紙：96頁　解答解説：12-2頁

問題3　リース譲渡に係る資産の譲渡等の時期の特例の理論　　基本　5分

問1　リース譲渡に係る資産の譲渡等の時期の特例に関して、以下の文章の空欄を埋めなさい。

　事業者がリース譲渡を行った場合において、そのリース譲渡に係る対価の額につき、所得税法又は法人税法に規定する（　①　）の方法により（　②　）こととしているときは、そのリース譲渡をした日の属する課税期間においてその（　③　）が到来しないものに係る部分については、その課税期間において（　④　）を行わなかったものと（　⑤　）、その部分に係る対価の額を、そのリース譲渡に係る（　⑥　）から（　⑦　）。

問2　リース譲渡に係る資産の譲渡等の時期の特例の適用要件を3つ述べなさい。

計算　　　　　　　　　　　　答案用紙：96頁　解答解説：12-3頁

問題 4　工事の請負に係る資産の譲渡等の時期の特例　　基本　7分

以下の【資料】に基づいて、各期（×3期、×4期、×5期）の課税売上げの金額を求めなさい。なお、当社は長期大規模工事については、消費税法上工事進行基準を適用している。また、当社は設立以来継続して課税事業者であり、税込経理方式を採用している。

【資料】

　A工事（長期大規模工事に該当する。）

　(1)　契　　約　　日：×3期
　(2)　請　負　金　額：5,250,000,000円
　(3)　完　成　予　定　日：×5期
　(4)　見積総工事原価：3,750,000,000円
　(5)　工事原価発生額：×3期　　1,625,000,000円
　　　　　　　　　　　　×4期　　1,300,000,000円
　　　　　　　　　　　　×5期　　　830,000,000円

理論　　　　　　　　　　　　答案用紙：97頁　解答解説：12-4頁

問題 5　工事の請負に係る資産の譲渡等の時期の特例の理論　　基本　5分

問1　工事の請負に係る資産の譲渡等の時期の特例に関して、以下の文章の空欄を埋めなさい。

　1　長期大規模工事の場合

　　事業者が（　①　）の請負に係る契約に基づき資産の譲渡等を行う場合には、その目的物のうち所得税法又は法人税法に規定する（　②　）の方法により（　③　）収入金額又は収益の額に係る部分については、次の3に掲げるいずれかの課税期間において資産の譲渡等を行ったものとすることができる。

　2　工事の場合

　　事業者が（　④　）の請負に係る契約に基づき資産の譲渡等を行う場合において、その対価の額につき所得税法又は法人税法に規定する（　②　）の方法により（　⑤　）こととしているときは、その目的物のうちその方法により経理した収入金額又は収益の額に係る部分については、次の3に掲げるいずれかの課税期間において資産の譲渡等を行ったものとすることができる。

3 計上時期
(1) 個人事業者

工事進行基準により、その収入金額が（ ⑥ ）に算入されたそれぞれの年の12月31日の属する課税期間

(2) 法人

工事進行基準により、その収益の額が（ ⑦ ）に算入されたそれぞれの事業年度終了の日の属する課税期間

問2 工事の請負に係る資産の譲渡等の時期の特例の適用要件を、長期大規模工事と工事に分けてそれぞれ述べなさい。

計算　　　　　　　　　　　　　　答案用紙：97頁　解答解説：12-5頁

問題6　小規模事業者に係る資産の譲渡等の時期等の特例　基本　5分

以下の【資料】に基づいて、個人事業者Aの当課税期間（令和7年1月1日から令和7年12月31日）の課税標準額を計算しなさい。なお、個人事業者Aは、所得税法上の小規模事業者の要件に該当しており、消費税法上の「小規模事業者に係る資産の譲渡等の時期等の特例」の適用を受ける旨を申告書に付記している。また、個人事業者Aは開業以来当課税期間まで継続して課税事業者であり、税込経理方式を採用している。

【資料】

青色申告書の各金額

1　収入金額（事業所得）　　8,400,000円（軽減税率が適用されるものは含まれていない。）

　上記以外に当課税期間末において未回収の売掛金が600,000円あり、令和8年1月5日に回収している。

2　収入金額（不動産所得）　2,400,000円

　上記金額は、全額事務所の貸付けに係る家賃収入である。

理論

答案用紙：98頁　解答解説：12-6頁

問題 7 小規模事業者に係る資産の譲渡等の時期等の特例の理論　基本　5分

問1　小規模事業者に係る資産の譲渡等の時期等の特例に関して、以下の文章の空欄を埋めなさい。

1　現金基準

（　①　）で、所得税法に規定する（　②　）による所得計算の特例の適用を受ける者の（　③　）及び（　④　）を行った時期は、その（　③　）に係る対価の額を（　⑤　）及びその（　④　）に係る費用の額を（　⑥　）とすることが（　⑦　）。

2　付記事項

この規定の適用を受けようとする事業者は、（　⑧　）にその旨を（　⑨　）するものとする。

問2　小規模事業者に係る資産の譲渡等の時期等の特例の適用要件を述べなさい。

Chapter 13

国、地方公共団体等に対する特例

計算　　　　　　　　　　答案用紙： 99頁　解答解説： 13-1頁

問題 1　特定収入の分類　　　　　　　　　　基本　3分

以下の【資料】について、各収入を課税仕入れ等に係る特定収入、使途不特定の特定収入、非特定収入に分類しなさい。

【資料】

(1) 補助金収入　　　　　　　　　　　　300,000円
　　交付要綱等において、製品梱包用機械の購入に充てることが定められている。
(2) 交付金収入　　　　　　　　　　　　500,000円
　　交付要綱等において、人件費の支出に充てることが定められている。
(3) 寄附金収入　　　　　　　　　　　　800,000円
(4) 配当金収入　　　　　　　　　　　　100,000円
(5) 保険金収入　　　　　　　　　　　　300,000円
(6) 出資金収入　　　　　　　　　　　　600,000円
(7) 貸付金の回収額　　　　　　　　　　150,000円
(8) 損害賠償金収入　　　　　　　　　　200,000円

計算　　　　　　　　　　答案用紙： 99頁　解答解説： 13-2頁

問題 2　特定収入割合の計算　　　　　　　　　基本　7分

以下の【資料】に基づいて当社の当課税期間（令和7年4月1日～令和8年3月31日）の課税売上割合、特定収入割合、調整割合を求めなさい。なお、消費税が課税されるものは、消費税を含む金額である。また、軽減税率が適用される取引は含まれていない。

【資料】

(1) 国内における課税売上高　　　　　　55,000,000円
(2) (1)のうち、売上返品高　　　　　　　2,050,000円
(3) 国外における売上高　　　　　　　　1,000,000円
(4) 有価証券売却収入　　　　　　　　　　500,000円
(5) 配当金収入　　　　　　　　　　　　2,000,000円
(6) 国内銀行預金利息収入　　　　　　　　100,000円
(7) 補助金収入　　　　　　　　　　　　5,000,000円
　　交付要綱等において、本部車両の購入に充てることが定められている。
(8) 交付金収入　　　　　　　　　　　　2,500,000円
　　交付要綱等において、人件費の支出に充てることが定められている。

計算　　　　　　　　　　　答案用紙：101頁　解答解説：13-4頁

問題3　控除対象仕入税額の計算(1)　　　基本　15分

以下の【資料】に基づいて当社の当課税期間（令和7年4月1日から令和8年3月31日）の納付税額を計算しなさい。なお、当社は当課税期間まで継続して課税事業者であり、税込経理されている。また、軽減税率が適用される取引は含まれておらず、課税標準額に対する消費税額及び控除対象仕入税額は割戻し計算の方法による。

【資料】

1　収入
　(1)　国内の事業者に対する課税売上高　　　　　　　　178,500,000 円
　(2)　国内の事業者に対する非課税売上高　　　　　　　　1,800,000 円
　　　上記非課税売上高は、有価証券の譲渡に該当するものではない。
　(3)　補助金収入　　　　　　　　　　　　　　　　　　28,874,000 円
　　　（内訳）
　　　課税資産の譲渡等にのみ要する課税仕入れに使途が特定
　　　　　　　　　　　　　　　　　　　　　　　　　　18,374,000 円
　　　共通して要する課税仕入れに使途が特定
　　　　　　　　　　　　　　　　　　　　　　　　　　10,500,000 円
　(4)　保険金収入　　　　　　　　　　　　　　　　　　5,250,000 円

2　課税仕入れに該当する支出
　(1)　課税資産の譲渡等にのみ要する課税仕入れ　　　131,250,000 円
　(2)　その他の資産の譲渡等にのみ要する課税仕入れ　　7,876,000 円
　(3)　課税資産の譲渡等とその他の資産の譲渡等に共通して要する課税仕入れ
　　　　　　　　　　　　　　　　　　　　　　　　　　15,750,000 円

計　算　　　　　　　　　　　　答案用紙：104頁　解答解説：13-7頁

問題 4　控除対象仕入税額の計算(2)　　応用　20分

　以下の【資料】に基づいて当社の当課税期間（令和7年4月1日から令和8年3月31日）の納付税額を計算しなさい。なお、当社は当課税期間まで継続して課税事業者であり、税込経理されている。また、軽減税率が適用される取引は含まれておらず、課税標準額に対する消費税額及び控除対象仕入税額は割戻し計算の方法による。

【資料】

1　収入
　(1)　国内の事業者に対する課税売上高　　　　　　　　　153,090,000 円
　(2)　国内の事業者に対する非課税売上高　　　　　　　　15,750,000 円
　　　上記非課税売上高は、有価証券の譲渡に該当するものではない。
　(3)　補助金収入　　　　　　　　　　　　　　　　　　　28,877,000 円
　　　（内訳）
　　　　課税資産の譲渡等にのみ要する課税仕入れに使途が特定
　　　　　　　　　　　　　　　　　　　　　　　　　　　18,376,000 円
　　　　共通して要する課税仕入れに使途が特定
　　　　　　　　　　　　　　　　　　　　　　　　　　　10,501,000 円
　(4)　保険金収入　　　　　　　　　　　　　　　　　　　5,250,000 円

2　課税仕入れに該当する支出
　(1)　課税資産の譲渡等にのみ要する課税仕入れ　　　　　106,051,000 円
　(2)　その他の資産の譲渡等にのみ要する課税仕入れ　　　7,876,000 円
　(3)　課税資産の譲渡等とその他の資産の譲渡等に共通して要する課税仕入れ
　　　　　　　　　　　　　　　　　　　　　　　　　　　15,752,000 円

理論

問題 5　仕入税額控除の特例の理論　基本　7分

答案用紙：107頁　解答解説：13-12頁

問1　国、地方公共団体等に対する仕入税額控除の特例に関して、以下の文章の空欄を埋めなさい。

　国若しくは地方公共団体の（　①　）、別表第三に掲げる法人又は（　②　）（免税事業者を除く。）が課税仕入れ等を行った場合において、その課税仕入れ等の日の属する課税期間において（　③　）があり、かつ、特定収入割合が（　④　）ときは（　⑤　）の適用を受ける場合を除き、その課税期間の課税標準額に対する消費税額から控除することができる（　⑥　）は、一定の方法により計算した金額とする。

　この場合において、その金額は、その課税期間における（　⑦　）と（　⑧　）。

問2　国、地方公共団体等に対する仕入税額控除の特例の適用要件を4つ答えなさい。

理論

問題 6　事業単位の特例の理論　基本　3分

答案用紙：108頁　解答解説：13-13頁

国、地方公共団体に対する事業単位の特例に関して、以下の文章の空欄を埋めなさい。

　国若しくは地方公共団体の（　①　）又は特別会計については、その（　①　）又は特別会計ごとに（　②　）とみなして、消費税法の規定を適用する。

　ただし、専ら（　①　）に対して資産の譲渡等を行う特別会計については（　①　）とみなす。

理論

問題 7　資産の譲渡等の時期等の特例の理論　基本　3分

答案用紙：108頁　解答解説：13-13頁

国、地方公共団体の資産の譲渡等の時期等の特例に関して、以下の文章の空欄を埋めなさい。

　国、地方公共団体、別表第三に掲げる法人（一定の承認を受けたものに限る。）が行った取引については、資産の譲渡等はその対価を（　①　）の末日において、課税仕入れ及び課税貨物の保税地域からの引取りはその費用の（　②　）の末日に行われたものとすることができる。

理論

問題 8　一般会計に係る業務の特例の理論　　基本　3分

問1　国又は地方公共団体の一般会計に係る業務の特例（税額控除）に関して、以下の文章の空欄を埋めなさい。

　　国又は地方公共団体の一般会計については、課税標準額に対する消費税額から控除することができる消費税額の合計額は、その（　①　）と同額とみなす。

問2　国又は地方公共団体の一般会計の申告義務等の適用除外に関して、以下の文章の空欄を埋めなさい。

　　国又は地方公共団体の一般会計については、一定の（　①　）、（　②　）等の規定は、適用しない。

理論

問題 9　申告期限の特例の理論　　基本　3分

国又は地方公共団体等の確定申告期限の特例に関して、以下の文章の空欄に適切な数字を入れなさい。

(1)　国：（　①　）月以内
(2)　地方公共団体（下記(3)を除く。）：（　②　）月以内
(3)　一定の地方公共団体の経営する企業：（　③　）月以内
(4)　別表第三に掲げる法人（一定の承認を受けたものに限る。）：（　④　）月以内で税務署長の承認する期間内

理論

問題10　国等の特例の理論　　応用　15分

答案用紙：109頁　解答解説：13-15頁

国、地方公共団体等に対する仕入税額控除の特例に関して、以下の問に答えなさい。

消費税の課税事業者である宗教法人Yは、信者から寄附金を募り、本堂の屋根の葺き替え工事を行うこととなった。

Yは、駐車場業も営んでおり、当課税期間（令和7年1月1日から同年12月31日）における駐車場営業に伴う収入が2,100万円、本件寄附金による収入が3,000万円であった。また、本件工事は当課税期間中に完了しており、その費用は4,200万円であったことから、本件寄附金の額と残額は駐車場営業から得た収入を充てることとした。

Yにおける収入と支出については、上記のものがすべてであるとした場合のYにおける消費税法上の仕入税額控除の規定の適用関係について簡潔に述べなさい。

なお、Yは消費税法第37条第1項に規定する簡易課税制度の適用を受けていない。

（注）　消費税の計算を行う必要はない。

Memorandum Sheet

Chapter 14
特殊論点

計算　　　　　　　　　　　　答案用紙：110頁　解答解説：14-1頁

問題 1　個人事業者の税額計算　　　　　　　　　基本　10分

次の【資料】から物品販売業を営む個人事業者甲の当課税期間（令和7年1月1日から令和7年12月31日）の消費税の課税標準額を求めなさい。なお、個人事業者甲は課税事業者に該当し、税込経理方式を採用している。また、軽減税率が適用される取引は含まれていない。

【資料】
1　収入に関する状況
　⑴　店舗での課税商品売上高　　　　　　　　15,000,000円
　⑵　店舗兼住宅の売却収入　　　　　　　　　85,000,000円
　　　個人事業者甲の物品販売に係る店舗兼住宅の売却をした際の収入額である。なお、売却時の店舗と住宅の使用割合は3：7であり、土地と建物の時価の比率は9：1である。
　⑶　商品陳列棚の売却収入　　　　　　　　　　　50,000円
　⑷　有価証券の売却収入　　　　　　　　　　 1,500,000円
　　　個人事業者甲の余剰資金の投資として保有していた株式を売却したものである。
　⑸　自家用車の売却収入　　　　　　　　　　　 150,000円
　　　個人事業者甲の事業用資金を補てんするため、個人事業者甲の自家用車を売却したものである。
2　個人事業者甲の長男が自宅に持ち帰り使用した課税商品（通常の販売価額150,000円、課税仕入れに係る金額95,000円）がある。なお、長男は個人事業者甲と生計を一にする親族に該当する。

計算　　　　　　　　　答案用紙：110頁　解答解説：14-1頁

問題 2　事業承継があった場合の取扱い(1)　　基本　7分

次の【資料】より、相続人Ｂの当課税期間（令和7年1月1日から令和7年12月31日）の納付税額を計算しなさい。なお、相続人Ｂの当課税期間の基準期間における課税売上高は1,000万円を超えている。また、軽減税率が適用される取引は含まれておらず、課税標準額に対する消費税額及び控除対象仕入税額の計算は割戻し計算の方法による。

【資料】
1　相続人Ｂは、令和7年4月1日に被相続人Ａの事業を相続により承継している。
2　相続人Ｂの当課税期間における消費税に関する事項は次のとおりである。
　⑴　課税売上高　　　　　　　　　　　25,200,000円
　⑵　課税仕入れ高　　　　　　　　　　18,500,000円
　⑶　仕入割戻し　　　　　　　　　　　 1,080,000円
　　　すべて被相続人Ａが令和7年1月1日から令和7年3月31日の間に行った課税仕入れに係るものである。
　⑷　貸倒損失（売掛金）　　　　　　　　 216,000円
　　　すべて被相続人Ａが令和7年1月1日から令和7年3月31日の間に行った課税売上げに係るものである。
3　被相続人Ａは、開業以来死亡するまで継続して課税事業者であった。
4　相続人Ｂの当課税期間の課税売上割合は98％であった。

計 答案用紙：112頁 解答解説：14-3頁

問題3 事業承継があった場合の取扱い(2) 応用 15分

次の【資料】に基づいて、乙社の当課税期間（令和7年4月1日から令和8年3月31日）における調整対象固定資産に係る控除税額の調整額を計算しなさい。なお、以下のいずれの課税期間も消費税の納税義務を有している。また、甲社と乙社の事業年度はともに9月30日を決算日とする1年であり、事業年度と課税期間は一致している。

【資料】
1 乙社は、前課税期間において甲社を吸収合併している。
2 乙社は甲社を吸収合併するにあたって、甲社が前々課税期間の令和5年6月10日に取得した調整対象固定資産（税込金額5,500,000円）を引き継いでおり、当課税期間末日において保有している。なお、甲社は設立以来課税売上割合が95％未満となる課税期間は、一括比例配分方式により仕入れに係る消費税額の計算を行っている。
3 甲社の売上高

	前々課税期間 (自令和5年4月1日 至令和6年3月31日)	前課税期間 (自令和6年4月1日 至令和6年9月30日)	当課税期間
課税売上高（税抜）	32,000,000円	21,000,000円	―
非課税売上高	168,000,000円	2,250,000円	―

4 乙社の売上高

	前々課税期間 (自令和5年4月1日 至令和6年3月31日)	前課税期間 (自令和6年4月1日 至令和7年3月31日)	当課税期間 (自令和7年4月1日 至令和8年3月31日)
課税売上高（税抜）	315,000,000円	336,000,000円	307,600,000円
非課税売上高	42,000,000円	34,200,000円	27,750,000円

計算

答案用紙：114頁　解答解説：　14-5頁

問題 4　事業承継があった場合の取扱い(3)　応用　3分

次の【資料】に基づいて、乙社の当課税期間（令和7年4月1日から令和8年3月31日）における調整対象固定資産に係る控除税額の調整額を計算しなさい。なお、甲社及び乙社は設立以来課税事業者に該当し、個別対応方式により仕入れに係る消費税額を計算している。

【資料】
1. 乙社は令和6年7月1日において、甲社を吸収合併している。
2. 乙社は甲社を吸収合併するにあたって、甲社が令和4年12月1日に課税業務用として取得した調整対象固定資産（税込金額6,600,000円）を引き継いでいる。
3. 乙社は令和7年6月30日に上記2の調整対象固定資産を非課税業務用に転用している。

理論

答案用紙：114頁　解答解説：　14-6頁

問題 5　相続等があった場合の棚卸資産に係る消費税額の調整の理論　基本　7分

相続等があった場合の棚卸資産に係る消費税額の調整について、以下の文章の空欄を埋めなさい。

1. 免税事業者が課税事業者となった場合
   免税事業者が、課税事業者となった場合において、その課税事業者となった課税期間の（ ① ）において免税事業者であった期間中に国内において譲り受けた（ ② ）に係る（ ③ ）を（ ④ ）ときは、その（ ⑤ ）をその課税事業者となった課税期間の（ ⑥ ）の計算の基礎となる（ ⑦ ）と（ ⑧ ）。

2. 免税事業者から事業承継により引き継いだ場合
   事業者（免税事業者を除く。）が、相続、合併、分割により（ ⑨ ）である被相続人、被合併法人、分割法人の事業を（ ⑩ ）した場合において、これらの者が免税事業者であった期間中に国内において譲り受けた課税仕入れ等に係る（ ③ ）を（ ⑪ ）ときは、その棚卸資産に係る消費税額をその引き継ぎを受けた事業者のその相続、合併、分割があった日の属する課税期間の（ ⑥ ）の計算の基礎となる課税仕入れ等の税額と（ ⑧ ）。

理論

問題 6 課税事業者を選択した場合の届出の制限の理論　基本　7分

課税事業者を選択した場合の届出の制限について、以下の文章の空欄を埋めなさい。

　課税事業者選択届出書を提出した事業者は、課税事業者の選択の適用を受けることとなった課税期間の初日から（　①　）を経過する日までの間に開始した各課税期間（簡易課税制度の適用を受ける課税期間を除く。）中に（　②　）を行った場合には、届出書の提出制限にかかわらず、（　③　）を除き、その（　④　）の属する課税期間の初日から（　⑤　）を経過する日の属する課税期間の（　⑥　）でなければ（　⑦　）を提出することができない。

理論

問題 7 新設法人に該当する場合の納税義務の免除の理論　基本　3分

新設法人に該当する場合の届出の制限について、以下の文章の空欄を埋めなさい。

　新設法人が、その（　①　）に含まれる各課税期間（簡易課税制度の適用を受ける課税期間を除く。）中に（　②　）の仕入れ等を行った場合には、その新設法人のその仕入れ等の日の属する課税期間からその課税期間の（　③　）以後（　④　）を経過する日の属する課税期間までの各課税期間における課税資産の譲渡等及び特定課税仕入れについては、納税義務は（　⑤　）。

理論　　　　　　　　　答案用紙：115頁　解答解説：14-7頁

問題8　簡易課税制度と届出の制限の理論　　基本　7分

簡易課税制度の選択に関する届出の制限について、以下の文章の空欄を埋めなさい。

1　選択届出書を提出できない場合

簡易課税制度の適用を受けようとする事業者は、次のいずれかに該当するときは、その調整対象固定資産の仕入れ等の日の属する課税期間の（　①　）から（　②　）の属する課税期間の（　③　）までの期間は、（　④　）を提出することができない。

ただし、事業を開始した日の属する課税期間から簡易課税制度の適用を受けようとする場合には、この限りでない。

(1)　調整対象固定資産の仕入れ等を行った場合の（　⑤　）の提出制限を受けるとき
(2)　新設法人又は特定新規設立法人の（　⑥　）に含まれる各課税期間中に調整対象固定資産の仕入れ等を行ったとき

2　提出がなかったものとみなす場合

1の場合において、その調整対象固定資産の仕入れ等の日の属する課税期間の（　①　）からその仕入れ等の日までの間に（　④　）をその納税地の所轄税務署長に提出しているときは、その届出書の提出は（　⑦　）。

理論　　　　　　　　　答案用紙：116頁　解答解説：14-9頁

問題9　調整対象固定資産と納税義務　　応用　10分

調整対象固定資産の仕入れに関して、以下の問に答えなさい。

(注)　いずれの場合も消費税法第19条第1項第三号から第四号の二までに規定する課税期間の特例の規定の適用は受けていない。また、消費税法第9条の2第1項に規定する特定期間における課税売上高については、考慮する必要はない。

問1　以下の場合における甲の納税義務に関する適用関係について述べなさい。

個人である甲は、新たに事業を行うこととして、その適用開始課税期間を令和7年1月1日から令和7年12月31日とする「消費税課税事業者選択届出書（消費税法第9条第4項に規定する届出書）を令和7年4月15日に提出して課税事業者となった。その上で、課税事業者となった年又はその翌年に調整対象固定資産の仕入れを行った場合

問2　以下の場合における法人の納税義務に関する適用関係について述べなさい。

　　令和7年4月1日に資本金1,000万円で事業年度が1年間（決算期日が3月31日）である法人を設立して事業を開始した。その上で、その設立の事業年度又はその翌事業年度に調整対象固定資産の仕入れを行った場合

（平成23年度本試験問題　改題）

計算　　　　　　　　　　　　　　答案用紙：117頁　解答解説：14-10頁

問題10　課税売上割合　　　　　　　応用　10分

次の【資料】に基づいて、課税事業者である甲社の当課税期間（令和7年4月1日から令和8年3月31日）における課税売上割合を計算しなさい。なお、甲社は税込経理方式を採用している。

【資料】

1　当課税期間の売上高　　　　　　　　　　　　　　24,625,000円

　なお、売上高の内訳は、以下のとおりであり、すべて課税資産の譲渡等に該当するものであり、軽減税率が適用される取引は含まれていない。

　　国内売上高　　　　　　　　　　　9,625,000円
　　輸出免税売上高　　　　　　　　　15,000,000円

2　売掛金の売却額　　　　　　　　　　　　　　　　970,000円

　商品販売に係る売掛金1,000,000円を信販会社に売却した際の売却額である。

3　他社から譲り受けた売掛金の回収額　　　　　　　300,000円

　甲社は、A社がB社に対して有していた売掛金をA社から280,000円で譲り受けていたが、当課税期間に当該売掛金が全額回収されている。上記300,000円は当該売掛金の回収額である。

4　手形の売却額　　　　　　　　　　　　　　　　2,800,000円

　手形額面3,000,000円の約束手形を銀行で割り引いたことによる、手形額面金額と割引料の差額である。

5　合同会社の出資持分の売却額　　　　　　　　　12,000,000円

6　内国法人C社社債の売却額　　　　　　　　　　30,000,000円

7　内国法人D社社債の社債利息収入　　　　　　　　150,000円

8　内国法人D社社債の償還額　　　　　　　　　　8,900,000円

　発行価額9,000,000円のD社債が当課税期間に満期により償還されたことにより受け取った金額である。

理論　　　　　　　　　　　　　答案用紙：117頁　解答解説：14-11頁

問題11　売現先取引・買現先取引　　　　応用　10分

以下の取引に対する消費税法上の取扱いについて、簡潔に説明しなさい。

株式会社A社（以下「A社」という。）は、令和7年4月1日から令和8年3月31日までの課税期間（事業年度）において、次の取引を行っている。

1　A社は、令和7年4月1日に、自己が保有する国債証券を1億円で内国法人であるB株式会社（以下「B社」という。）に譲渡した。
　この譲渡に当たっては、B社との間で、1億400万円で令和7年12月31日に買い戻すことを約定しており、この約定に従って買い戻しを行っている。

2　A社は、令和7年6月1日に、内国法人であるC株式会社（以下「C社」という。）が保有する内国法人であるD株式会社の社債券を2億円で購入した。
　この購入に当たっては、C社との間で、2億700万円で令和8年2月28日に売り戻すことを約定しており、この約定に従って売り戻している。

（注）　1の国債証券及び2の社債券とも、その所在場所は国内である。

（平成9年本試験問題　改題）

理論　　　　　　　　　　　　　答案用紙：118頁　解答解説：14-12頁

問題12　高額特定資産を取得した場合の特例の理論　　　　基本　5分

高額特定資産を取得した場合の納税義務の免除の特例に関して、以下の文章の空欄を埋めなさい。

事業者が、（　①　）の適用を受けない課税期間中に国内における（　②　）の仕入れ等を行った場合には、（　②　）の仕入れ等の日の属する課税期間の（　③　）からその（　②　）の仕入れ等の日の属する課税期間の（　④　）以後（　⑤　）を経過する日の属する課税期間までの各課税期間における（　⑥　）及び（　⑦　）については、納税義務は免除されない。

理論　　　　　　　　　　　　　答案用紙：118頁　解答解説：14-13頁

問題13　棚卸資産の調整措置の適用を受ける場合の理論　基本　5分

高額特定資産について棚卸資産の調整措置の適用を受けることとなった場合の特例に関して、以下の文章の空欄を埋めなさい。

事業者が、高額特定資産である（　①　）若しくは（　②　）又は（　③　）について納税義務が免除されないこととなった場合の（　①　）に係る消費税額の調整の規定の適用を受けた場合には、この規定の適用を受けた課税期間の（　④　）からこの規定の適用を受けた課税期間の（　⑤　）以後（　⑥　）を経過する日の属する課税期間までの各課税期間における（　⑦　）及び（　⑧　）については、納税義務は免除されない。

理論　　　　　　　　　　　　　答案用紙：118頁　解答解説：14-13頁

問題14　金地金等の仕入れ等を行った場合の特例の理論　基本　5分

金地金等の仕入れ等を行った場合の特例に関して、以下の文章の空欄を埋めなさい。

事業者（免税事業者を除く。）が、簡易課税制度の適用を受けない課税期間中に国内における（　①　）を行った場合において、その課税期間中のその（　①　）の金額の合計額が高額である場合として一定の場合に該当するときは、その（　①　）を行った課税期間の（　②　）からその（　①　）を行った課税期間の初日以後（　③　）を経過する日の属する課税期間までの各課税期間における課税資産の譲渡等及び特定課税仕入れについては、納税義務は免除されない。

理論　　　　　　　　　　　　　答案用紙：119頁　解答解説：14-14頁

問題15　居住用賃貸建物の取得に係る税額控除の理論　基本　10分

問1　仕入れに係る消費税額の控除の規定に関して、以下の文章の空欄を埋めなさい。

仕入れに係る消費税額の控除の規定は、事業者が国内において行う（　①　）の用に供しないことが明らかな建物以外の建物（（　②　）又は（　③　）に該当するものに限る。）に係る課税仕入れ等の税額については、（　④　）。

問2　居住用賃貸建物を課税賃貸用に供した場合の仕入れに係る消費税額の調整の規定に関して、以下の文章の空欄を埋めなさい。

　　事業者が、（　①　）に係る課税仕入れ等の税額について仕入れに係る消費税額の控除が適用されない場合において、その事業者が（　②　）の末日においてその（　①　）を有しており、かつ、その（　①　）の全部又は一部をその（　①　）の仕入れ等の日から（　②　）の末日までの間に（　③　）以外の貸付けの用に供したときは、その有している（　①　）に係る課税仕入れ等の税額に（　④　）を乗じて計算した金額に相当する消費税額をその事業者のその（　②　）の仕入れに係る消費税額に（　⑤　）する。この場合において、その（　⑤　）をした後の金額をその課税期間における仕入れに係る消費税額と（　⑥　）。

問3　居住用賃貸建物を譲渡した場合の仕入れに係る消費税額の調整の規定に関して、以下の文章の空欄を埋めなさい。

　　事業者が、（　①　）に係る課税仕入れ等の税額について仕入れに係る消費税額の控除が適用されない場合において、その事業者がその（　①　）の全部又は一部を（　②　）に他の者に（　③　）したときは、その（　③　）をした（　①　）に係る課税仕入れ等の税額に（　④　）を乗じて計算した金額に相当する消費税額をその事業者のその（　③　）をした課税期間の仕入れに係る消費税額に（　⑤　）する。この場合において、その（　⑤　）をした後の金額を当該課税期間における仕入れに係る消費税額と（　⑥　）。

計算　　　　　　　　　　　　　　答案用紙：119頁　解答解説：14-15頁

問題16　居住用賃貸建物を課税賃貸用に供した場合　　基本　10分

　丙株式会社（以下「丙社」という。）は不動産賃貸業を営む法人である。次の【資料】に基づき、丙社が令和5年6月に取得した建物について、仕入れに係る消費税額の調整を行うべき課税期間を答えた上でその調整税額を計算しなさい。なお、消費税法第30条第10項の規定により同条第1項の規定が適用されないこととなる課税期間及び課税仕入れ等の税額については解答を要しない。

【計算に当たっての前提事項】
⑴　丙社は、会計帳簿における経理については、全て消費税及び地方消費税を含んだ金額により処理（税込経理）している。
⑵　取引等は全て国内において行われたものとする。

⑶　【資料】の全ての課税期間について、消費税の納税義務があり、個別対応方式（消費税法第30条第2項第1号に規定する計算方法）により仕入れに係る消費税額の計算を行っているものとする。

【資料】

⑴　丙社は3月決算法人であり、事業年度（課税期間）の状況は次のとおりである。

事業年度	期　間
第20期	自令和4年4月1日　至令和5年3月31日
第21期	自令和5年4月1日　至令和6年3月31日
第22期	自令和6年4月1日　至令和7年3月31日
第23期	自令和7年4月1日　至令和8年3月31日

⑵　丙社は、令和5年6月1日に建物を購入により取得（取得価額38,500,000円、居住用2階建アパート）した。なお、建物の取得価額は全て課税仕入れに該当する。

当該建物は、取得時より全4室を居住用として貸し付けていたが、うち1階の1室を令和6年10月1日より整体師である個人事業者に治療院として貸し付けている。

⑶　⑵の建物に係る取得後の家賃収入及び使用料収入の状況は次のとおりである。

（単位：円）

用途	第20期	第21期	第22期	第23期
居住用	0	4,800,000	4,800,000	3,960,000
治療院	0	0	990,000	1,980,000

（令和3年度本試験問題　改題）

Chapter 15
適格請求書発行事業者

問題 1　適格請求書発行事業者の登録

次の文章の空欄を埋めなさい。

　国内において（　①　）を行い、又は行おうとする事業者であって、（　②　）の交付をしようとする事業者（免税事業者を除く。）は、税務署長の（　③　）を受けることができる。

問題 2　適格請求書発行事業者の申請

次の文章の空欄を埋めなさい。

　適格請求書発行事業者の登録を受けようとする事業者は、一定の事項を記載した（　①　）をその納税地の所轄税務署長に提出しなければならない。この場合において、（　②　）が、（　③　）となる課税期間の初日から適格請求書発行事業者の登録を受けようとするときは、その課税期間の（　④　）から起算して（　⑤　）までに、その申請書をその税務署長に提出しなければならない。

問題 3　適格請求書発行事業者の取消し

(1)　特定国外事業者以外の事業者である適格請求書発行事業者の登録取消し事由を答案用紙に従い列挙しなさい。

(2)　特定国外事業者である適格請求書発行事業者の登録取消し事由を答案用紙に従い列挙しなさい。

理論

問題 4　登録事項の変更　　基本　3分

答案用紙：121頁　解答解説：15-3頁

次の文章の空欄を埋めなさい。

適格請求書発行事業者は、（　①　）に登載された事項に（　②　）があったときは、その旨を記載した（　③　）を、（　④　）、その（　⑤　）に提出しなければならない。

理論

問題 5　適格請求書の交付義務　　基本　5分

答案用紙：122頁　解答解説：15-3頁

次の文章の空欄を埋めなさい。

適格請求書発行事業者は、国内において（　①　）を行った場合において、その（　①　）を受ける他の事業者から一定事項を記載した（　②　）、（　③　）その他これらに類する書類の交付を求められたときは、その（　①　）に係る（　④　）をその他の事業者に（　⑤　）しなければならない。ただし、その適格請求書発行事業者が行う事業の性質上、（　④　）を交付することが（　⑥　）な（　①　）として一定の取引を行う場合は、（　⑦　）。

理論

問題 6　適格請求書の記載事項　　基本　5分

答案用紙：122頁　解答解説：15-4頁

適格請求書の記載事項を答案用紙に従い列挙しなさい。

理論

問題 7　適格簡易請求書の記載事項　　基本　5分

答案用紙：123頁　解答解説：15-4頁

適格簡易請求書の記載事項を答案用紙に従い列挙しなさい。

理論　　　　　　　　　　　　　答案用紙：123頁　解答解説：　15-4頁

問題8　適格請求書の交付義務免除　　　　　　　　　基本　3分

適格請求書の交付義務が免除される取引を答案用紙に従い列挙しなさい。

Chapter 16

信託

理論　　　　　　　　　　　答案用紙：124頁　解答解説：16-1頁

問題1　信託の理論　　　　　　　　　　　　　　　　基本　5分

次の文章が正しい場合には〇を、誤っている場合には×を正誤欄に記入しなさい。また、誤っている場合には誤っている箇所を訂正し、訂正欄に記入しなさい。

(1)　一般的に信託における移転行為は、受益者にすべての利益を享受させるために行う形式的な譲渡にすぎないため、資産の譲渡等に該当しないものとされる。

(2)　受益者等課税信託における信託財産に係る資産等取引は、受託者の資産等取引とみなして消費税法の規定が適用される。

(3)　受益者等課税信託における受益者には、受益者としての権利を現に有する者だけが含まれる。

(4)　法人課税信託においては、受託者の本来の事業に係る固有資産等と信託事業に係る信託資産等とを明確に区別し、それぞれ別の者とみなして消費税法を適用する。ここで、固有資産等の帰属する受託者を固有事業者、信託資産等の帰属する受託者を受託事業者という。

(5)　受託事業者の納税義務の判定は、受託事業者の基準期間における課税売上高を基準として判定する。

Chapter 17

届出等

理論

問題 1　届出等の理論(1)　　基本　5分

次の文章の空欄を埋めなさい。

(1) 届出とは、事業者が必要な書類を提出することによって、（　①　）に関係なく、特定の効力が生じるものをいう。

(2) 承認とは、（　②　）規定の中から（　③　）する際に、（　①　）により、適用の可否が左右されるものをいう。

(3) 許可とは、（　④　）規定の中から（　③　）する際に、（　①　）により、適用の可否が左右されるものをいう。

理論　　　　　　　　　　　答案用紙：125頁　解答解説：17-1頁

問題2　届出等の理論(2)　　　　　　　　　　　基本　7分

以下の場合において提出が必要となる届出書を、[選択肢]から選び記号で答えなさい。

(1)　基準期間における課税売上高が1,000万円超となった場合
(2)　基準期間における課税売上高が1,000万円以下となった場合
(3)　免税事業者（基準期間における課税売上高が1,000万円以下の者）が課税事業者となることを選択する場合
(4)　基準期間がない事業年度の開始の日における資本又は出資の金額が1,000万円以上である法人（新設法人）に該当する場合
(5)　簡易課税制度の適用を受ける場合
(6)　簡易課税制度の適用をやめる場合
(7)　課税事業者の選択をやめる場合
(8)　課税期間の特例の適用を受けていた事業者が特例の期間を変更する場合
(9)　課税期間の特例の適用を受けていた事業者が特例の期間を変更した後、原則の課税期間に戻す場合

[選択肢]

(ア)　消費税課税事業者選択届出書（法9④）
(イ)　消費税課税事業者選択不適用届出書（法9⑤）
(ウ)　消費税簡易課税制度選択届出書（法37①）
(エ)　消費税簡易課税制度選択不適用届出書（法37⑤）
(オ)　消費税課税事業者届出書（法57①一）
(カ)　消費税の納税義務者でなくなった旨の届出書（法57①二）
(キ)　消費税の新設法人に該当する旨の届出書（法57②）
(ク)　消費税課税期間特例選択・変更届出書（法19①三～四の二）
(ケ)　消費税課税期間特例選択不適用届出書（法19③）

理論　　　　　　　　　　　答案用紙：126頁　　解答解説：17-2頁

問題3　届出等の理論(3)　　　　　　　　　　　応用　20分

次の1と2の場合において、事業者が提出すべき消費税の届出書及びその提出期限について、その理由を示して簡潔に述べなさい。

なお、課税売上高の金額は、特段の断りがない限り、国内における課税資産の譲渡等に係るもの（輸出免税取引に係るものはない。）であり、消費税及び地方消費税に相当する金額を含むものとする。また、いずれの課税期間においても「消費税課税期間特例選択・変更届出書」（消費税法第19条第1項第三号から第四号の二まで（課税期間）に規定する届出書をいう。）は提出されていないものとする。

1　甲社（事業年度は4月1日から翌年3月31日まで）は、翌課税期間（令和8年4月1日から令和9年3月31日）に多額の設備投資を予定しているが、当該甲社が翌課税期間に係る申告で仕入に係る消費税額の控除不足額の還付を受けようとする場合

なお、当該翌課税期間後の課税期間に関する事項については触れる必要はない。

甲社は、基準期間における課税売上高が1,000万円を超えることとなった令和2年3月に「消費税課税事業者届出書」（消費税法第57条第1項第一号に規定する届出書をいう。）及び「消費税簡易課税制度選択届出書」（同法第37条第1項に規定する届出書をいう。以下同じ。）を提出し、令和2年4月から開始する課税期間より課税事業者となった。

また、甲社は、仕入税額控除の計算について簡易課税制度（同法第37条第1項（中小事業者の仕入れに係る消費時税額の控除の特例）に規定する方法をいう。以下同じ。）により当課税期間まで継続して申告を行ってきたが、翌課税期間の基準期間における課税売上高（同法第9条第2項に掲げる金額をいう。以下同じ。）及び特定期間における課税売上高（同法9条の2第2項に掲げる金額をいう。）は1,000万円以下となっている。

2　設立2期目の法人乙社（事業年度は4月1日から翌年3月31日まで）が翌課税期間（令和8年4月1日から令和9年3月31日まで）に係る申告で仕入に係る消費時税額の控除不足額の還付を受けようとする場合

乙社は、令和6年4月1日に資本金1,000万円で設立された法人であり、その金額に変動はない。また、設立1期目の課税売上高は1,000万円であり、設立2期目の課税売上高は900万円であった。なお、設立1期目及び2期目において調整対象固定資産の課税仕入れを行った事実はない。

解答解説編

Chapter 1　電気通信利用役務の提供及び特定役務の提供

解答　問題1　電気通信利用役務の提供の判定

(2)、(4)、(6)、(7)、(8)、(9)、(10)

解説

　電気通信利用役務の提供については、配信側及び受信側共に誰であるかを問いません。なお、(1)については他者間の情報伝達を単に媒介するものいわゆる通信であるため、(3)についてはソフトウェアの制作が主であるため、(5)については著作権そのものの譲渡であるため、それぞれ電気通信利用役務の提供に該当しません。

解答　問題2　電気通信利用役務の提供を行った場合の国内取引の判定

(1)、(2)、(3)

解説

　電気通信利用役務の提供については、電気通信利用役務の提供を受ける者の住所等又は本店等の所在地により国内取引の判定を行う。
　(4)は電気通信利用役務の提供を受ける者が外国法人であるため、(5)は電気通信利用役務の提供を受ける者が国外の消費者であるため、それぞれ国内取引に該当しません。

解答　問題3　特定役務の提供

(2)、(3)

解説

　特定役務の提供は、国外事業者に該当する映画若しくは演劇の俳優、音楽家その他の芸能人又は職業運動家が国内において他の事業者に対して行う一定の役務の提供をいう。
　(1)は消費者に対して役務の提供を行っているため、(4)と(5)は国内の事業者が役務の提供を行っているため、特定役務の提供に該当しません。

解答 問題4 課税標準額(1)

Ⅰ 課税標準額に対する消費税額の計算

〔課税標準額〕

計　算　過　程　　　　　　　　（単位：円）		
(1) 課税資産の譲渡等の対価の額 　　$49,000,000 + 18,000,000 = 67,000,000$ 　　$67,000,000 \times \dfrac{100}{110} = 60,909,090$ (2) 特定課税仕入れに係る支払対価の額 　　$3,240,000$ (3) (1)+(2)＝64,149,090 → 64,149,000 　　　　　　　　　（千円未満切捨）	金額	円 64,149,000

〔課税標準額に対する消費税額〕

計　算　過　程　（単位：円）		
$64,149,000 \times 7.8\% = 5,003,622$	金額	円 5,003,622

解説

　国外事業者が開設するウェブサイトに商品の広告を出稿した際に支払った原稿料は、事業者向け電気通信利用役務の提供に該当するため、甲社では特定仕入れ（特定課税仕入れ）となりその支払った金額を課税標準額に計上する。

| 解答 | 問題5　課税標準額(2) |

I　課税標準額に対する消費税額の計算

〔課税標準額〕

計　算　過　程	（単位：円）

(1) 標準税率適用分

① 課税資産の譲渡等の対価の額

$46,200,000 \times \dfrac{100}{110} = 42,000,000$

② 特定課税仕入れに係る支払対価の額

$5,650,000$

③ ①＋②＝47,650,000（千円未満切捨）

(2) 軽減税率適用分

$184,800,000 \times \dfrac{100}{108} = 171,111,111 \rightarrow 171,111,000$（千円未満切捨）

(3) (1)＋(2)＝218,761,000

金額	円　218,761,000

〔課税標準額に対する消費税額〕

計　算　過　程	（単位：円）

(1) 標準税率適用分

$47,650,000 \times 7.8\% = 3,716,700$

(2) 軽減税率適用分

$171,111,000 \times 6.24\% = 10,677,326$

(3) (1)＋(2)＝14,394,026

金額	円　14,394,026

解説

国外のプロスポーツ選手に対して支払ったテレビＣＭ出演料は、特定役務の提供に該当するため、乙社では特定仕入れ（特定課税仕入れ）となりその支払った金額を課税標準額に計上する。

解答 問題6 控除対象仕入税額(1)

I 仕入れに係る消費税額の計算等

〔控除対象仕入税額〕

	計　算　過　程	（単位：円）

(1) 区分経理及び税額

① 課税資産の譲渡等にのみ要するもの

　イ　課税仕入れ

　　　$68,392,000 \times \dfrac{7.8}{110} = 4,849,614$

　ロ　特定課税仕入れ

　　　$3,270,000 \times 7.8\% = 255,060$

　ハ　イ＋ロ＝5,104,674

② その他の資産の譲渡等にのみ要するもの

　　$8,549,000 \times \dfrac{7.8}{110} = 606,201$

③ 共通して要するもの

　　$54,713,000 \times \dfrac{7.8}{110} = 3,879,649$

④ 控除対象仕入税額

　　$5,104,674 + 3,879,649 \times 90\% = 8,596,358$

金額	円
	8,596,358

解説

　国外事業者が開設するウェブサイトに電気器具の広告を掲載した際の広告掲載料は、事業者向け電気通信利用役務の提供に該当するため、丙社では特定仕入れ（特定課税仕入れ）となりその支払った金額を仕入税額控除の対象とする。

解答 問題7 控除対象仕入税額(2)

Ⅰ 仕入れに係る消費税額の計算等

〔控除対象仕入税額〕

計　算　過　程　　　　　　　　　　　（単位：円）

(1) 区分経理及び税額

　① 個別対応方式

　　イ 課税資産の譲渡等にのみ要するもの

　　　$40,850,000 \times \dfrac{7.8}{110} = 2,896,636$

　　ロ その他の資産の譲渡等にのみ要するもの

　　　$4,840,000 \times \dfrac{7.8}{110} = 343,200$

　　ハ 共通して要するもの

　　　(a) 課税仕入れ

　　　　$32,750,000 \times \dfrac{7.8}{110} = 2,322,272$

　　　(b) 特定課税仕入れ

　　　　$4,320,000 \times 7.8\% = 336,960$

　　　(c) (a)＋(b)＝2,659,232

　　ニ 控除対象仕入税額

　　　$2,896,636 + 2,659,232 \times 80\% = 5,024,021$

　② 一括比例配分方式

　　イ 課税仕入れ

　　　$40,850,000 + 4,840,000 + 32,750,000 = 78,440,000$

　　　$78,440,000 \times \dfrac{7.8}{110} = 5,562,109$

　　ロ 特定課税仕入れ　336,960

　　ハ 控除対象仕入税額

　　　$(5,562,109 + 336,960) \times 80\% = 4,719,255$

(2) 有利判定

　(1)① ＞ (2)②　∴　5,024,021

金額	円
	5,024,021

解説

国外タレントに支払ったテレビＣＭ出演料は、特定役務の提供に該当するため、丁社では特定仕入れ（特定課税仕入れ）となりその支払った金額を控除対象仕入税額の対象とする。なお、イメージＣＭであるため個別対応方式により計算する場合は、「共通して要するもの」に区分される。

解答　問題 8　総合問題

I　課税標準額に対する消費税額の計算

〔課税標準額〕

計　算　過　程　　　　（単位：円）	金額	円
(1)　課税資産の譲渡等の対価の額 　　売上高 783,211,619 ＋ 受取家賃 6,480,000 ＋ 雑収入 3,000,000 ＝ 792,691,619 　　792,691,619 × $\frac{100}{110}$ ＝ 720,628,744 (2)　特定課税仕入れに係る支払対価の額 　　52,180 (3)　(1)＋(2)＝720,680,924 　　　→ 720,680,000（千円未満切捨）	金額	720,680,000

〔課税標準額に対する消費税額〕

計　算　過　程　（単位：円）	金額	円
720,680,000 × 7.8％ ＝ 56,213,040		56,213,040

Ⅱ 仕入れに係る消費税額の計算等

〔課税売上割合〕

計　算　過　程 （単位：円）
(1) 課税売上高 　① 国内売上 720,628,744＋輸出売上 21,745,733＝742,374,477 　② $12,974,500 \times \dfrac{100}{110} + 2,922,140 = 14,717,140$ 　③ ①－②＝727,657,337 (2) 非課税売上高 　受取家賃 1,920,000＋受取利息 447,729＋受取配当 50,000＋土地売却 220,000,000 　＝222,417,729 (3) 課税売上割合 　$\dfrac{(1)}{(1)+(2)} = \dfrac{727,657,337}{950,075,066} = 0.7658\cdots < 95\%$ 　∴ 按分計算が必要

割合		
	727,657,337	円
	950,075,066	円

〔控除対象仕入税額〕

計　算　過　程 （単位：円）
(1) 区分経理及び税額 　① 標準税率 　　イ 個別対応方式 　　　(a) 課税資産の譲渡等にのみ要するもの 　　　　商品仕入　286,584,254 　　　　$286,584,254 \times \dfrac{7.8}{110} = 20,321,428$ 　　　(b) その他の資産の譲渡等にのみ要するもの 　　　　手数料　1,500,000 　　　　$1,500,000 \times \dfrac{7.8}{110} = 106,363$ 　　　(c) 共通して要するもの 　　　　㋑ 課税仕入れ 　　　　　販売費管理費 132,554,837－382,420＝132,172,417 　　　　　$132,172,417 \times \dfrac{7.8}{110} = 9,372,225$ 　　　　㋺ 特定課税仕入れ

$$52,180 \times 7.8\% = 4,070$$

ハ ㋑＋㋺＝9,376,295

(d) 控除対象仕入税額

$$20,321,428 + 9,376,295 \times \frac{727,657,337}{950,075,066} = 27,502,681$$

ロ 一括比例配分方式

(a) 課税仕入れ

$$286,584,254 + 1,500,000 + 132,172,417 = 420,256,671$$

$$420,256,671 \times \frac{7.8}{110} = 29,800,018$$

(b) 特定課税仕入れ　4,070

(c) 控除対象仕入税額

$$(29,800,018 + 4,070) \times \frac{727,657,337}{950,075,066} = 22,826,789$$

② 軽減税率

イ 個別対応方式

(a) 共通して要するもの

販売費管理費　382,420

$$382,420 \times \frac{6.24}{108} = 22,095$$

(b) 控除対象仕入税額

$$22,095 \times \frac{727,657,337}{950,075,066} = 16,922$$

ロ 一括比例配分方式

(a) 課税仕入れ　22,095

(b) 控除対象仕入税額

$$22,095 \times \frac{727,657,337}{950,075,066} = 16,922$$

(2) 有利判定

① 個別対応方式

(1)①イ＋(1)②イ＝27,519,603

② 一括比例配分方式

(1)①ロ＋(1)②ロ＝22,843,711

③ 有利判定

① ＞ ②　∴　27,519,603

金額	円
	27,519,603

〔売上げの返還等対価に係る税額〕

計　算　過　程　（単位：円）	金額	円
$12,974,500 \times \dfrac{7.8}{110} = 920,010$		920,010

〔控除税額小計〕

計　算　過　程　（単位：円）	金額	円
$27,519,603 + 920,010 = 28,439,613$		28,439,613

Ⅲ　差引税額の計算

〔差引税額〕

計　算　過　程　（単位：円）	金額	円
$56,213,040 - 28,439,613 = 27,773,427$ → 27,773,400（百円未満切捨）		27,773,400

Ⅳ　納付税額の計算

〔納付税額〕

計　算　過　程　（単位：円）	金額	円
$27,773,400 - 5,000,000 = 22,773,400$		22,773,400

解説

(1) 合同運用信託の収益分配金は、非課税売上げに計上していきます。

(2) ソフトウェアの制作依頼は電気通信利用役務の提供に該当しないため、国内取引の判定はその役務の提供が行われた場所で判定することになります。したがって、ソフトウェアの制作は国外取引となります。

Chapter 2　非課税資産の輸出等

解答	問題 1　非課税資産の輸出の判定

(3)、(4)、(5)、(6)、(9)、(11)、(14)

解説

(1)　土地の譲渡は、非課税取引に該当します。ただし、土地の譲渡は輸出取引等に該当しないため、単なる国内における非課税取引となります。

(2)　商標権の譲渡は、課税取引であり、非課税取引には該当しません。当該取引は免税取引に該当します。

(3)　貸付金に係る利息の収受は、非課税取引に該当します。また、債務者が非居住者であることから、非課税資産の輸出に該当します。

(4)　債務を保証したことに係る保証料は、非課税取引に該当します。また、債務者が非居住者であることから、非課税資産の輸出に該当します。

(5)　有価証券の貸付けは、非課税取引に該当します。また、貸付先が非居住者であることから、非課税資産の輸出に該当します。

(6)　預金に係る利息の収受は、非課税取引に該当します。また、債務者（銀行）が非居住者であることから、非課税資産の輸出に該当します。

(7)　貸付金の譲渡は、非課税取引に該当します。また、譲渡先が非居住者であることから通常であれば非課税資産の輸出に該当します。しかし、貸付金の譲渡は、課税売上割合の恣意的な操作を防止する観点から非課税資産の輸出の適用対象から除外されています。なお、有価証券の譲渡及び支払手段の譲渡も同様の理由から適用対象から除外されています。

(8)　検定済教科書を販売する行為は、非課税取引に該当します。ただし、譲渡先が国内の事業者（居住者）であるため非課税資産の輸出には該当しません。

(9)　検定済教科書を販売する行為は、非課税取引に該当します。また、譲渡先が国外の事業者（非居住者）であることから、非課税資産の輸出に該当します。

(10)　身体障害者用物品を販売する行為は、非課税取引に該当します。ただし、譲渡先が国内の事業者（居住者）であるため非課税資産の輸出には該当しません。

(11)　身体障害者用物品を販売する行為は、非課税取引に該当します。また、譲渡先が国外の事業者（非居住者）であることから、非課税資産の輸出に該当します。

(12)　預金に係る利息の収受は、非課税取引に該当します。なお、外貨預金であっても債務者（銀行）が国内の銀行（居住者）であることから非課税資産の輸出に該当しません。

⒀　社債の償還に係る償還差益は、非課税取引に該当します。ただし、発行法人（債務者）が内国法人（居住者）であることから非課税資産の輸出には該当しません。

⒁　社債の償還に係る償還差益は、非課税取引に該当します。また、発行法人（債務者）が外国法人（非居住者）であることから、非課税資産の輸出に該当します。

⒂　配当金の収受は、不課税取引に該当します。そのため、国外の事業者（非居住者）が発行した株式に係る配当金を収受したとしても非課税資産の輸出には該当しません。

解答　問題2　非課税資産の輸出等⑴

仕入れに係る消費税額の計算等

〔課税売上割合〕

計　算　過　程　　　　　　　　　　（単位：円）
⑴　課税売上高 　　国内売上 $70,350,000 \times \dfrac{100}{110}$ ＋輸出売上 $25,000,000＝88,954,545$ ⑵　非課税資産の輸出売上高 　　輸出売上 $6,000,000＋$受取利息 $350,000＝6,350,000$ ⑶　非課税売上高 　　車いす売上 $14,000,000＋$受取利息 $250,000＋$土地譲渡 $10,000,000＝24,250,000$ ⑷　課税売上割合 　　$\dfrac{⑴＋⑵}{⑴＋⑵＋⑶}＝\dfrac{95,304,545}{119,554,545}＝0.7971\cdots＜95\%$ 　　∴　按分計算が必要

割合	$\dfrac{95,304,545　円}{119,554,545　円}$

〔控除対象仕入税額〕

計　算　過　程　　　　　　　　　　（単位：円）
⑴　区分経理及び税額 　　①　個別対応方式 　　　イ　課税資産の譲渡等にのみ要するもの

スポーツ用品（28,140,000＋10,000,000）＋車いす 3,600,000

＋その他 7,000,000＝48,740,000

$48,740,000 \times \dfrac{7.8}{110} = 3,456,109$

ロ　その他の資産の譲渡等にのみ要するもの

車いす 8,400,000＋その他 4,100,000＝12,500,000

$12,500,000 \times \dfrac{7.8}{110} = 886,363$

ハ　共通して要するもの

その他　　15,100,000

$15,100,000 \times \dfrac{7.8}{110} = 1,070,727$

ニ　控除対象仕入税額

$3,456,109 + 1,070,727 \times \dfrac{95,304,545}{119,554,545} = 4,309,653$

② 一括比例配分方式

イ　課税仕入れ

48,740,000＋12,500,000＋15,100,000＝76,340,000

$76,340,000 \times \dfrac{7.8}{110} = 5,413,200$

ロ　控除対象仕入税額

$5,413,200 \times \dfrac{95,304,545}{119,554,545} = 4,315,206$

(2) 有利判定

(1)① ＜ (1)②　　∴　4,315,206

金額	円
	4,315,206

解説

非課税資産の輸出の問題では、①課税売上割合の計算と②課税仕入れ等の区分経理に注意して問題を解きましょう。

① 課税売上割合の計算

非課税資産の譲渡等のうち輸出取引等に該当するものの対価の額（非課税資産の輸出売上高）は課税売上高に加算します。

本問では、車いすの売上高のうち輸出販売分 6,000,000 円と国外の銀行に対する預金に係る受取利息 350,000 円を課税売上高に加算します。

② 課税仕入れ等の区分経理

非課税資産の輸出取引に対応する課税仕入れは、本来その他の資産の譲渡等にのみ要する課税仕入れ等に該当するため、個別対応方式においては原則として仕入税額控除の適用はありません。しかし、特例の規定を適用することで**課税資産の譲渡等にのみ要する課税仕入れ等**として取り扱います。

本問では、車いすの売上高に係る課税仕入れのうち、輸出販売分 3,600,000 円を課税資産の譲渡等にのみ要する課税仕入れとして取り扱います。

解答　問題3　非課税資産の輸出等(2)

仕入れに係る消費税額の計算等

〔課税売上割合〕

計　算　過　程	（単位：円）
(1) 課税売上高 　（国内売上 45,600,000＋建物譲渡 12,600,500）×$\frac{100}{110}$＝52,909,545 (2) 自己使用資産の輸出売上高 　11,670,000 (3) 非課税売上高 　土地譲渡　　20,750,000 (4) 課税売上割合 　$\frac{(1)+(2)}{(1)+(2)+(3)}＝\frac{64,579,545}{85,329,545}＝0.7568\cdots　<　95\%$ 　∴　按分計算が必要	割合　$\frac{64,579,545　円}{85,329,545　円}$

〔控除対象仕入税額〕

計　算　過　程	（単位：円）
(1) 区分経理及び税額 　① 個別対応方式	

イ　課税資産の譲渡等にのみ要するもの

　　　　22,065,000 + 9,875,000 = 31,940,000

　　　　$31,940,000 \times \frac{7.8}{110} = 2,264,836$

　　ロ　その他の資産の譲渡等にのみ要するもの

　　　　$520,000 \times \frac{7.8}{110} = 36,872$

　　ハ　共通して要するもの

　　　　$18,500,000 \times \frac{7.8}{110} = 1,311,818$

　　ニ　控除対象仕入税額

　　　　$2,264,836 + 1,311,818 \times \frac{64,579,545}{85,329,545} = 3,257,652$

②　一括比例配分方式

　　イ　課税仕入れ

　　　　31,940,000 + 520,000 + 18,500,000 = 50,960,000

　　　　$50,960,000 \times \frac{7.8}{110} = 3,613,527$

　　ロ　控除対象仕入税額

　　　　$3,613,527 \times \frac{64,579,545}{85,329,545} = 2,734,808$

(2)　有利判定

　　(1)① ＞ (1)②　　∴　3,257,652

金額	円
	3,257,652

解説

資産の国外移送の問題も非課税資産の輸出と同様に、①課税売上割合の計算と②課税仕入れ等の区分経理に注意して問題を解きましょう。

①　課税売上割合

　　国外移送した資産の価額（本船甲板渡し価格）は分子の課税資産の譲渡等の対価の額の合計額及び分母の資産の譲渡等の対価の額の合計額にそれぞれ加算します。

②　課税仕入れ等の区分経理

　　国外移送した資産に対応する課税仕入れは、課税資産の譲渡等にのみ要する課税仕入れとして取り扱います。本問では、海外支店に輸出した商品に係る課税仕入れ9,875,000円を課税資産の譲渡等にのみ要する課税仕入れとして取り扱います。

| 解答 | 問題 4　非課税資産の輸出等(3) |

仕入れに係る消費税額の計算等
〔課税売上割合〕

	計　算　過　程	（単位：円）

(1) 課税売上高

① （スポーツ用品 35,600,000＋建物売却 8,000,000）×$\frac{100}{110}$＋輸出売上 4,240,000

＝43,876,363

② 割戻し　1,812,800×$\frac{100}{110}$＝1,648,000

③ ①－②＝42,228,363

(2) 非課税資産の輸出売上高等

① 非課税資産の輸出売上高

車いす 5,450,000＋受取利息 350,000＝5,800,000

② ①の返還等対価の額　185,200

③ 自己使用資産の輸出売上高　16,550,000

④ ①－②＋③＝22,164,800

(3) 非課税売上高

車いす 3,500,000＋受取利息 649,000＋有価証券売却 2,500,000×5％

＝4,274,000

(4) 課税売上割合

$\frac{(1)+(2)}{(1)+(2)+(3)}=\frac{64,393,163}{68,667,163}=0.9377\cdots < 95\%$

∴ 按分計算が必要

割合	$\dfrac{64,393,163 \text{ 円}}{68,667,163 \text{ 円}}$

〔控除対象仕入税額〕

　　　　　　　　　　計　算　過　程　　　　　　　　（単位：円）

(1) 区分経理及び税額

　① 個別対応方式

　　イ 課税資産の譲渡等にのみ要するもの

　　　商品仕入 24,245,000 ＋車いす製造 3,000,000 ＋運賃（1,510,000 ＋270,000）

　　　＝ 29,025,000

　　　$29,025,000 \times \dfrac{7.8}{110} = 2,058,136$

　　ロ その他の資産の譲渡等にのみ要するもの

　　　車いす製造 2,000,000 ＋運賃 210,000 ＋売却手数料 50,000 ＝ 2,260,000

　　　$2,260,000 \times \dfrac{7.8}{110} = 160,254$

　　ハ 共通して要するもの

　　　販売費管理費　　7,000,000

　　　$7,000,000 \times \dfrac{7.8}{110} = 496,363$

　　ニ 控除対象仕入税額

　　　$2,058,136 + 496,363 \times \dfrac{64,393,163}{68,667,163} = 2,523,604$

　② 一括比例配分方式

　　イ 課税仕入れ

　　　29,025,000 ＋ 2,260,000 ＋ 7,000,000 ＝ 38,285,000

　　　$38,285,000 \times \dfrac{7.8}{110} = 2,714,754$

　　ロ 控除対象仕入税額

　　　$2,714,754 \times \dfrac{64,393,163}{68,667,163} = 2,545,781$

(2) 有利判定

　　(1)① ＜ (1)②　　∴　2,545,781

金額	円
	2,545,781

> 解説

1 課税売上割合
 (1) 総課税売上高
  スポーツ用品の販売分のうち、国外支店における販売分 14,650,500 円は、国外取引になります。
 (2) 非課税売上高
  有価証券の売却収入 2,500,000 円は、非課税資産の輸出取引の適用除外となります。そのため、国外の法人(非居住者)に対する譲渡であったとしても、非課税資産の輸出取引としては取り扱わず、非課税売上高に含めて課税売上割合の計算を行います。
  なお、株式・公社債等有価証券の譲渡の場合には、譲渡対価に5％を乗じることを忘れないようにしましょう。
 (3) 非課税資産の輸出等
  車いすの譲渡のうち輸出販売分 5,450,000 円及び外国法人(非居住者)に対する貸付金に係る利息 350,000 円は非課税資産の輸出取引に該当するため、課税売上割合の計算上分子の課税資産の譲渡等の対価の額の合計額に加算します。
  また、海外の支店へ輸出した場合には、その資産の本船甲板渡し価格(ＦＯＢ価格) 16,550,000 円を課税売上割合の計算上分子の課税資産の譲渡等の対価の額の合計額及び分母の資産の譲渡等の対価の額の合計額にそれぞれに加算します。
  なお、非課税資産の輸出取引に係る売上返還等 185,200 円を控除し忘れないようにしましょう。ここで非課税資産の輸出取引には消費税が含まれていませんので、その売上返還等にも消費税は含まれていません。したがって、非課税資産の輸出取引等に係る売上返還等を税抜きにする処理は必要ありません。
2 区分経理及び税額
 (1) 課税資産の譲渡等にのみ要するもの
  国外移送した商品に係る課税仕入れ 15,250,000 円及び輸出販売した車いすに係る製造原価のうち課税仕入れに該当する 3,000,000 円及び国内運賃のうち輸出販売分 270,000 円も課税資産の譲渡等にのみ要する課税仕入れに含まれる点に注意しましょう。
 (2) その他の資産の譲渡等にのみ要するもの
  車いすに係る国内運賃のうち、国内販売分 210,000 円を計上し忘れないように注意しましょう。

解答 問題5 非課税資産の輸出等(4)

〔課税標準額〕

計　算　過　程　　　　　（単位：円）	金額	円
製品売上 306,785,400 − 174,519,100 = 132,266,300 $132,266,300 \times \dfrac{100}{110} = 120,242,090$ → 120,242,000（千円未満切捨）		120,242,000

〔課税標準額に対する消費税額〕

計　算　過　程　（単位：円）	金額	円
120,242,000 × 7.8% = 9,378,876		9,378,876

〔課税売上割合〕

計　算　過　程　　　　　（単位：円）

(1) 課税売上高

　　国内売上 120,242,090 ＋ 輸出売上 174,519,100 = 294,761,190

(2) 非課税資産の輸出売上高等

　① 非課税資産の輸出売上高　　186,000

　② 自己使用資産の輸出売上高　1,000,000

　③ ①＋② = 1,186,000

(3) 非課税売上高

　　身体障害者用物品売上高　　75,627,800

(4) 課税売上割合

　　$\dfrac{(1)+(2)}{(1)+(2)+(3)} = \dfrac{295,947,190}{371,574,990} = 0.7964\cdots < 95\%$

　　∴ 按分計算が必要

割合	$\dfrac{295,947,190}{371,574,990}$ 円 円

> 解説

1　車いすの修理に係る役務の提供は、問題文から非課税取引となります。また、非居住者（C社）に対する役務の提供で、国内において直接便益を享受するもの以外のものに該当するため、当該取引は輸出取引等に該当します。したがって、当該取引は非課税資産の輸出取引となります。
2　甲社の海外営業所への製品の移送は、資産の国外移送に該当します。

解答　問題6　非課税資産の輸出等の理論(1)

問1

① （　　非課税資産の譲渡等　　）　　② （　　　輸出取引等　　　）
③ （　仕入れに係る消費税額の控除　）　　④ （　　　自己の使用　　　）

問2

①	有価証券の輸出
②	支払手段の輸出
③	金銭債権の輸出

> 解説

問1
(1)　事業者（免税事業者を除く。）が国内において（①**非課税資産の譲渡等**）のうち（②**輸出取引等**）に該当するものを行った場合において、その（①**非課税資産の譲渡等**）が（②**輸出取引等**）に該当するものであることにつき証明がされたときは、その証明がされたものは、課税資産の譲渡等に係る（②**輸出取引等**）に該当するものとみなして、（③**仕入れに係る消費税額の控除**）の規定を適用する。
(2)　事業者（免税事業者を除く。）が国外における資産の譲渡等又は（④**自己の使用**）のため、資産を輸出した場合において、その資産が輸出されたことにつき証明がされたときは、その証明がされたものは、課税資産の譲渡等に係る（②**輸出取引等**）に該当するものとみなして、（③**仕入れに係る消費税額の控除**）の規定を適用する。

問2
　非課税資産の輸出であっても有価証券、支払手段及び金銭債権の輸出には、非課税資産の輸出の規定は適用されません。（令51①）
　これは、課税売上割合を恣意的に操作することを防止するためです。

解答　問題7　非課税資産の輸出等の理論(2)

1について

> 　製造設備の海外自社工場への移送は、資産の国外移送に該当する。したがって、本船甲板渡し価格1億7千万円を課税売上割合の計算上、資産の譲渡等の対価の額の合計額及び課税資産の譲渡等の対価の額の合計額それぞれに含める。

2について

> 　C社からの利息1千万円の受取りは、利子を対価とする金銭の貸付けであることから非課税取引に該当する。また、債務者であるC社が非居住者であるため、非課税資産の輸出取引に該当する。
> 　したがって、受取利息1千万円は、課税売上割合の計算上、課税資産の譲渡等の対価の額の合計額に含める。

解説

　非課税資産の輸出と資産の国外移送に関する事例問題です。「課税売上割合の計算」について問われています。このような問題が出題された場合は、計算問題を解く要領で与えられた取引を分類し、その思考過程を文章で説明していきます。
　また、金額が与えられているため、金額を示して解答できればより良い解答となります。

Chapter 3　調整対象固定資産

解答　問題1　調整対象固定資産の判定

（単位：円）

(1)	$990,000 \times \dfrac{100}{110} = 900,000 < 1,000,000$　　∴　該当しない
(2)	棚卸資産のため調整対象固定資産に該当しない
(3)	土地に係る資本的支出のため調整対象固定資産に該当しない
(4)	$1,320,000 \times \dfrac{100}{110} = 1,200,000 \geqq 1,000,000$　　∴　該当する
(5)	株式の購入が課税仕入れに該当しないため調整対象固定資産に該当しない
(6)	$1,100,000 \times \dfrac{100}{110} = 1,000,000 \geqq 1,000,000$　　∴　該当する
(7)	$1,760,000 \times \dfrac{100}{110} = 1,600,000 \geqq 1,000,000$　　∴　該当する
(8)	$660,000 \times \dfrac{100}{110} = 600,000 < 1,000,000$　　∴　該当しない
(9)	$(1,320,000 - 330,000) \times \dfrac{100}{110} = 900,000 < 1,000,000$　　∴　該当しない
(10)	$1,890,000 \geqq 1,000,000$　　∴　該当する

解説

(1)　課税仕入れに該当しますが、課税仕入れに係る支払対価の額の税抜金額が、1の取引単位につき1,000,000円未満であるため、調整対象固定資産には該当しません。

(2)　棚卸資産は、調整対象固定資産には該当しません。

(3)　土地は非課税資産であるため、調整対象固定資産には該当しません。また、土地に係る資本的支出も調整対象固定資産に該当しません。

(4)　課税仕入れに該当し、課税仕入れに係る支払対価の額の税抜金額が、1の取引単位につき1,000,000円以上であるため、調整対象固定資産に該当します。

(5)　株式の購入は、非課税仕入れに該当します。そのため、調整対象固定資産には該当しません。

(6)　課税仕入れに該当し、課税仕入れに係る支払対価の額の税抜金額が、1の取引単位につき1,000,000円以上であるため、調整対象固定資産に該当します。

(7)　課税仕入れに該当し、課税仕入れに係る支払対価の額の税抜金額が、1の取引単位につき1,000,000円以上であるため、調整対象固定資産に該当します。無形固定資産も調

整対象固定資産の範囲に含まれます。

(8) 1組又は1式をもって取引の単位とするものは、1組又は1式を1の取引単位として調整対象固定資産の判定を行う点に注意しましょう。1の取引単位の支払対価の額の税抜金額が、1,000,000円未満であるため、調整対象固定資産には該当しません。

(9) 調整対象固定資産の判定は、本体価格のみで行うため、付随費用が含まれている場合には、付随費用を除いた金額の税抜金額で判定します。本問では、1の取引単位の支払対価の額の税抜金額が1,000,000円未満であるため、調整対象固定資産には該当しません。

(10) 保税地域から引き取られる課税貨物は、課税貨物に係る消費税の課税標準額によって判定を行います。本問では、課税貨物に係る消費税の課税標準額が1,000,000円以上であるため、調整対象固定資産に該当します。

解答 問題2 課税売上割合が著しく変動した場合(1)

(単位：円)

(1) 調整対象固定資産の判定

車両　$7,150,000 \times \dfrac{100}{110} = 6,500,000 \geq 1,000,000$　∴　該当する

(2) 課税売上割合が著しく変動した場合の控除税額の調整

① 仕入れ等の課税期間における課税売上割合

$$\dfrac{25,000,000}{25,000,000+50,000,000} = \dfrac{25,000,000}{75,000,000} = 0.3333\cdots$$

② 通算課税売上割合

$$\dfrac{25,000,000+30,000,000+35,000,000}{(25,000,000+50,000,000)+(30,000,000+2,000,000)+(35,000,000+3,500,000)}$$

$$= \dfrac{90,000,000}{145,500,000} = 0.6185\cdots$$

③ 著しい変動の判定

②－① ≧ 5％

$\dfrac{②－①}{①}$ ≧ 50％　∴　著しい増加

④ 調整税額

イ $7,150,000 \times \dfrac{7.8}{110} = 507,000$

ロ イ $\times \dfrac{25,000,000}{75,000,000} = 169,000$

ハ イ $\times \dfrac{90,000,000}{145,500,000} = 313,608$

ニ ハ－ロ $= 144,608$（加算）

解説

1 調整対象固定資産（課税仕入れに係る調整対象固定資産）の判定

$$課税仕入れに係る支払対価の額 \times \dfrac{100}{110} = X,XXX,XXX 円 \geqq 1,000,000 円 \quad \therefore 該当する$$

本問では、車両の税抜金額が 1,000,000 円以上であるため、調整対象固定資産に該当します。判定の不等号は 1,000,000 円以上（≧）である点に注意しましょう。

2 著しい変動の判定

(1) 仕入れ等の課税期間における課税売上割合

令和 5 年 10 月 1 日に車両を購入しているので、前々課税期間の課税売上割合が、仕入れ等の課税期間における課税売上割合となります。

(2) 通算課税売上割合

$$通算課税売上割合 = \dfrac{通算課税期間中の課税資産の譲渡等の対価の額の合計額}{通算課税期間中の資産の譲渡等の対価の額の合計額}$$

通算課税売上割合を求める際には、各課税期間の売上げの合計額を用いて計算するようにしましょう。各課税期間の課税売上割合を単純平均すると、解答結果が異なってしまいます。

(3) 変動差

$$通算課税売上割合 － 仕入れ等の課税期間における課税売上割合 \geqq 5\%$$

(4) 変動率

$$\dfrac{通算課税売上割合 － 仕入れ等の課税期間における課税売上割合}{仕入れ等の課税期間における課税売上割合} \geqq 50\%$$

上記(3)、(4)の判定式をともに満たすと、通算課税売上割合が仕入れ等の課税期間における課税売上割合に対して著しく変動している場合に該当します。なお、本問では、仕入れ等の課税期間における課税売上割合に比べて通算課税売上割合の方が大きいので、著しい増加に該当します。

3 調整税額

(1) 調整対象基準税額

$$調整対象固定資産の支払対価の額 \times \frac{7.8}{110}$$

(2) 仕入れ等の課税期間における控除税額(すでに控除した税額)

$$調整対象基準税額 \times 仕入れ等の課税期間における課税売上割合$$

(3) 通算課税売上割合による控除税額(妥当な控除税額)

$$調整対象基準税額 \times 通算課税売上割合$$

(4) 調整税額

$$\begin{pmatrix}通算課税売上割合\\による控除税額\\(妥当な控除税額)\end{pmatrix} - \begin{pmatrix}仕入れ等の課税期間\\における控除税額\\(すでに控除した税額)\end{pmatrix} = 調整税額$$

本問では問われていませんが、控除対象仕入税額を算定する場合には加算調整します。

解答 問題3 課税売上割合が著しく変動した場合(2)

問1

(単位:円)

(1) 調整対象固定資産の判定

機械 $7,700,000 \times \dfrac{100}{110} = 7,000,000 \geq 1,000,000$ ∴ 該当する

(2) 課税売上割合が著しく変動した場合の控除税額の調整

① 仕入れ等の課税期間における課税売上割合

$$\frac{65,000,000}{65,000,000+500,000} = \frac{65,000,000}{65,500,000} = 0.9923\cdots$$

② 通算課税売上割合

$$\frac{65,000,000+55,000,000+45,000,000}{(65,000,000+500,000)+(55,000,000+100,000,000)+(45,000,000+150,000,000)}$$
$$= \frac{165,000,000}{415,500,000} = 0.3971\cdots$$

③ 著しい変動の判定

$①-② \geqq 5\%$

$\dfrac{①-②}{①} \geqq 50\%$ ∴ 著しい減少

④ 調整税額

イ $7,700,000 \times \dfrac{7.8}{110} = 546,000$

ロ イ$\times \dfrac{165,000,000}{415,500,000} = 216,823$

ハ イ－ロ＝329,177（減算調整）

問2

（単位：円）

1. 仕入れに係る消費税額

    $1,000,000 < 1,200,000$ ∴ $1,200,000$

2. 調整対象固定資産に係る控除税額の調整額

   (1) 調整対象固定資産の判定

   機械 $8,800,000 \times \dfrac{100}{110} = 8,000,000 \geqq 1,000,000$ ∴ 該当する

   車両 $990,000 \times \dfrac{100}{110} = 900,000 < 1,000,000$ ∴ 該当しない

   (2) 課税売上割合が著しく変動した場合の控除税額の調整

   ① 仕入れ等の課税期間における課税売上割合

   イ $(26,000,000 - 1,000,000 - 3,000,000) \times \dfrac{100}{110} + 3,000,000 = 23,000,000$

   ロ $\dfrac{23,000,000}{23,000,000 + 1,000,000} = \dfrac{23,000,000}{24,000,000} = 0.9583\cdots$

   ② 通算課税売上割合

   イ 仕入れ等の課税期間の課税売上割合

   $\dfrac{23,000,000}{24,000,000}$

   ロ 前課税期間の課税売上割合

   (a) $(60,655,550 - 40,000,000 - 2,500,000) \times \dfrac{100}{110} + 2,500,000 = 19,005,045$

   (b) $\dfrac{(a)}{(a) + 40,000,000} = \dfrac{19,005,045}{59,005,045}$

ハ 当課税期間の課税売上割合

(a) $33,428,571 \times \dfrac{100}{110} + 5,000,000 = 35,389,610$

(b) $\dfrac{(a)}{(a) + 53,000,000 + 500,000} = \dfrac{35,389,610}{88,889,610}$

ニ 通算課税売上割合

$\dfrac{23,000,000 + 19,005,045 + 35,389,610}{24,000,000 + 59,005,045 + 88,889,610} = \dfrac{77,394,655}{171,894,655} = 0.4502\cdots$

③ 著しい変動の判定

$0.9583\cdots - 0.4502\cdots \geqq 5\%$

$\dfrac{0.9583\cdots - 0.4502\cdots}{0.9583\cdots} \geqq 50\%$ ∴ 著しい減少

④ 調整税額

イ $8,800,000 \times \dfrac{7.8}{110} = 624,000$

ロ $624,000 \times \dfrac{77,394,655}{171,894,655} = 280,952$

ハ イ−ロ＝343,048（減算調整）

3. 控除対象仕入税額

$1,200,000 - 343,048 = 856,952$

解説

問1

本問では、課税売上割合が著しく減少した場合の計算が問われています。基本的な流れは、課税売上割合が著しく増加した場合と同じですが、以下の点で異なるため注意しましょう。

また、本問の仕入れ等の課税期間における控除税額の計算方法は全額控除になります。ここで、全額控除も比例配分法に含まれる点に注意しましょう。

1 著しい変動の判定

(1) 変動差

> 仕入れ等の課税期間における課税売上割合−通算課税売上割合 ≧ 5％

(2) 変動率

> $\dfrac{\text{仕入れ等の課税期間における課税売上割合} - \text{通算課税売上割合}}{\text{仕入れ等の課税期間における課税売上割合}} \geqq 50\%$

上記の判定式をともに満たすと、通算課税売上割合が仕入れ等の課税期間における課税売上割合に対して著しく減少している場合となり、調整が必要となります。

なお、著しく減少する場合には、通算課税売上割合に比べ仕入れ等の課税期間の課税売上割合の方が大きくなる点に注意しましょう。

2　調整税額の計算

著しい減少の場合には、仕入れ等の課税期間における控除税額から通算課税売上割合による控除税額を差し引きます。本問では、仕入れ等の課税期間において全額控除しているため、仕入れ等の課税期間における控除税額に仕入れ等の課税期間における課税売上割合を乗じる必要がない点に注意しましょう。

> 仕入れ等の課税期間における控除税額－通算課税売上割合による控除税額

なお、本問では問われていませんが、控除対象仕入税額を算定する場合には減算調整します。

問2

1　計算過程が採点箇所となるため、調整対象固定資産の判定では該当しないことが明らかだとしても判定式と調整対象固定資産に該当しない旨を計算過程欄に記載しましょう。

2　問題文の指示により仕入れ等の課税期間における仕入れに係る消費税額の計算方法は全額控除になります。ここで、全額控除も比例配分法に含まれる点に注意しましょう。

また、仕入れ等の課税期間が全額控除であった場合には、仕入れ等の課税期間における控除税額の計算にあたって課税売上割合を乗じません。

3　本問では、課税売上割合が著しく減少しているので、控除対象仕入税額の計算に当たっては、減算調整します。

解答　問題 4　課税売上割合が著しく変動した場合(3)

仕入れに係る消費税額の計算等

〔課税売上割合〕

計　算　過　程	（単位：円）

(1) 課税売上高

国内売上高 $42,368,000 \times \dfrac{100}{110}$ ＋輸出売上高 $25,670,000 = 64,186,363$

(2) 非課税売上高

国内売上高 $4,150,400$ ＋受取利息 $100,000$ ＋有価証券譲渡 $2,450,000 \times 5\%$

$= 4,372,900$

(3) 課税売上割合

$\dfrac{(1)}{(1)+(2)} = \dfrac{64,186,363}{68,559,263} = 0.9362\cdots < 95\%$

∴ 按分計算が必要

割合	64,186,363	円
	68,559,263	円

〔控除対象仕入税額〕

計　算　過　程	（単位：円）

〔課税仕入れ等の税額の合計額の計算〕

(1) 区分経理及び税額

① 個別対応方式

イ　課税資産の譲渡等にのみ要するもの

$32,450,600 \times \dfrac{7.8}{110} = 2,301,042$

ロ　その他の資産の譲渡等にのみ要するもの

$250,000 \times \dfrac{7.8}{110} = 17,727$

ハ　共通して要するもの

$12,404,000 \times \dfrac{7.8}{110} = 879,556$

ニ　控除対象仕入税額

$2,301,042 + 879,556 \times \dfrac{64,186,363}{68,559,263} = 3,124,497$

② 一括比例配分方式

イ　課税仕入れ

$32,450,600+250,000+12,404,000=45,104,600$

$45,104,600 \times \dfrac{7.8}{110} = 3,198,326$

ロ　控除対象仕入税額

$3,198,326 \times \dfrac{64,186,363}{68,559,263} = 2,994,327$

(2) 有利判定

(1)① ＞ (2)②　　∴　3,124,497

〔調整対象固定資産に係る控除税額の調整の計算等〕

(1) 調整対象固定資産の判定

建物A　$16,291,000 \times \dfrac{100}{110} = 14,810,000 \geqq 1,000,000$　　∴　該当

車両　　$5,500,000 \times \dfrac{100}{110} = 5,000,000 \geqq 1,000,000$　　∴　該当

建物B　$9,416,000 \times \dfrac{100}{110} = 8,560,000 \geqq 1,000,000$　　∴　該当

機械　　$1,100,000 \times \dfrac{100}{110} = 1,000,000 \geqq 1,000,000$　　∴　該当

(2) 課税売上割合が著しく変動した場合の控除税額の調整

① 仕入れ等の課税期間の課税売上割合

$(196,592,490-125,565,500-24,525,000) \times \dfrac{100}{110} + 24,525,000 = 66,799,536$

$\dfrac{66,799,536}{66,799,536+125,565,500} = \dfrac{66,799,536}{192,365,036} = 0.3472\cdots$

② 通算課税売上割合

イ　仕入れ等の課税期間の課税売上割合

$\dfrac{66,799,536}{192,365,036}$

ロ　前課税期間の課税売上割合

$(84,354,520-4,578,900-28,975,000) \times \dfrac{100}{110} + 28,975,000 = 75,157,381$

$\dfrac{75,157,381}{75,157,381+4,578,900} = \dfrac{75,157,381}{79,736,281}$

ハ　当課税期間の課税売上割合

$\dfrac{64,186,363}{68,559,263}$

ニ　通算課税売上割合

$$\frac{66,799,536+75,157,381+64,186,363}{192,365,036+79,736,281+68,559,263} = \frac{206,143,280}{340,660,580} = 0.6051\cdots$$

③　著しい変動の判定

$0.6051\cdots - 0.3472\cdots \geqq 5\%$

$\dfrac{0.6051\cdots - 0.3472\cdots}{0.3472\cdots} \geqq 50\%$　　∴　著しい増加

④　調整税額

イ　調整対象基準税額

建物B　　$9,416,000 \times \dfrac{7.8}{110} = 667,680$

機械　　　$1,100,000 \times \dfrac{7.8}{110} = 78,000$

・建物Aは仕入れ等の課税期間において比例配分法で計算していないため調整計算不要

・車両は第3年度の課税期間の末日に保有していないため調整計算不要

ロ　仕入れ等の課税期間

(a)　建物B　　$667,680 \times \dfrac{66,799,536}{192,365,036} = 231,854$

(b)　機械　　　$78,000 \times \dfrac{66,799,536}{192,365,036} = 27,085$

　　　　　　　$27,085 \times 4\text{台} = 108,340$

(c)　(a)＋(b)＝340,194

ハ　通算課税売上割合

(a)　建物B　　$667,680 \times \dfrac{206,143,280}{340,660,580} = 404,031$

(b)　機械　　　$78,000 \times \dfrac{206,143,280}{340,660,580} = 47,199$

　　　　　　　$47,199 \times 4\text{台} = 188,796$

(c)　(a)＋(b)＝592,827

ニ　調整税額

592,827－340,194＝252,633（加算）

〔控除対象仕入税額の計算〕	金額	円
3,124,497＋252,633＝3,377,130		3,377,130

解説

1 調整対象固定資産の判定
　⑴　調整対象固定資産の判定にあたって、1組又は1式をもって取引の単位とするものは、1組又は1式を1の取引単位として調整対象固定資産の判定を行います。そのため、機械の判定は1台当たりの単価1,100,000円の税抜金額に基づいて行う点に注意しましょう。
　⑵　土地の購入は非課税仕入れであるため、調整対象固定資産に該当しません。
2 消費税額を調整する要件
　次の要件を満たす場合に、第3年度の課税期間における仕入れに係る消費税額を調整します。そのため、調整対象固定資産に該当すると判定された資産が、この要件を満たしているかを検討していきます。

> ⑴　調整対象固定資産の課税仕入れ等を行っていること
> ⑵　調整対象固定資産について、仕入れ等の課税期間において次のいずれかの方法で仕入れに係る消費税額を計算していること
> 　①　全額控除
> 　②　比例配分法
> 　　イ　一括比例配分方式により仕入れに係る消費税額を計算していること
> 　　ロ　個別対応方式によりその調整対象固定資産を共通して要するものとして仕入れに係る消費税額を計算していること
> ⑶　第3年度の課税期間の末日において調整対象固定資産を保有していること
> ⑷　第3年度の課税期間における通算課税売上割合が仕入れ等の課税期間における課税売上割合に対して著しく変動していること

　⑴　建物Aは、仕入れ等の課税期間において個別対応方式により課税資産の譲渡等にのみ要する課税仕入れとして計算しています。そのため、仕入れ等の課税期間において比例配分法により仕入れに係る消費税額を計算していません。したがって、要件を満たさず調整の対象にはなりません。
　⑵　車両は令和7年7月31日に売却しているので、第3年度の課税期間の末日において保有していません。したがって、要件を満たさず調整の対象にはなりません。
　　　なお、調整の対象にならない資産についても、調整の対象とならない理由を計算過程欄に記載しましょう。
3 調整税額
　⑴　本問における機械のように2以上の資産に係る消費税額を計算する場合には、1台当たりの調整対象基準税額に各課税売上割合を乗じて金額を計算し、端数処理した後

に数量を乗じて調整税額を計算します。

(2) 本問では、通算課税売上割合の方が仕入れ等の課税期間における課税売上割合よりも大きいので、第3年度の課税期間の仕入れに係る消費税額に加算調整します。

解答　問題5　課税売上割合が著しく変動した場合(4)

（単位：円）

(1) 調整対象固定資産の判定

倉庫設備　$3,960,000 \times \dfrac{100}{110} = 3,600,000 \geqq 1,000,000$　∴　該当する

自動車　　$2,800,000 \times \dfrac{100}{110} = 2,545,454 \geqq 1,000,000$　∴　該当する

内装工事　$7,000,000 \times \dfrac{100}{110} = 6,363,636 \geqq 1,000,000$　∴　該当する

(2) 課税売上割合が著しく変動した場合の控除税額の調整

① 著しい変動の判定

74% ≧ 5%

∴　著しい増加

② 調整税額

イ　$7,000,000 \times \dfrac{7.8}{110} = 496,363$

倉庫設備及び自動車は仕入れ等の課税期間において比例配分法で計算していないため調整計算不要

ロ　$496,363 \times 74\% = 367,308$

解説

1　著しい変動の判定

仕入れ等の課税期間において課税資産の譲渡等の対価の額がない場合は、通算課税売上割合が5％以上であれば「著しく増加した場合」に該当することになります。

本問の場合には、通算課税売上割合が74％であるため、著しく増加した場合に該当します。

2 調整税額

　本問では、仕入れ等の課税期間の売上げがなく、課税売上割合が0％となるため、調整対象基準税額に通算課税売上割合を乗じた金額が、調整税額となります。

　また、本問では、個別対応方式を採用しているため、「共通して要するもの」に区分される調整対象固定資産のみが比例配分法の要件を満たしていることになります。本問では、内装工事のみが本社事務所兼製品工場に係るものであり「共通して要するもの」に該当することから著しい変動の調整の対象となります。

　なお、著しい増加となりますので、仕入れに係る消費税額に加算します。

解答　問題6　課税売上割合が著しく変動した場合の理論

問1

① （　免税事業者を除く　）　② （　課税仕入れ等　）　③ （　比例配分法　）
④ （　仕入れに係る消費税額　）　⑤ （　第3年度の課税期間　）　⑥ （　通算課税売上割合　）
⑦ （　著しく変動　）　⑧ （　加算　）　⑨ （　みなす　）

問2

> 　調整対象固定資産とは、棚卸資産以外の資産で建物、構築物その他の資産のうち、その資産に係る課税仕入れ（特定課税仕入れを除く。）に係る支払対価の額の110分の100に相当する金額、その資産に係る特定課税仕入れに係る支払対価の額又は保税地域から引き取られるその資産の課税標準である金額が、一の取引単位につき100万円以上のものをいう。

解説

問1

　事業者（（①**免税事業者を除く**））が、国内において調整対象固定資産の（②**課税仕入れ等**）を行い、かつ、その（②**課税仕入れ等**）の税額につき（③**比例配分法**）により（④**仕入れに係る消費税額**）を計算した場合において、その事業者が（⑤**第3年度の課税期間**）の末日においてその調整対象固定資産を有しており、かつ、（⑤**第3年度の課税期間**）における（⑥**通算課税売上割合**）が仕入れ等の課税期間における課税売上割合に対して（⑦**著しく変動**）した場合に該当するときは、一定の調整税額をその者のその（⑤**第3**

年度の課税期間）の仕入れに係る消費税額に（⑧加算）又は控除する。

この場合において、その（⑧加算）又はその控除後の金額をその課税期間の仕入れに係る消費税額と（⑨みなす）。

問2

調整対象固定資産とは、棚卸資産以外の資産で一定のもののうち、その資産に係る課税仕入れ（特定課税仕入れを除く。）に係る支払対価の額の110分の100に相当する金額、その資産に係る特定課税仕入れに係る支払対価の額又は保税地域から引き取られるその資産の課税標準である金額が、<u>一の取引単位につき100万円以上</u>のものをいいます。

解答 問題7 調整対象固定資産を転用した場合(1)

（単位：円）

(1) 調整対象固定資産の判定

マンション　　$33,000,000 \times \frac{100}{110} = 30,000,000 \geqq 1,000,000$　　∴　該当する

自動車　　　　$5,500,000 \times \frac{100}{110} = 5,000,000 \geqq 1,000,000$　　∴　該当する

テナントビル　$66,000,000 \times \frac{100}{110} = 60,000,000 \geqq 1,000,000$

　　　　　　　∴　該当する

(2) 調整対象固定資産を転用した場合の控除税額の調整

① マンション

課税業務用から非課税業務用への転用

令和5年10月5日〜令和7年12月1日 → 2年超、3年以内　∴　$\frac{1}{3}$

$33,000,000 \times \frac{7.8}{110} \times \frac{1}{3} = 780,000$（減算調整）

② 自動車

非課税業務用から課税業務用への転用

令和4年10月15日〜令和7年12月20日 → 3年超　∴　調整なし

③ テナントビル

共通業務用から課税業務用への転用　∴　調整なし

解説

1 調整の要件

以下の要件に該当する場合には、転用のあった課税期間において仕入れに係る消費税額を調整する必要があります。

(1) 課税業務用から非課税業務用に転用した場合

> ① 調整対象固定資産の課税仕入れ等を行っていること
> ② 調整対象税額につき個別対応方式により課税資産の譲渡等にのみ要するものとして仕入れに係る消費税額を計算していること
> ③ 課税仕入れ等の日から3年以内にその他の資産の譲渡等に係る業務の用に転用していること

(2) 非課税業務用から課税業務用に転用した場合

> ① 調整対象固定資産の課税仕入れ等を行っていること
> ② 調整対象税額につき個別対応方式によりその他の資産の譲渡等にのみ要するものとして仕入れに係る消費税額がないこととしていること
> ③ 課税仕入れ等の日から3年以内に課税資産の譲渡等に係る業務の用に転用していること

本問において、自動車は転用した日が課税仕入れ等の日から3年を超えています。そのため、課税仕入れ等の日から3年以内に課税業務用に転用していることという要件を満たさないので、調整不要です。

また、テナントビルは共通業務用から課税業務用に転用しています。共通業務用からの転用は、この規定の対象外となるため、調整不要です。

2 計算過程

(1) 調整対象固定資産（課税仕入れに係る調整対象固定資産）の判定

$$課税仕入れに係る支払対価の額 \times \frac{100}{110} = \text{X,XXX,XXX 円} \geq 1{,}000{,}000 \text{ 円}$$
$$\therefore \text{該当する}$$

転用の場合においても、課税売上割合が著しく変動した場合と同じように調整対象固定資産の判定を行います。なお、転用の調整が不要な資産についても、調整対象固定資産の判定を行う点に注意しましょう。

(2) 調整対象税額の計算

$$調整対象固定資産の支払対価の額 \times \frac{7.8}{110}$$

(3) 調整税額の計算

調整税額は、課税仕入れ等の日から転用した日までの期間に基づいて、以下のように計算していきます。

① 課税仕入れ等の日から1年以内

> 調整対象税額の全額

② 課税仕入れ等の日から1年超、2年以内

> 調整対象税額 $\times \dfrac{2}{3}$

③ 課税仕入れ等の日から2年超、3年以内

> 調整対象税額 $\times \dfrac{1}{3}$

本問では、マンションの取得日が令和5年10月5日で転用日が令和7年12月1日となっているので、課税仕入れ等の日から2年超、3年以内となります。したがって、調整対象税額の $\dfrac{1}{3}$ の金額が調整税額となります。

また、前述のとおり自動車及びテナントビルは、調整不要となります。なお、調整不要となる場合においても、計算過程欄に調整不要となる旨及び理由を記載しましょう。

解答 問題8 調整対象固定資産を転用した場合(2)

問1

(単位:円)

1. 仕入れに係る消費税額

   7,000,000 > 5,000,000 ∴ 7,000,000

2. 調整対象固定資産に係る控除税額の調整

   (1) 調整対象固定資産の判定

   建物　15,235,000 × $\dfrac{100}{110}$ = 13,850,000 ≧ 1,000,000　∴ 該当する

   機械　7,733,000 × $\dfrac{100}{110}$ = 7,030,000 ≧ 1,000,000　∴ 該当する

   備品　1,221,000 × $\dfrac{100}{110}$ = 1,110,000 ≧ 1,000,000　∴ 該当する

(2) 調整対象固定資産を転用した場合の控除税額の調整

① 建物

課税業務用から非課税業務用への転用

令和6年10月1日～令和7年12月15日 → 1年超、2年以内　∴ $\frac{2}{3}$

$15,235,000 \times \frac{7.8}{110} \times \frac{2}{3} = 720,200$（減算調整）

② 機械

課税業務用から非課税業務用への転用

令和7年1月20日～令和7年12月1日 → 1年以内　∴ 全額

$7,733,000 \times \frac{7.8}{110} = 548,340$（減算調整）

③ 備品

課税業務用から非課税業務用への転用

令和5年2月10日～令和7年11月1日 → 2年超、3年以内　∴ $\frac{1}{3}$

$1,221,000 \times \frac{7.8}{110} \times \frac{1}{3} = 28,860$（減算調整）

④ 合計

①＋②＋③＝1,297,400（減算調整）

3. 控除対象仕入税額

7,000,000 − 1,297,400 ＝ 5,702,600

問2

（単位：円）

1. 仕入れに係る消費税額

7,000,000 ＞ 5,000,000　∴　7,000,000

2. 調整対象固定資産に係る控除税額の調整

(1) 調整対象固定資産の判定

車両　$9,317,000 \times \frac{100}{110} = 8,470,000 \geqq 1,000,000$　∴　該当する

機械　$2,442,000 \times \frac{100}{110} = 2,220,000 \geqq 1,000,000$　∴　該当する

(2) 調整対象固定資産を転用した場合の控除税額の調整

① 車両

非課税業務用から課税業務用への転用

令和6年3月16日～令和7年11月15日 → 1年超、2年以内 ∴ $\dfrac{2}{3}$

$9,317,000 \times \dfrac{7.8}{110} \times \dfrac{2}{3} = 440,440$（加算調整）

② 機械

非課税業務用から課税業務用への転用

令和6年11月17日～令和7年10月1日 → 1年以内 ∴ 全額

$2,442,000 \times \dfrac{7.8}{110} = 173,160$（加算調整）

③ 合計

①＋② ＝ 613,600（加算調整）

3. 控除対象仕入税額

7,000,000 ＋ 613,600 ＝ 7,613,600

解説

問1

課税業務用から非課税業務用への転用であるため、仕入れに係る消費税額から調整税額を控除します。

問2

非課税業務用から課税業務用への転用であるため、仕入れに係る消費税額に調整税額を加算します。

なお、著しく変動した場合と異なり、転用の場合には、課税期間の末日に調整対象固定資産を保有している必要はありません。そのため、転用後にその調整対象固定資産を売却していたとしても仕入れに係る消費税額の調整を行います。

解答 問題9 調整対象固定資産（まとめ）

仕入れに係る消費税額の計算等

〔課税売上割合〕

計算過程 （単位：円）	割合	
(1) 課税売上高 　国内売上高 $49,500,000 \times \dfrac{100}{110} = 45,000,000$ (2) 非課税売上高 　国内売上高 $4,500,000 +$ 受取利息 $500,000 = 5,000,000$ (3) 課税売上割合 　$\dfrac{(1)}{(1)+(2)} = \dfrac{45,000,000}{50,000,000} = 0.9 < 95\%$ 　∴ 按分計算が必要	$\dfrac{45,000,000}{50,000,000}$	円 円

〔控除対象仕入税額〕

計算過程　　　　　　　　　　（単位：円）

〔課税仕入れ等の税額の合計額の計算〕

(1) 区分経理及び税額

① 個別対応方式

　イ 課税資産の譲渡等にのみ要するもの

　　$23,500,000 \times \dfrac{7.8}{110} = 1,666,363$

　ロ その他の資産の譲渡等にのみ要するもの

　　$2,100,000 \times \dfrac{7.8}{110} = 148,909$

　ハ 共通して要するもの

　　$14,500,000 \times \dfrac{7.8}{110} = 1,028,181$

　ニ 控除対象仕入税額

　　$1,666,363 + 1,028,181 \times 0.9 = 2,591,725$

② 一括比例配分方式

　イ 課税仕入れ

$$23,500,000 + 2,100,000 + 14,500,000 = 40,100,000$$

$$40,100,000 \times \frac{7.8}{110} = 2,843,454$$

ロ　控除対象仕入税額

$$2,843,454 \times 0.9 = 2,559,108$$

(2)　有利判定

(1)① ＞ (2)②　　∴　2,591,725

〔調整対象固定資産に係る控除税額の調整の計算等〕

(1)　調整対象固定資産の判定

建物　$16,500,000 \times \frac{100}{110} = 15,000,000 \geq 1,000,000$　　∴　該当

備品　$4,950,000 \times \frac{100}{110} = 4,500,000 \geq 1,000,000$　　∴　該当

機械　$2,200,000 \times \frac{100}{110} = 2,000,000 \geq 1,000,000$　　∴　該当

(2)　課税売上割合が著しく変動した場合の控除税額の調整

① 仕入れ等の課税期間の課税売上割合

$$(144,200,000 - 98,000,000) \times \frac{100}{110} = 42,000,000$$

$$\frac{42,000,000}{42,000,000 + 98,000,000} = \frac{42,000,000}{140,000,000} = 0.3$$

② 通算課税売上割合

イ　仕入れ等の課税期間の課税売上割合

$$\frac{42,000,000}{140,000,000}$$

ロ　前課税期間の課税売上割合

$$(65,700,000 - 3,000,000) \times \frac{100}{110} = 57,000,000$$

$$\frac{57,000,000}{57,000,000 + 3,000,000} = \frac{57,000,000}{60,000,000}$$

ハ　当課税期間の課税売上割合

$$\frac{45,000,000}{50,000,000}$$

ニ　通算課税売上割合

$$\frac{42,000,000 + 57,000,000 + 45,000,000}{140,000,000 + 60,000,000 + 50,000,000} = \frac{144,000,000}{250,000,000} = 0.576$$

③ 著しい変動の判定

$0.576 - 0.3 = 0.276 \geqq 5\%$

$\dfrac{0.276}{0.3} = 0.92 \geqq 50\%$ ∴ 著しい増加

④ 調整税額

　イ　調整対象基準税額

　　建物　$16,500,000 \times \dfrac{7.8}{110} = 1,170,000$

　　・機械は当課税期間が第3年度の課税期間に該当しないため調整計算不要

　ロ　仕入れ等の課税期間

　　$1,170,000 \times 0.3 = 351,000$

　ハ　通算課税売上割合

　　$1,170,000 \times 0.576 = 673,920$

　ニ　調整税額

　　$673,920 - 351,000 = 322,920$（加算）

(3) 調整対象固定資産を転用した場合の控除税額の調整

　備品

　　課税業務用から非課税業務用への転用

　　令和5年5月25日～令和7年12月1日 → 2年超、3年以内　∴ $\dfrac{1}{3}$

　　$4,950,000 \times \dfrac{7.8}{110} \times \dfrac{1}{3} = 117,000$（減算）

(4) 調整税額合計

　　$322,920 - 117,000 = 205,920$（加算）

〔控除対象仕入税額の計算〕 $2,591,725 + 205,920 = 2,797,645$	金額	円 2,797,645

解説

1　本問では、課税売上割合の著しい変動と調整対象固定資産の転用の両方が生じていますが、基本的には個別で出題されている場合と同じように解いていきます。

　　なお、調整対象固定資産の判定は、解答のようにまとめて記載します。

2　課税売上割合が著しく変動した場合の仕入れに係る消費税額の調整は、調整対象固定資産の仕入れ等の課税期間に比例配分法に基づいて仕入れに係る消費税額を計算してい

る必要があります。

また、調整対象固定資産を転用した場合には、仕入れ等の課税期間に個別対応方式により課税資産の譲渡等にのみ要するもの又はその他の資産の譲渡等にのみ要するものとして仕入れに係る消費税額を計算している必要があります。

そのため、本問のように問題文で仕入れ等の課税期間における控除税額の計算方法が与えられていない場合には、各資産の仕入れ等の課税期間の課税売上割合を計算し、比例配分法がとられていないか確認しなければなりません。

本問の機械にように転用の事実はあるものの、仕入れ等の課税期間における課税売上割合が95％以上、かつ、その課税期間における課税売上高が5億円以下の場合には、個別対応方式に基づいて仕入れに係る消費税額を計算していないため、転用の税額調整の対象となりません。

これ以外の資産については、それぞれの要件を満たしているので税額調整を行います。

解答　問題10　調整対象固定資産を転用した場合の理論

問1

① （ 免税事業者を除く ）　② （ 調整対象税額 ）　③ （ 個別対応方式 ）

④ （ ないこととした ）　⑤ （ 課税仕入れ等の日 ）　⑥ （ 3年 ）

⑦ （ 課税資産の譲渡等 ）　⑧ （ 調整税額 ）　⑨ （ 加算 ）

⑩ （ みなす ）　⑪ （ 1年を経過する日 ）　⑫ （ 末日の翌日 ）

⑬ （ 3分の2 ）　⑭ （ 3分の1 ）

問2

(3)

解説

問1

1　内容

事業者（（①**免税事業者を除く。**））が、国内において調整対象固定資産の課税仕入れ等を行い、かつ、（②**調整対象税額**）につき（③**個別対応方式**）によりその他の資産の譲渡等にのみ要するものとして仕入れに係る消費税額が（④**ないこととした**）場合において、その事業者がその調整対象固定資産をその（⑤**課税仕入れ等の日**）

から（⑥**3年**）以内に（⑦**課税資産の譲渡等**）に係る業務の用に供したときは、一定の方法により計算した（⑧**調整税額**）をその業務の用に供した日の属する課税期間の仕入れに係る消費税額に（⑨**加算**）する。

この場合において、その（⑨**加算**）後の金額をその課税期間の仕入れに係る消費税額と（⑩**みなす**）。

2　調整税額

⑴　調整対象固定資産の（⑤**課税仕入れ等の日**）から（⑪**1年を経過する日**）までの期間

　　調整対象税額

⑵　⑴の期間の（⑫**末日の翌日**）から（⑪**1年を経過する日**）までの期間

　　調整対象税額の（⑬**3分の2**）

⑶　⑵の期間の（⑫**末日の翌日**）から（⑪**1年を経過する日**）までの期間

　　調整対象税額の（⑭**3分の1**）

問2

調整対象固定資産を転用した場合の仕入れに係る消費税額の調整の規定が適用されるのは、<u>調整対象固定資産を課税業務用から非課税業務用に転用した場合</u>と<u>非課税業務用から課税業務用に転用</u>した場合です。

そのため、共通して要するものに転用する場合や共通して要するものから転用する場合は適用されません。

ただし、いったん共通用に転用した後、課税仕入れ等の日から3年以内に課税業務用ないし非課税業務用に転用する場合には調整が適用されます。

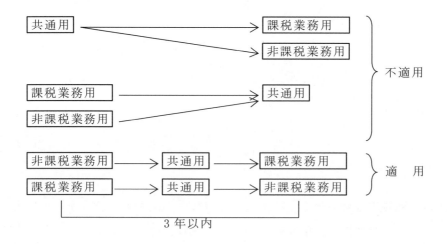

Chapter 4　棚卸資産に係る消費税額の調整

解答　問題 1　棚卸資産に係る消費税額の調整(1)

（単位：円）

〔課税仕入れ等の税額の合計額の計算〕

(1) 課税売上割合

　　70％ ＜ 95％　　∴　按分計算が必要

(2) 区分経理及び税額

　① 個別対応方式

　　イ　課税資産の譲渡等にのみ要するもの

　　　(a) 課税仕入れ

　　　　$8,800,000 \times \dfrac{7.8}{110} = 624,000$

　　　(b) 期首棚卸資産の調整

　　　　$672,000 \times \dfrac{7.8}{110} = 47,650$（加算）

　　　(c) (a)＋(b)＝671,650

　　ロ　その他の資産の譲渡等にのみ要するもの

　　　$1,660,000 \times \dfrac{7.8}{110} = 117,709$

　　ハ　共通して要するもの

　　　$4,220,000 \times \dfrac{7.8}{110} = 299,236$

　　ニ　控除対象仕入税額

　　　671,650＋299,236×70％＝881,115

　② 一括比例配分方式

　　イ　課税仕入れ

　　　8,800,000＋1,660,000＋4,220,000＝14,680,000

　　　$14,680,000 \times \dfrac{7.8}{110} = 1,040,945$

　　ロ　期首棚卸資産の調整　　47,650（加算）

ハ　控除対象仕入税額

$(1,040,945+47,650) \times 70\% = 762,016$

(2) 有利判定

(1)① ＞ (1)②　∴　881,115

解説

当社は、当課税期間において免税事業者から課税事業者になることから、<u>期首棚卸資産に係る消費税額の調整が必要</u>です。一方、翌課税期間は課税事業者のままであるため、当課税期間において<u>期末棚卸資産に係る消費税額の調整は不要</u>です。

解答　問題2　棚卸資産に係る消費税額の調整(2)

(単位：円)

〔課税仕入れ等の税額の合計額の計算〕

(1) 課税売上割合

70% ＜ 95%　∴　按分計算が必要

(2) 区分経理及び税額

①　個別対応方式

イ　課税資産の譲渡等にのみ要するもの

(a) 課税仕入れ

$13,230,000 \times \dfrac{7.8}{110} = 938,127$

(b) 期末棚卸資産の調整

$1,480,000 \times \dfrac{7.8}{110} = 104,945$（控除）

(c) (a)−(b)＝833,182

ロ　その他の資産の譲渡等にのみ要するもの

$5,260,000 \times \dfrac{7.8}{110} = 372,981$

ハ　共通して要するもの

$$7,360,000 \times \frac{7.8}{110} = 521,890$$

　　ニ　控除対象仕入税額

　　　$833,182 + 521,890 \times 70\% = 1,198,505$

② 一括比例配分方式

　イ　課税仕入れ

　　　$13,230,000 + 5,260,000 + 7,360,000 = 25,850,000$

　　　$25,850,000 \times \frac{7.8}{110} = 1,833,000$

　ロ　期末棚卸資産の調整　　104,945（控除）

　ハ　控除対象仕入税額

　　　$(1,833,000 - 104,945) \times 70\% = 1,209,638$

(2) 有利判定

　(1)① ＜ (1)②　　∴　1,209,638

解説

　当社は、設立以来当課税期間まで継続して課税事業者であることから、期首棚卸資産に係る消費税額の調整は不要です。一方、翌課税期間は課税事業者から免税事業者になるため、当課税期間において期末棚卸資産に係る消費税額の調整が必要となります。

　なお、調整の対象となる棚卸資産は、当課税期間末の棚卸資産のうち、当課税期間の課税仕入れに該当するもののみです。

解答　問題3　棚卸資産に係る消費税額の調整(3)

仕入れに係る消費税額の計算等

〔課税売上割合〕

計　算　過　程　　　　　　　　　　　　　　（単位：円）
(1) 課税売上高 　国内売上高 $(15,171,000 - 1,960,000 - 2,100,000) \times \frac{100}{110}$ ＋輸出売上高 1,960,000 　＝ 12,060,909

Chapter 4 | 棚卸資産に係る消費税額の調整 | 4-3

(2) 非課税売上高

　　身体障害者用物品売上高　　2,100,000

(3) 課税売上割合

$\dfrac{(1)}{(1)+(2)} = \dfrac{12,060,909}{14,160,909} = 0.8517\cdots < 95\%$

∴　按分計算が必要

割合	12,060,909	円
	14,160,909	円

〔控除対象仕入税額〕

計　算　過　程　　　　　　　　　（単位：円）

(1) 区分経理及び税額

　① 個別対応方式

　　イ　課税資産の譲渡等にのみ要するもの

　　　(a) 課税仕入れ

　　　　商品仕入 5,190,000 ＋ 販売費管理費 1,100,000 ＝ 6,290,000

　　　　$6,290,000 \times \dfrac{7.8}{110} = 446,018$

　　　(b) 期首棚卸資産の調整

　　　　$(364,972 + 239,330) \times \dfrac{7.8}{110} = 42,850$（加算）

　　　(c) 期末棚卸資産の調整

　　　　$830,000 \times \dfrac{7.8}{110} = 58,854$（控除）

　　　(d) (a)＋(b)－(c)＝430,014

　　ロ　その他の資産の譲渡等にのみ要するもの

　　　　販売費管理費　　325,000

　　　　$325,000 \times \dfrac{7.8}{110} = 23,045$

　　ハ　共通して要するもの

　　　　販売費管理費　　430,000

　　　　$430,000 \times \dfrac{7.8}{110} = 30,490$

　　ニ　控除対象仕入税額

　　　　$430,014 + 30,490 \times \dfrac{12,060,909}{14,160,909} = 455,982$

② 一括比例配分方式

イ　課税仕入れ

6,290,000 + 325,000 + 430,000 = 7,045,000

$7,045,000 \times \dfrac{7.8}{110} = 499,554$

ロ　期首棚卸資産の調整　　42,850（加算）

ハ　期末棚卸資産の調整　　58,854（控除）

ニ　一括比例配分方式

$(499,554 + 42,850 - 58,854) \times \dfrac{12,060,909}{14,160,909} = 411,841$

(2) 有利判定

(1)① ＞ (1)②　∴　455,982

金額	円
	455,982

解説

当課税期間において免税事業者から課税事業者になったことから、<u>期首棚卸資産に係る消費税額の調整が必要</u>です。この調整の際には、保税地域からの引取りに係るもの239,330円も調整の対象となる点に注意しましょう。なお、その際に用いる税額は、税関に納付した消費税額を用いるのではなく、課税仕入れに係る消費税額と同様に、棚卸資産の金額に110分の7.8を乗じて求めることに注意しましょう。

一方、翌課税期間は課税事業者から免税事業者になるため、当課税期間において<u>期末棚卸資産に係る消費税額の調整が必要</u>となります。期末棚卸資産に係る消費税額の調整の対象は、納税義務の免除の規定の適用を受けることとなった課税期間の初日の前日の属する課税期間中（すなわち当課税期間中）に国内において譲り受けた課税仕入れに係る棚卸資産です。したがって、前課税期間に仕入れたもの67,600円は調整の対象となりません。

解答　問題4　棚卸資産に係る消費税額の調整(4)

（単位：円）

5,989,700 + 2,138,800 + (5,011,409 − 150,000) + 4,660,610 = 17,650,519

$17,650,519 \times \dfrac{7.8}{110} = 1,251,582$

解説

1 期首製品棚卸高

　課税仕入れに係るもののほか、保税地域からの引取りに係るものが含まれていますが、保税地域からの引取りに係るものについては、棚卸資産の金額（2,138,800円）を調整税額の対象金額に含めます。税関に納付した消費税額は用いないことに注意しましょう。

2 期首商品棚卸高

　すべて身体障害者用物品に係るものであり、課税仕入れに係る棚卸資産ではないため調整の対象となりません。

3 期首材料棚卸高

　期首材料棚卸高のうち前々事業年度に係るものは、免税事業者であった期間中に行った課税仕入れに係る棚卸資産ではないため調整の対象とはなりません。

4 期首仕掛品原価

　仕掛品も棚卸資産の範囲に含まれますので、期首仕掛品原価のうち課税仕入れからなるものについては調整を行います。

解答　問題5　棚卸資産に係る消費税額の調整の理論(1)

(1)	②、③、④、⑥
(2)	①、⑤
(3)	棚卸資産の明細を記録した書類を保存すること

解説

(1) 小規模事業者に係る納税義務の免除の規定により消費税を納める義務が免除される事業者が、同規定の適用を受けないこととなった場合（法36①）の調整対象となるのは、納税義務が免除されていた期間中に国内において譲り受けた課税仕入れに係る棚卸資産又は保税地域からの引取りに係る課税貨物で棚卸資産に該当するものです。

　したがって、当課税期間に取得した①は対象外となります。また、課税仕入れに係る棚卸資産が対象となるため、非課税仕入れに該当する⑤も対象外となります。よって、対象となるのは②、③、④、⑥です。

(2) 事業者が、小規模事業者に係る納税義務の免除の規定により消費税を納める義務が免除されることとなった場合（法36⑤）の調整対象となるものは、納税義務の免除の規定の適用を受けることとなった課税期間の初日の前日の属する課税期間中に国内において譲り受けた課税仕入れに係る棚卸資産又は保税地域からの引取りに係る課税貨物で棚卸

資産に該当するものです。

したがって、納税義務の免除の規定の適用を受けることとなった課税期間の初日の前日の属する課税期間（すなわち当課税期間）以外に取得した②、③は対象外となります。

また、課税仕入れに係る棚卸資産が対象となるため、非課税仕入れに該当する④も対象外となります。よって、対象となるのは①、⑤です。

(3) 納税義務の免除を受けないこととなった場合の棚卸資産に係る消費税の調整の適用は、棚卸資産の明細を記録した書類を保存することが手続上の要件となっています。

解答　問題6　棚卸資産に係る消費税額の調整の理論(2)

> 甲社は、前々課税期間及び前課税期間は基準期間がない事業年度であり、かつ、期首資本金の額が300万円であるため新設法人に該当しない。したがって、甲社の前々課税期間及び前課税期間は免税事業者に該当する。
>
> 甲社は、前課税期間まで免税事業者であり、当課税期間より課税事業者に該当するため課税事業者となった当課税期間の初日の前日において、免税事業者であった期間中に国内において譲り受けた課税仕入れに係る棚卸資産を有しているときは、その棚卸資産に係る消費税額を課税事業者となった当課税期間の仕入れに係る消費税額の計算の基礎となる課税仕入れ等の税額とみなす。
>
> したがって、甲社が前課税期間の末日において有する原材料に係る消費税額について、当課税期間において棚卸資産に係る消費税額の調整をしなければならない。

解説

前々課税期間に設立された法人であり、基準期間がなく、期首資本金の額が300万円であるため、新設法人に該当せず、前々課税期間及び前課税期間は免税事業者に該当します。当課税期間は、課税事業者となり、前課税期間の末日において棚卸資産を保有していることから、免税事業者が課税事業者となった場合の棚卸資産に係る消費税額の調整の規定の適用を受けます。

なお、解答の際「…調整をしなければならないかどうかを理由を付して簡潔に述べなさい。」と問われているので、「調整をしなければならない。」という結論を示しましょう。

Chapter 5　課税期間

解答　問題1　課税期間の原則と特例

① （　　1月1日　　）　② （　　12月31日　　）
③ （　　事業年度　　）　④ （　　短縮　　）
⑤ （　　変更　　）　⑥ （　課税期間特例選択・変更届出書　）
⑦ （　　3月ごと　　）　⑧ （　　1月ごと　　）
⑨ （　　開始の日　　）

解説

1. 原　則
   (1) 個人事業者
      （①1月1日）から（②12月31日）までの期間
   (2) 法　人
      （③事業年度）
2. 課税期間の特例の選択
   (1) 区分される期間
      課税期間を（④短縮）又は（⑤変更）することについて、その納税地の所轄税務署長に（⑥課税期間特例選択・変更届出書）を提出した場合
   ① 個人事業者
      イ　3月ごとの期間に（④短縮）又は（⑤変更）する場合
         （①1月1日）以後（⑦3月ごと）に区分した各期間
      ロ　1月ごとの期間に（④短縮）又は（⑤変更）する場合
         （①1月1日）以後（⑧1月ごと）に区分した各期間
   ② 法　人
      イ　その事業年度が3月を超える法人が3月ごとの期間に（④短縮）又は（⑤変更）する場合
         その事業年度をその（⑨開始の日）以後（⑦3月ごと）に区分した各期間（最後に3月未満の期間を生じたときは、その3月未満の期間）
      ロ　その事業年度が1月を超える法人が1月ごとの期間に（④短縮）又は（⑤変更）する場合
         その事業年度をその（⑨開始の日）以後（⑧1月ごと）に区分した各期間（最後に1月未満の期間を生じたときは、その1月未満の期間）

解答 問題2 届出書・みなし課税期間(1)

問1

① （　　　納税地の所轄税務署長　　　）　②　（　　課税期間特例選択・変更届出書　　）

問2

(1) （　令和7年1月1日　）〜（　令和7年5月31日　）

(2) （　令和7年4月1日　）〜（　令和7年9月30日　）

(3) （　令和7年7月1日　）〜（　令和7年8月31日　）

解説

問1

課税期間を短縮又は変更する場合、（①納税地の所轄税務署長）に（②課税期間特例選択・変更届出書）を提出しなければならない。

問2

(1)

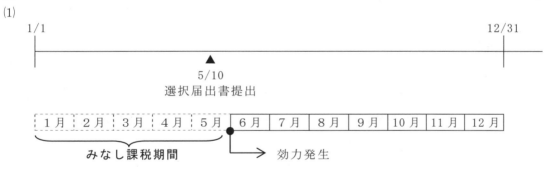

(2)

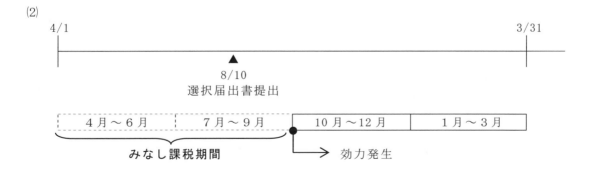

(3)

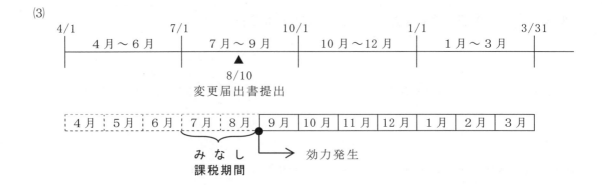

解答　問題3　届出書・みなし課税期間(2)

問1

① （　　納税地の所轄税務署長　　）　②（　課税期間特例選択不適用届出書　）

問2

（　令和7年7月1日　）～（　令和8年3月31日　）

解説

問1

課税期間の特例の適用を受けることをやめようとするとき、又は事業を廃止したときは、（①納税地の所轄税務署長）に（②課税期間特例選択不適用届出書）を提出しなければならない。

問2

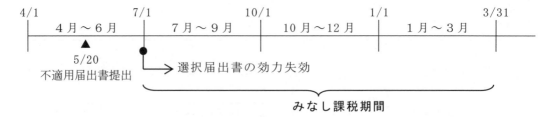

| 解答 | 問題 4　届出書の提出制限 |

(1)　（　令和 7 年 7 月 1 日　）

(2)　（　令和 7 年 9 月 1 日　）

(3)　（　令和 7 年 9 月 1 日　）

(4)　（　令和 7 年 7 月 1 日　）

| 解説 |

(1) 課税期間 3 月の場合に特例の適用をやめようとする場合

選択届出書の効力が生ずる日から 2 年を経過する日の属する課税期間の初日以後でなければ提出することはできません。

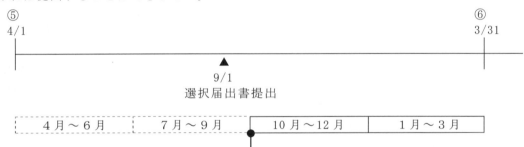

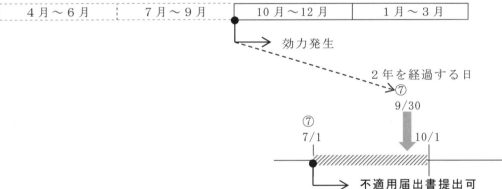

(2) 課税期間1月の場合に特例の適用をやめようとする場合

選択届出書の効力が生ずる日から2年を経過する日の属する課税期間の初日以後でなければ提出することはできません。

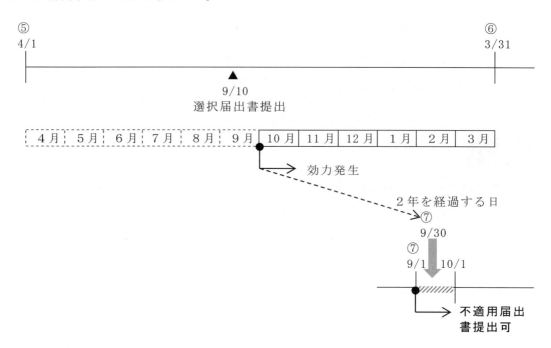

(3) 課税期間3月ごとを1月ごとに変更する場合

選択届出書の効力が生ずる日から2年を経過する日の属する月の初日以後でなければ提出することはできません。

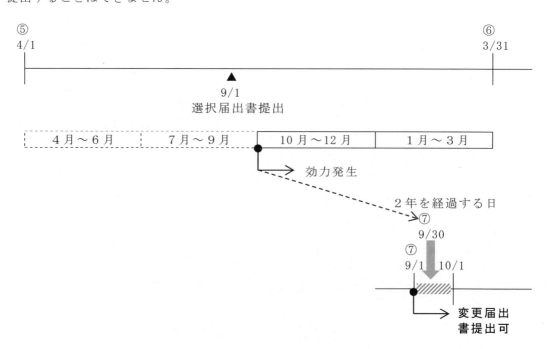

(4) 課税期間1月ごとを3月ごとに変更する場合

選択届出書の効力が生ずる日から2年を経過する日の属する月の前々月の初日以後でなければ提出することはできません。

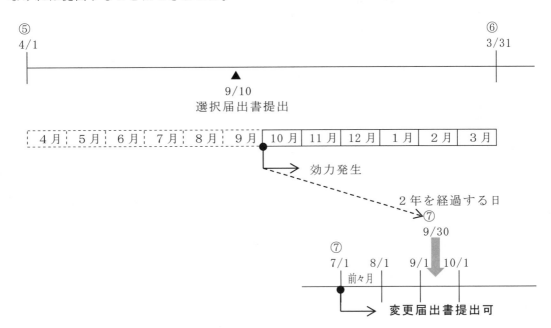

Chapter 6　納税地

解答　問題 1　納税地

(1)	C市	(2)	E市	(3)	F市
(4)	G市	(5)	I市	(6)	L市

解説

　個人事業者の納税地は、(1)国内に住所を有する場合には、その<u>住所地</u>、(2)国内に住所を有せず、国内に居所を有する場合には、その<u>居所地</u>、(3)国内に住所及び居所を有せず、国内にその事業に係る事務所等を有する場合には、その<u>事務所等の所在地</u>となります。

　一方、法人の納税地は、(1)内国法人の場合には、その<u>本店又は主たる事務所の所在地</u>、(2)外国法人で国内に事務所等を有する法人の場合には、その<u>事務所等の所在地</u>となります。

　また、保税地域から引き取られる外国貨物に係る消費税の納税地は、その保税地域の所在地です。

解答　問題 2　納税地の指定

① （　不適当であると認められる場合　）　② （　　　　国税局長　　　　）
③ （　　　　国税庁長官　　　　）　④ （　　　　書面　　　　）

解説

(1)　指　定

　事業者の行う資産の譲渡等及び特定仕入れの状況からみて納税地として（**①不適当であると認められる場合**）には、所轄（**②国税局長**）又は（**③国税庁長官**）は、納税地を指定することができる。

(2)　通　知

　所轄（**②国税局長**）又は（**③国税庁長官**）は、消費税の納税地を指定したときは、その事業者に対し、（**④書面**）によりその旨を通知する。

解答　問題3　納税地の異動の届出

(1)	納税地に異動があった場合
(2)	異動前の納税地の所轄税務署長

解説

法人は、消費税の納税地に異動があった場合には、遅滞なく、その異動前の納税地の所轄税務署長に消費税異動届出書によりその旨を届け出なければならない。

Chapter 7　相続があった場合の納税義務の免除の特例

解答　問題1　相続があった場合の納税義務の免除の特例(1)

問1　令和7年1月1日～令和7年12月31日

(単位：円)

〔納税義務の有無の判定〕
(1) 基準期間における課税売上高
　　8,520,000 ≦ 10,000,000
(2) 特定期間における課税売上高
　　3,806,000 ≦ 10,000,000
(3) 相続があった場合の納税義務の免除の特例
　　3,980,000 ≦ 10,000,000
　　∴　納税義務なし

問2　令和8年1月1日～令和8年12月31日

(単位：円)

〔納税義務の有無の判定〕
(1) 基準期間における課税売上高
　　7,930,000 ≦ 10,000,000
(2) 特定期間における課税売上高
　　3,936,000 ≦ 10,000,000
(3) 相続があった場合の納税義務の免除の特例
　　7,930,000 ＋ 3,050,000 ＝ 10,980,000
　　10,980,000 ＞ 10,000,000　∴　納税義務あり

問3　令和9年1月1日～令和9年12月31日

(単位：円)

〔納税義務の有無の判定〕
(1) 基準期間における課税売上高
　　8,200,000 ≦ 10,000,000
(2) 特定期間における課税売上高
　　5,292,000 ≦ 10,000,000
(3) 相続があった場合の納税義務の免除の特例
　　8,200,000 ＋ 1,550,000 ＝ 9,750,000
　　9,750,000 ≦ 10,000,000　∴　納税義務なし

解説

原則的には、個人事業者甲の基準期間における課税売上高及び特定期間における課税売上高で納税義務の有無を判定しますが、相続があった年と、その翌年と翌々年については、相続があった場合の特例が設けられています。

相続のあった年については、被相続人の基準期間における課税売上高が1,000万円を超える場合には、納税義務は免除されません。ただし、本問では被相続人の基準期間における課税売上高も1,000万円以下であるため、相続のあった令和7年は納税義務が免除されます。

相続のあった年の翌年と翌々年については、相続人の基準期間における課税売上高と被相続人の基準期間における課税売上高の合計額が1,000万円を超える場合には、納税義務は免除されません。本問では、令和8年の両者の基準期間における課税売上高の合計額は1,000万円を超えているため納税義務は免除されませんが、令和9年の両者の基準期間における課税売上高の合計額は1,000万円以下であるため納税義務は免除されます。

相続のあった年と、その翌年と翌々年で課税売上高を合計するか否かが異なる点に注意しましょう。

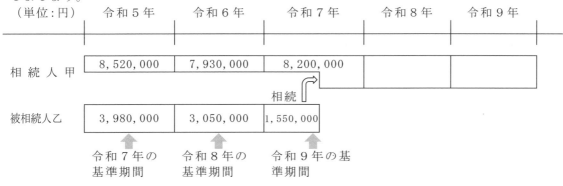

| 解答 | 問題2 | 相続があった場合の納税義務の免除の特例(2) |

問1 令和7年1月1日～令和7年12月31日

(単位：円)

〔納税義務の有無の判定〕
(1) 基準期間における課税売上高
 8,310,000 ≦ 10,000,000
(2) 特定期間における課税売上高
 3,816,000 ≦ 10,000,000
(3) 相続があった場合の納税義務の免除の特例
 10,920,000 ＞ 10,000,000
 ∴ 令和7年11月9日から令和7年12月31日までの期間納税義務あり

問2　令和8年1月1日～令和8年12月31日

（単位：円）

〔納税義務の有無の判定〕
(1) 基準期間における課税売上高
    7,201,000 ≦ 10,000,000
(2) 特定期間における課税売上高
    4,107,000 ≦ 10,000,000
(3) 相続があった場合の納税義務の免除の特例
    7,201,000＋6,352,000＝13,553,000
    13,553,000 ＞ 10,000,000　　∴　納税義務あり

問3　令和9年1月1日～令和9年12月31日

（単位：円）

〔納税義務の有無の判定〕
(1) 基準期間における課税売上高
    7,750,000 ≦ 10,000,000
(2) 特定期間における課税売上高
    5,213,000 ≦ 10,000,000
(3) 相続があった場合の納税義務の免除の特例
    7,750,000＋2,182,000＝9,932,000
    9,932,000 ≦ 10,000,000　　∴　納税義務なし

問4　令和10年1月1日～令和10年12月31日

（単位：円）

〔納税義務の有無の判定〕
(1) 基準期間における課税売上高
    9,836,000 ≦ 10,000,000
(2) 特定期間における課税売上高
    5,667,000 ≦ 10,000,000
    ∴　納税義務なし

解説

　相続があった年の納税義務の有無の判定において、特例により納税義務が免除されなくなるのは、相続があった日の翌日からその年12月31日までです。相続人の基準期間における課税売上高と特定期間における課税売上高がいずれも1,000万円以下であれば、相続があった年の1月1日から相続があった日までの納税義務は免除されます。

したがって、本問では令和7年1月1日から相続があった令和7年11月8日までの納税義務は免除されますが、相続があった日の翌日である令和7年11月9日から令和7年12月31日までの期間の納税義務は免除されません。

なお、令和10年1月1日から令和10年12月31日までの納税義務の有無の判定において相続の特例はないため、基準期間及び特定期間で判定を行います。

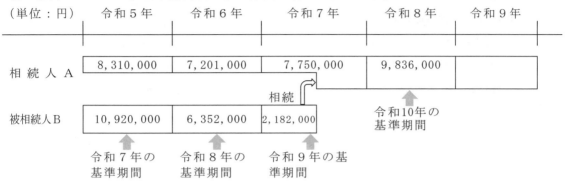

解答　問題3　相続があった場合の納税義務の免除の特例(3)

(単位：円)

〔納税義務の有無の判定〕

(1) 基準期間における課税売上高

① $(6,600,000+5,500,000) - (3,000,000+2,500,000) = 6,600,000$

② $(1,148,000 - 500,000 + 988,400) \times \dfrac{100}{110} = 1,487,636$

③ $4,410 \times \dfrac{100}{110} = 4,009$

④ $(① + ②) - ③ = 8,083,627 \leqq 10,000,000$

(2) 特定期間における課税売上高

① $\{(6,888,000 - 3,000,000) + (4,941,280 - 320 - 413,200)\} \times \dfrac{100}{110}$
$+ 413,200 = 8,063,890$

② $90,250 \times \dfrac{100}{110} = 82,045$

③ $① - ② = 7,981,845 \leqq 10,000,000$

(3) 相続があった場合の納税義務の免除の特例

① $8,083,626$

② イ $(15,159,600\text{円} - 560 - 207,160) \times \dfrac{100}{110} + 207,160 = 13,799,778$

　　ロ $(70,800 - 7,160) \times \dfrac{100}{110} + 7,160 = 65,014$

> ハ　イーロ＝13,734,764
> ③　①＋②＝21,818,390
> 　21,818,390 ＞ 10,000,000　　∴納税義務あり

解説

1. 令和5年の納税義務の判定
   (1) 基準期間における課税売上高
   　　13,200,000円－6,000,000円＝7,200,000円 ≦ 10,000,000円
   　　令和3年の基準期間である平成31年（令和元年）の課税売上高が与えられていないが、仮に令和3年が課税事業者であった場合の課税売上高は6,545,454円（≦10,000,000円）となる。
   (2) 特定期間における課税売上高
   　　6,600,000円－3,000,000円＝3,600,000円 ≦ 10,000,000円
   (3) 相続があった場合の納税義務の免除の特例
   　　① （12,991,700円－230円）×$\frac{100}{110}$＝11,810,427
   　　② 33,000円×$\frac{100}{110}$＝30,000円
   　　③ ①－②＝11,780,427円 ＞ 10,000,000円
   　　　∴ 令和5年12月1日から令和5年12月31日までの期間納税義務あり

2. 令和6年の納税義務の判定
   (1) 基準期間における課税売上高
   　　13,200,000円－6,000,000円＝7,200,000円 ≦ 10,000,000円
   (2) 特定期間における課税売上高
   　　6,600,000円－3,000,000円＝3,600,000円 ≦ 10,000,000円
   (3) 相続があった場合の納税義務の免除の特例
   　　① 7,200,000円
   　　②イ （14,317,000－450）×$\frac{100}{110}$＝13,015,045
   　　　ロ 293,700×$\frac{100}{110}$＝267,000
   　　　ハ イーロ＝12,748,045
   　　③ ①＋②＝19,948,045円
   　　　19,948,045円 ＞ 10,000,000円　　∴ 納税義務あり

解答　問題4　相続があった場合の納税義務の免除の特例の理論

① （　　　　　その年　　　　　）　② （　　　　　相続　　　　　）
③ （　　相続のあった日の翌日　　）　④ （　　　　12月31日　　　　）
⑤ （　課税資産の譲渡等及び特定課税仕入れ　）　⑥ （　基準期間における課税売上高　）
⑦ （　　　1,000万円以下　　　）　⑧ （　　1,000万円を超える　　）
⑨ （　　　　　前年　　　　　）　⑩ （　　　　　前々年　　　　　）
⑪ （　　　　　被相続人　　　　　）　⑫ （　　　課税事業者の選択　　　）
⑬ （　特定期間における課税売上高　）

解説

(1) 相続があった年

　（①その年）において（②相続）があった場合において、次の要件を満たすときは、その相続人のその（③相続のあった日の翌日）からその年の（④12月31日）までの間における（⑤課税資産の譲渡等及び特定課税仕入れ）については、納税義務は免除されない。

・相続人の（⑥基準期間における課税売上高）が（⑦1,000万円以下）であること
・被相続人の（⑥基準期間における課税売上高）が（⑧1,000万円を超える）こと

(2) 相続があった年の翌年以後

　その年の（⑨前年）又は（⑩前々年）に相続があった場合において、次の要件を満たすときは、その相続人のその年における（⑤課税資産の譲渡等及び特定課税仕入れ）については、納税義務は免除されない。

・相続人の（⑥基準期間における課税売上高）が（⑦1,000万円以下）であること
・相続人の（⑥基準期間における課税売上高）とその相続に係る（⑪被相続人）の（⑥基準期間における課税売上高）との合計額が（⑧1,000万円を超える）こと

(3) 適用除外

　この規定は、相続人が次のいずれかに該当する場合には適用しない。

・（⑫課税事業者の選択）の適用を受けていること
・（⑬特定期間における課税売上高）が（⑧1,000万円を超える）こと

Chapter 8　合併があった場合の納税義務の免除の特例

解答　問題1　吸収合併があった場合の納税義務の免除の特例(1)

問1　令和7年4月1日～令和8年3月31日

(単位：円)

〔納税義務の有無の判定〕
(1) 基準期間における課税売上高
　　6,520,000 ≦ 10,000,000
(2) 特定期間における課税売上高
　　4,019,000 ≦ 10,000,000
(3) 合併があった場合の納税義務の免除の特例
　　$\dfrac{10,362,000}{12} \times 12 = 10,362,000 > 10,000,000$
　　∴　令和7年8月1日から令和8年3月31日までの期間納税義務あり

問2　令和8年4月1日～令和9年3月31日

(単位：円)

〔納税義務の有無の判定〕
(1) 基準期間における課税売上高
　　7,730,000 ≦ 10,000,000
(2) 特定期間における課税売上高
　　5,148,000 ≦ 10,000,000
(3) 合併があった場合の納税義務の免除の特例
　　① 7,730,000
　　② $\dfrac{9,660,000}{12} \times 12 = 9,660,000$
　　③ ①＋② ＝ 17,390,000
　　　17,390,000 ＞ 10,000,000　∴　納税義務あり

問3　令和9年4月1日～令和10年3月31日

(単位：円)

〔納税義務の有無の判定〕
(1) 基準期間における課税売上高
　　9,900,000 ≦ 10,000,000
(2) 特定期間における課税売上高
　　7,495,000 ≦ 10,000,000

(3) 合併があった場合の納税義務の免除の特例
① 9,900,000
② $\dfrac{4,655,000}{7} \times 12 = 7,980,000$
③ ①$+\dfrac{②}{12} \times 4 = 12,560,000$
   12,560,000 > 10,000,000　　∴　納税義務あり

解説

吸収合併があった場合の合併法人の納税義務の判定は、まずは通常どおり合併法人の基準期間における課税売上高及び特定期間における課税売上高で判定しますが、吸収合併があった事業年度と、翌事業年度、翌々事業年度については、合併の特例が設けられています。

吸収合併のあった事業年度については、被合併法人の対応する期間の課税売上高が1,000万円を超える場合には、吸収合併があった日以後の納税義務は免除されません。本問では、被合併法人の対応する期間の課税売上高が1,000万円を超えているため、吸収合併があった日である令和7年8月1日から事業年度末日の令和8年3月31日までの納税義務は免除されません。

吸収合併があった事業年度の翌事業年度、翌々事業年度については、合併法人の基準期間における課税売上高と被合併法人の対応する期間の課税売上高の合計額が1,000万円を超える場合には、納税義務は免除されません。

被合併法人の対応する期間

合併事業年度	その事業年度開始の日（令和7年4月1日）の2年前の日の前日（令和5年4月1日）から同日以後1年を経過する日（令和6年3月31日）までの間に**終了**した被合併法人の各事業年度（令和5年1月1日～令和5年12月31日）
合併翌事業年度	基準期間の初日（令和6年4月1日）から同日以後1年を経過する日（令和7年3月31日）までの間に**終了**した被合併法人の各事業年度（令和6年1月1日～令和6年12月31日）
合併翌々事業年度	基準期間の初日（令和7年4月1日）から同日以後1年を経過する日（令和8年3月31日）までの間に**終了**した被合併法人の各事業年度（令和7年1月1日～令和7年7月31日）

| 解答 | 問題2 | 吸収合併があった場合の納税義務の免除の特例(2) |

問1　令和7年4月1日～令和8年3月31日

(単位：円)

〔納税義務の有無の判定〕
(1) 基準期間における課税売上高
　　7,620,000 ≦ 10,000,000
(2) 特定期間における課税売上高
　　3,588,000 ≦ 10,000,000
(3) 合併があった場合の納税義務の免除の特例
　　$\frac{9,816,000}{12} \times 12 = 9,816,000 \leq 10,000,000$
　　∴　納税義務なし

問2　令和8年4月1日～令和9年3月31日

(単位：円)

〔納税義務の有無の判定〕
(1) 基準期間における課税売上高
　　7,800,000 ≦ 10,000,000
(2) 特定期間における課税売上高
　　4,519,000 ≦ 10,000,000
(3) 合併があった場合の納税義務の免除の特例
　① 7,800,000
　② $\frac{11,016,000}{12} \times 12 = 11,016,000$
　③ ①＋② ＝ 18,816,000
　　　18,816,000 ＞ 10,000,000　∴　納税義務あり

問3　令和9年4月1日～令和10年3月31日

(単位：円)

〔納税義務の有無の判定〕
(1) 基準期間における課税売上高
　　9,825,000 ≦ 10,000,000
(2) 特定期間における課税売上高
　　7,599,000 ≦ 10,000,000
(3) 合併があった場合の納税義務の免除の特例
　① 9,825,000

② $\dfrac{9,499,000+790,890}{12+1} \times 12 = 9,498,360$

③ $① + \dfrac{②}{12} \times 10 = 17,740,300$

$17,740,300 > 10,000,000$ ∴ 納税義務あり

解説

合併の判定で用いる被合併法人の対応する期間の課税売上高に注意しながら判定しましょう。本問の問3の判定のように、2事業年度分の被合併法人の対応する期間の課税売上高を用いて判定することもあります。

被合併法人の対応する期間

合併事業年度	その事業年度開始の日（令和7年4月1日）の2年前の日の前日（令和5年4月1日）から同日以後1年を経過する日（令和6年3月31日）までの間に**終了**した被合併法人の各事業年度（令和5年1月1日〜令和5年12月31日）
合併翌事業年度	基準期間の初日（令和6年4月1日）から同日以後1年を経過する日（令和7年3月31日）までの間に**終了**した被合併法人の各事業年度（令和6年1月1日〜令和6年12月31日）
合併翌々事業年度	基準期間の初日（令和7年4月1日）から同日以後1年を経過する日（令和8年3月31日）までの間に**終了**した被合併法人の各事業年度（令和7年1月1日〜令和7年12月31日、令和8年1月1日〜令和8年1月31日）

解答　問題3　吸収合併があった場合の納税義務の免除の特例(3)

（単位：円）

〔納税義務の有無の判定〕

(1) 基準期間における課税売上高

　　$26,733,465 - 25,000,065 = 1,733,400$

　　$\dfrac{1,733,400}{3} \times 12 = 6,933,600 \leq 10,000,000$

(2) 特定期間における課税売上高

　① $15,854,073 - 9,876,963 = 5,977,110$

　② $(7,927,036 - 3,759,980) \times \dfrac{100}{110} = 3,788,232$

　③ $① + ② = 9,765,342 \leq 10,000,000$

(3) 合併があった場合の納税義務の免除の特例
① 6,933,600
② イ 45,949,675 − 18,480,000 = 27,469,675
   ロ $\dfrac{27,469,675}{10} \times 12 = 32,963,604$
③ ① + ② = 39,897,204
   39,897,204 ＞ 10,000,000　　∴ 納税義務あり

解説

1. 令和6年1月5日〜令和6年3月31日の納税義務の判定
   (1) 基準期間における課税売上高
       設立事業年度のため基準期間がない事業年度
   (2) 特定期間における課税売上高
       設立事業年度のため特定期間がない事業年度
   (3) 新設法人の納税義務の免除の特例
       資本金　8,000,000円 ＜ 10,000,000円
       ∴ 新設法人に該当しない
       ∴ 納税義務なし
2. 令和6年4月1日〜令和7年3月31日の納税義務の判定
   (1) 基準期間における課税売上高
       設立2期目のため基準期間がない事業年度
   (2) 特定期間における課税売上高
       前事業年度　3月 ≦ 7月
       ∴ 短期事業年度
         前々事業年度がないため特定期間がない事業年度
   (3) 合併があった場合の納税義務の免除の特例
       65,940,963円 − 55,440,963円 = 10,500,000円
       $\dfrac{10,500,000円}{12} \times 12 = 10,500,000円 ＞ 10,000,000円$
       ∴ 令和6年8月1日から令和7年3月31日までの期間納税義務あり
3. 被合併法人の対応する期間

合併事業年度	その事業年度開始の日（令和6年4月1日）の2年前の日の前日（令和4年4月1日）から同日以後1年を経過する日（令和5年3月31日）までの間に**終了**した被合併法人の各事業年度（令和3年10月1日〜令和4年9月30日）
合併翌事業年度	基準期間の初日（令和6年1月5日）から同日以後1年を経過する日（令和7年1月4日）までの間に**終了**した被合併法人の各事業年度（令和5年10月1日〜令和6年7月31日）

解答 問題4 新設合併があった場合の納税義務の免除の特例(1)

問1 令和7年11月1日～令和8年3月31日

(単位：円)

〔納税義務の有無の判定〕

(1) 基準期間における課税売上高

　　設立事業年度のため基準期間がない事業年度

(2) 特定期間における課税売上高

　　設立事業年度のため特定期間がない事業年度

(3) 合併があった場合の納税義務の免除の特例

　① X社

　　$\dfrac{4,536,000}{12} \times 12 = 4,536,000 \leqq 10,000,000$

　② Y社

　　$\dfrac{10,320,000}{12} \times 12 = 10,320,000 > 10,000,000$

　　∴ 納税義務あり

問2 令和8年4月1日～令和9年3月31日

(単位：円)

〔納税義務の有無の判定〕

(1) 基準期間における課税売上高

　　設立2期目のため基準期間がない事業年度

(2) 特定期間における課税売上高

　　前事業年度　5月 ≦ 7月

　　∴ 短期事業年度

　　　前々事業年度がないため特定期間がない事業年度

(3) 合併があった場合の納税義務の免除の特例

　① X社

　　$\dfrac{4,860,000}{12} \times 12 = 4,860,000$

　② Y社

　　$\dfrac{9,300,000}{12} \times 12 = 9,300,000$

　③ ①＋② ＝ 14,160,000 ＞ 10,000,000　　∴ 納税義務あり

問3　令和9年4月1日～令和10年3月31日

(単位：円)

〔納税義務の有無の判定〕

(1) 基準期間における課税売上高

$$\frac{4,150,000}{5} \times 12 = 9,960,000 \leqq 10,000,000$$

(2) 特定期間における課税売上高

$$4,896,000 \leqq 10,000,000$$

(3) 合併があった場合の納税義務の免除の特例

① 4,150,000

② X社

$$\frac{2,870,000}{7} \times 7 = 2,870,000$$

③ Y社

$$\frac{7,600,000}{10} \times 7 = 5,320,000$$

④ ①＋②＋③＝12,340,000 ＞ 10,000,000　∴ 納税義務あり

解説

　新設合併の場合、新設合併があった事業年度とその翌事業年度については合併法人の基準期間がありませんが、合併の特例により被合併法人の対応する期間の課税売上高を用いて納税義務の判定を行います。

　新設合併があった事業年度は各被合併法人の対応する期間の課税売上高のいずれかが、新設合併があった事業年度の翌事業年度は各被合併法人の対応する期間の課税売上高の合計額が1,000万円を超えている場合には、合併の特例により納税義務は免除されません。

　新設合併があった事業年度の翌々事業年度においては、合併法人の基準期間があるため、まず、合併法人の基準期間における課税売上高（基準期間が1年に満たない場合は1年分の金額に換算した金額）で納税義務の有無を判定します。ここで、基準期間における課税売上高及び特定期間における課税売上高がともに1,000万円以下である場合には合併による特例の判定を行います。特例による判定では、合併法人の基準期間における課税売上高を年換算しない点や、被合併法人の課税売上高の月数調整のやり方に注意しましょう。

被合併法人の対応する期間

合併事業年度	合併法人の合併があった日の属する事業年度開始の日（令和7年11月1日）の2年前の日の前日（令和5年11月1日）から同日以後1年を経過する日（令和6年10月31日）までの間に**終了**した各被合併法人の事業年度 　X社：令和5年4月1日～令和6年3月31日 　Y社：令和5年1月1日～令和5年12月31日
合併翌事業年度	合併法人のその事業年度開始の日（令和8年4月1日）の2年前の日の前日（令和6年4月1日）から同日以後1年を経過する日（令和7年3月31日）までの間に終了した各被合併法人の事業年度 　X社：令和6年4月1日～令和7年3月31日 　Y社：令和6年1月1日～令和6年12月31日
合併翌々事業年度	合併法人のその事業年度開始の日（令和9年4月1日）の2年前の日の前日（令和7年4月1日）から同日以後1年を経過する日（令和8年3月31日）までの間に終了した各被合併法人の事業年度 　X社：令和7年4月1日～令和7年10月31日 　Y社：令和7年1月1日～令和7年10月31日

解答　問題5　新設合併があった場合の納税義務の免除の特例(2)

問1　令和7年8月1日～令和8年3月31日

(単位：円)

〔納税義務の有無の判定〕
(1) 基準期間における課税売上高
　　設立事業年度のため基準期間がない事業年度
(2) 特定期間における課税売上高
　　設立事業年度のため特定期間がない事業年度
(3) 合併があった場合の納税義務の免除の特例
　① A社
　　$\dfrac{8,880,000}{12} \times 12 = 8,880,000 \leq 10,000,000$
　② B社
　　$\dfrac{7,500,000}{12} \times 12 = 7,500,000 \leq 10,000,000$
(4) 新設法人の納税義務の免除の特例
　　資本金　10,000,000 ≧ 10,000,000
　　∴　新設法人に該当
　　∴　納税義務あり

問2　令和8年4月1日～令和9年3月31日

（単位：円）

〔納税義務の有無の判定〕
(1) 基準期間における課税売上高
　　設立2期目のため基準期間がない事業年度
(2) 特定期間における課税売上高
　　3,926,000 ≦ 10,000,000
(3) 合併があった場合の納税義務の免除の特例
　① A社
　　$\dfrac{8,616,000}{12} \times 12 = 8,616,000$
　② B社
　　$\dfrac{7,500,000}{12} \times 12 = 7,500,000$
　③ ①＋② ＝ 16,116,000 ＞ 10,000,000　　∴ 納税義務あり

問3　令和9年4月1日～令和10年3月31日

（単位：円）

〔納税義務の有無の判定〕
(1) 基準期間における課税売上高
　　$\dfrac{6,544,000}{8} \times 12 = 9,816,000$ ≦ 10,000,000
(2) 特定期間における課税売上高
　　5,928,000 ≦ 10,000,000
(3) 合併があった場合の納税義務の免除の特例
　① 6,544,000
　② A社
　　$\dfrac{6,490,000}{10} \times 4 = 2,596,000$
　③ B社
　　$\dfrac{7,320,000 + 1,815,000}{12 + 3} \times 4 = 2,436,000$
　④ ①＋②＋③ ＝ 11,576,000 ＞ 10,000,000　　∴ 納税義務あり

解説

　本問のように資料が多く、期間が複雑な場合については、1問ずつ資料を整理しながら解いていきましょう。

問1　令和7年8月1日～令和8年3月31日

　問1は新設合併があった事業年度における合併法人の納税義務の判定です。この場合の合併の特例における「対応する期間」とは、合併法人の合併があった日の属する事業年度開始の日（令和7年8月1日）の2年前の日の前日（令和5年8月1日）から同日以後1年を経過する日（令和6年7月31日）までの間に終了した被合併法人の各事業年度なので、

　A社：令和4年10月1日～令和5年9月30日までの事業年度
　B社：令和5年5月1日～令和6年4月30日までの事業年度

が該当します。なお、合併があった事業年度では各被合併法人の対応する期間の課税売上高は合計しません。

　また、基準期間がない課税期間において、合併の特例による判定まで行った結果、納税義務がないものと判断された場合には、新設法人の特例による資本金の判定（その事業年度開始の日における資本金の額が1,000万円以上か否か）を行います。

　本問では、事業年度開始の日（設立時）における資本金が1,000万円以上であるため、納税義務は免除されないこととなります。

問2　令和8年4月1日～令和9年3月31日

　問2は新設合併があった事業年度の翌事業年度における合併法人の納税義務の判定です。この場合の合併による特例における「対応する期間」とは、合併法人のその事業年度開始の日（令和8年4月1日）の2年前の日の前日（令和6年4月1日）から同日以後1年を経過する日（令和7年3月31日）までの間に終了した被合併法人の各事業年度なので、

　A社：令和5年10月1日～令和6年9月30日までの事業年度
　B社：令和5年5月1日～令和6年4月30日までの事業年度

が該当します。

問3　令和9年4月1日～令和10年3月31日

　問3は新設合併があった事業年度の翌々事業年度における合併法人の納税義務の判定です。この場合には、合併法人C社に基準期間があるため、まずはC社の基準期間における課税売上高（基準期間が1年に満たない場合は1年分の金額に換算した金額）で判定します。

　一方、合併の特例により判定する場合における「対応する期間」とは、合併法人のその事業年度開始の日（令和9年4月1日）の2年前の日の前日（令和7年4月1日）から同日以後1年を経過する日（令和8年3月31日）までの間に終了した各被合併法人の事業年度なので

A社：令和6年10月1日〜令和7年7月31日までの事業年度
　B社：令和6年5月1日〜令和7年4月30日までの事業年度
　　　　令和7年5月1日〜令和7年7月31日までの事業年度

が該当します。この対応する期間の課税売上高のうち、C社の事業年度開始の日の2年前の日の前日（令和7年4月1日）から合併の日の前日（令和7年7月31日）までの月数（4月）に相当する金額で計算します。

　また、C社の課税売上高についても、基準期間の判定では1年（12ヵ月）分に換算した金額で判定しますが、合併の特例では1年分に換算しない金額を用いて判定する点に注意が必要です。

解答　問題6　新設合併があった場合の納税義務の免除の特例(3)

問1 令和7年8月1日〜令和8年3月31日

（単位：円）

〔納税義務の有無の判定〕

(1) 基準期間における課税売上高

　　設立事業年度のため基準期間がない事業年度

(2) 特定期間における課税売上高

　　設立事業年度のため特定期間がない事業年度

(3) 合併があった場合の納税義務の免除の特例

　① 甲社

　　$\dfrac{8{,}550{,}000}{12} \times 12 = 8{,}550{,}000 \leqq 10{,}000{,}000$

　② 乙社

　　$\dfrac{7{,}296{,}000}{12} \times 12 = 7{,}296{,}000 \leqq 10{,}000{,}000$

(4) 新設法人の納税義務の免除の特例

　　資本金　　10,000,000 ≧ 10,000,000

　　∴　新設法人に該当

　　∴　納税義務あり

問2　令和8年4月1日～令和9年3月31日

(単位：円)

〔納税義務の有無の判定〕

(1) 基準期間における課税売上高

  設立2期目のため基準期間がない事業年度

(2) 特定期間における課税売上高

  $4,452,000 \leqq 10,000,000$

(3) 合併があった場合の納税義務の免除の特例

  ① 甲社

  $\dfrac{8,250,000}{12} \times 12 = 8,250,000$

  ② 乙社

  $\dfrac{6,936,000}{12} \times 12 = 6,936,000$

  ③ ①+② = 15,186,000 > 10,000,000　∴ 納税義務あり

問3　令和9年4月1日～令和10年3月31日

(単位：円)

〔納税義務の有無の判定〕

(1) 基準期間における課税売上高

  $\dfrac{6,650,000}{8} \times 12 = 9,975,000 \leqq 10,000,000$

(2) 特定期間における課税売上高

  $6,875,000 \leqq 10,000,000$

(3) 合併があった場合の納税義務の免除の特例

  ① 6,650,000

  ② 甲社

  $\dfrac{4,875,000}{10} \times 4 = 1,950,000$

  ③ 乙社

  $\dfrac{1,315,000}{4} \times 4 = 1,315,000$

  ④ ①+②+③ = 9,915,000 ≦ 10,000,000

(4) 新設法人の基準期間がない事業年度中に調整対象固定資産の課税仕入れを行っているため、納税義務あり

解説

1 納税義務の判定の順序

納税義務の判定の順序は以下のようになります。

```
納税義務者の原則（法5①）
    ↓
納税義務の免除（法9①）
    ↓
納税義務の免除の特例
```

①課税事業者の選択（法9④）

②特定期間における課税売上高の特例（法9の2）

③相続があった場合の特例（法10）

④合併があった場合の特例（法11）

⑤分割等があった場合の特例（法12）

⑥新設法人又は特定新規設立法人の特例（法12の2①、法12の3①）

⑦新設法人又は特定新規設立法人が調整対象固定資産の仕入れ等を行った場合の特例
　（法12の2②、法12の3③）

⑧　高額特定資産を取得した場合の特例（法12の4）

2 新設法人の納税義務に関する規定の適用関係

納税義務の判定は、多種多様な判定基準があり、総合問題においては、各規定を網羅した複合的な出題が考えられます。そこで、判定の順序及び適用課税期間（事業年度）を正確に押さえる必要があります。

なお、「新設法人又は特定新規設立法人が調整対象固定資産の仕入れ等を行った場合」の特例に関してはChapter14で学習します。

（新設法人に適用が想定される納税義務の判定基準）

判定基準	設立事業年度	翌事業年度	翌々事業年度	翌々々事業年度
基準期間（法9）	×*01)	×*01)	○	○
特定期間（法9の2）	×*02)	○	○	○
合併・分割等 （法11、12）	○	○	○	×*03)
新設法人等 （法12の2①、法12の3①）	○	○	×	×
調整対象固定資産 （法12の2②、法12の3③）	×*04)	×*04)	○*05)	○*06)

*01) 基準期間がないため、判定を行いません。

*02) 特定期間がないため、判定を行いません。

*03) 分割等があった場合の新設分割子法人の判定において、新設分割子法人が特定要件に該当する場合には適用されます。
*04) 新設法人の特例（法12の2①）又は特定新規設立法人の特例（法12の3①）の適用を受ける課税期間であるため、適用がありません。
*05) 設立事業年度又は翌事業年度のいずれかで調整対象固定資産の仕入れ等を行っている場合に適用されます。
*06) 設立事業年度の翌事業年度で調整対象固定資産の仕入れ等を行っている場合に適用されます。なお、設立事業年度に調整対象固定資産の仕入れ等を行っている場合には、この事業年度での適用はありません。

解答　問題7　合併があった場合の納税義務の免除の特例の理論

問1

① （　合併があった日　）　② （　事業年度終了の日　）
③ （　課税資産の譲渡等及び特定課税仕入れ　）　④ （　1,000万円以下　）
⑤ （　1,000万円を超える　）　⑥ （　基準期間の初日の翌日　）
⑦ （　事業年度開始の日の前日　）　⑧ （　課税事業者の選択　）
⑨ （　特定期間における課税売上高　）

問2

① （　合併があった日　）　② （　課税資産の譲渡等及び特定課税仕入れ　）
③ （　対応する期間　）　④ （　1,000万円を超える　）
⑤ （　事業年度開始の日　）　⑥ （　1,000万円以下　）
⑦ （　年換算しない金額　）　⑧ （　課税事業者の選択　）
⑨ （　特定期間における課税売上高　）

解説

問1

(1) 合併事業年度

吸収合併があった場合において、次の要件を満たすときは、その合併法人のその（①**合併があった日**）から（①**合併があった日**）の属する（②**事業年度終了の日**）までの間における（③**課税資産の譲渡等及び特定課税仕入れ**）については、納税義務は免除されない。

① 合併法人の基準期間における課税売上高が（④**1,000万円以下**）であること
② 被合併法人（被合併法人が2以上ある場合にはいずれか）の対応する期間の課税売上高が（⑤**1,000万円を超える**）こと

(2) 合併事業年度の翌事業年度以後

合併法人のその事業年度の（⑥**基準期間の初日の翌日**）からその（⑦**事業年度開始の日の前日**）までの間に吸収合併があった場合において、次の要件を満たすときは、その合併法人のその事業年度における（③**課税資産の譲渡等及び特定課税仕入れ**）については、納税義務は免除されない。

① 合併法人の基準期間における課税売上高が（④**1,000万円以下**）であること
② 合併法人の基準期間における課税売上高と被合併法人の対応する期間の課税売上高（被合併法人が2以上ある場合には合計額）との合計額が（⑤**1,000万円を超える**）こと

(3) 適用除外

この規定は、合併法人が次のいずれかに該当する場合には適用しない。
① （⑧**課税事業者の選択**）の適用を受けていること
② （⑨**特定期間における課税売上高**）が（⑤**1,000万円を超える**）こと

問2

(1) 合併事業年度

新設合併があった場合において、次の要件を満たすときは、その合併法人のその（①**合併があった日**）の属する事業年度における（②**課税資産の譲渡等及び特定課税仕入れ**）については、納税義務は免除されない。

① 被合併法人の（③**対応する期間**）の課税売上高のいずれかが（④**1,000万円を超える**）こと

(2) 合併事業年度の翌事業年度以後

合併法人のその（⑤**事業年度開始の日**）の2年前の日からその（⑤**事業年度開始の日**）の前日までの間に新設合併があった場合において、次の要件を満たすときは、その合併法人のその事業年度における（②**課税資産の譲渡等及び特定課税仕入れ**）については、納税義務は免除されない。

① 合併法人の基準期間における課税売上高が（⑥**1,000万円以下**）であること
② 合併法人の基準期間における課税売上高（（⑦**年換算しない金額**））と各被合併法人の対応する期間の課税売上高の合計額との合計額が（④**1,000万円を超える**）こと

(3) 適用除外

この規定は、合併法人が次のいずれかに該当する場合には適用しない。
① （⑧**課税事業者の選択**）の適用を受けていること
② （⑨**特定期間における課税売上高**）が（④**1,000万円を超える**）こと

Chapter 9　会社分割があった場合の納税義務の免除の特例

解答　問題1　分割等があった場合の納税義務の免除の特例(1)

問1　令和7年5月1日～令和8年3月31日

(単位：円)

〔納税義務の有無の判定〕
(1) 基準期間における課税売上高
　　設立事業年度のため基準期間がない事業年度
(2) 特定期間における課税売上高
　　設立事業年度のため特定期間がない事業年度
(3) 分割等があった場合の納税義務の免除の特例
　　$\dfrac{17,040,000}{12} \times 12 = 17,040,000$
　　$17,040,000 > 10,000,000$　∴　納税義務あり

問2　令和8年4月1日～令和9年3月31日

(単位：円)

〔納税義務の有無の判定〕
(1) 基準期間における課税売上高
　　設立2期目のため基準期間がない事業年度
(2) 特定期間における課税売上高
　　$3,551,000 \leq 10,000,000$
(3) 分割等があった場合の納税義務の免除の特例
　　$\dfrac{17,232,000}{12} \times 12 = 17,232,000$
　　$17,232,000 > 10,000,000$　∴　納税義務あり

問3　令和9年4月1日～令和10年3月31日

(単位：円)

〔納税義務の有無の判定〕
(1) 基準期間における課税売上高
　　$\dfrac{6,644,000}{11} \times 12 = 7,248,000 \leq 10,000,000$
(2) 特定期間における課税売上高
　　$3,507,000 \leq 10,000,000$
(3) 分割等があった場合の納税義務の免除の特例
　　① 特定要件

```
            100% ＞ 50%    ∴ 該当
     ②  課税売上高
        イ   7,248,000
        ロ   9,540,000 ／ 12 ×12＝9,540,000
        ハ   イ＋ロ＝16,788,000 ＞ 10,000,000    ∴ 納税義務あり
```

問4　令和10年4月1日～令和11年3月31日

（単位：円）

```
〔納税義務の有無の判定〕
 (1) 基準期間における課税売上高
     7,308,000 ≦ 10,000,000
 (2) 特定期間における課税売上高
     3,788,000 ≦ 10,000,000
 (3) 分割等があった場合の納税義務の免除の特例
     ①  特定要件
            100% ＞ 50%    ∴ 該当
     ②  課税売上高
        イ   7,308,000
        ロ   8,976,000 ／ 12 ×12＝8,976,000
        ハ   イ＋ロ＝16,284,000 ＞ 10,000,000    ∴ 納税義務あり
```

解説

問1　新設分割子法人Ｂ法人の分割事業年度の納税義務の判定は、基準期間がないことから、分割等の特例による判定を行います。

　　分割等の特例は、新設分割親法人であるＡ法人の対応する期間（令和5年1月1日から令和5年12月31日）の課税売上高（年換算後の金額）で判定します。

問2　新設分割子法人Ｂ法人の分割事業年度の翌事業年度の納税義務の判定は、基準期間がないことから、分割等の特例による判定を行います。

　　分割等の特例は、新設分割親法人であるＡ法人の対応する期間（令和6年1月1日から令和6年12月31日）の課税売上高（年換算後の金額）で判定します。

問3　新設分割子法人Ｂ法人の分割事業年度の翌々事業年度の納税義務の判定は、基準期間（令和7年5月1日から令和8年3月31日）があるため、まず基準期間における課税売上高で判定します。このときに、基準期間が11ヵ月なので、年換算を忘れないようにしましょう。

B法人が基準期間の末日において特定要件（B法人の発行済株式のすべてをA法人が所有）を満たしているため、分割等の特例による判定を行います。

分割等の特例は、B法人の基準期間における課税売上高（年換算後の金額）とA法人の対応する期間（令和8年1月1日から令和8年12月31日）の課税売上高（年換算後の金額）の合計額で判定します。

問4　新設分割子法人の4期目の納税義務の判定は、基準期間（令和8年4月1日から令和9年3月31日）があるため、まず基準期間における課税売上高で判定します。

B法人が基準期間の末日において特定要件を満たしているため、分割等の特例の判定を行います。

分割等の特例は、B法人の基準期間の課税売上高とA法人の対応する期間（令和9年1月1日から令和9年12月31日）の課税売上高（年換算後の金額）の合計額で判定します。

解答　問題2　特定事業年度中に分割等があった場合

問1　令和7年6月1日～令和8年1月31日

（単位：円）

〔納税義務の有無の判定〕

(1) 基準期間における課税売上高

　　設立事業年度のため基準期間がない事業年度

(2) 特定期間における課税売上高

　　設立事業年度のため特定期間がない事業年度

(3) 分割等があった場合の納税義務の免除の特例

　　$\dfrac{9,600,000}{12} \times 12 = 9,600,000 \leqq 10,000,000$

(4) 新設法人の納税義務の免除の特例

　　資本金　5,000,000 < 10,000,000

　　∴　新設法人に該当しない

　　∴　納税義務なし

問2　令和8年2月1日～令和9年1月31日

（単位：円）

〔納税義務の有無の判定〕

(1) 基準期間における課税売上高

　　設立2期目のため基準期間がない事業年度

(2) 特定期間における課税売上高

　　1,539,000 ≦ 10,000,000

(3) 分割等があった場合の納税義務の免除の特例

$$\frac{9,600,000}{12} \times 12 = 9,600,000 \leqq 10,000,000$$

(4) 新設法人の納税義務の免除の特例

　　資本金　5,000,000 < 10,000,000

　　∴　新設法人に該当しない

　　∴　納税義務なし

問3　令和9年2月1日～令和10年1月31日

(単位：円)

〔納税義務の有無の判定〕

(1) 基準期間における課税売上高

$$\frac{2,160,000}{8} \times 12 = 3,240,000 \leqq 10,000,000$$

(2) 特定期間における課税売上高

　　1,518,000 ≦ 10,000,000

(3) 分割等があった場合の納税義務の免除の特例

　① 特定要件

　　　80% > 50%　　∴　該当

　② 課税売上高

　　イ　3,240,000

　　ロ　$\frac{7,332,000}{12} \times 12 = 7,332,000$

　　ハ　$\frac{イ}{12} \times 10 + ロ = 10,032,000$

　　　10,032,000 > 10,000,000　　∴　納税義務あり

問4　令和10年2月1日～令和11年1月31日

(単位：円)

〔納税義務の有無の判定〕

(1) 基準期間における課税売上高

　　3,300,000 ≦ 10,000,000

(2) 特定期間における課税売上高

　　1,593,000 ≦ 10,000,000

(3) 分割等があった場合の納税義務の免除の特例

　① 特定要件

　　　80% > 50%　　∴　該当

② 課税売上高

イ　3,300,000

ロ　$\dfrac{6,696,000}{12} \times 12 = 6,696,000$

ハ　イ＋ロ＝9,996,000

9,996,000 ≦ 10,000,000　　∴　納税義務なし

解説

本問では、特定事業年度中に分割等があった場合における新設分割子法人の納税義務の有無が問われています。特に、問3の分割等の特例による判定では、新設分割子法人の課税売上高の計算が異なる（下記算式参照。）ので、注意が必要です。なお、資料より新設分割子法人（Y社）が基準期間の末日に特定要件（X社のY社株式保有比率50％超）を満たしているため、新設分割が行われた事業年度の翌々事業年度以後も分割等の特例による判定を行うことになります。

月数調整後の新設分割子法人の基準期間における課税売上高 ＝ $\dfrac{\text{新設分割子法人の基準期間における課税売上高}}{\text{上記基準期間の月数}} \times 12$（円未満切捨）$\times \dfrac{\text{分割等の日から特定事業年度終了の日までの月数}}{\text{特定事業年度の月数}}$

解答　問題3　分割等があった場合の納税義務の免除の特例(2)

問1　令和7年4月1日～令和8年3月31日

（単位：円）

〔納税義務の有無の判定〕

(1)　基準期間における課税売上高

　　9,816,000 ≦ 10,000,000

(2)　特定期間における課税売上高

　　5,127,000 ≦ 10,000,000

　　∴　納税義務なし

問2　令和8年4月1日～令和9年3月31日

（単位：円）

〔納税義務の有無の判定〕

(1)　基準期間における課税売上高

　　10,464,000 ＞ 10,000,000

　　∴　納税義務あり

問3　令和9年4月1日～令和10年3月31日

(単位：円)

〔納税義務の有無の判定〕
(1) 基準期間における課税売上高
　　8,818,000 ≦ 10,000,000
(2) 特定期間における課税売上高
　　3,257,000 ≦ 10,000,000
(3) 分割等があった場合の納税義務の免除の特例
　① 特定要件
　　　100% ＞ 50%　　∴ 該当
　② 課税売上高
　　イ　8,818,000
　　ロ　$\dfrac{3,146,000}{11} \times 12 = 3,432,000$
　　ハ　イ＋$\dfrac{ロ}{12} \times 5 = 10,248,000$
　　　　10,248,000 ＞ 10,000,000　　∴ 納税義務あり

問4　令和10年4月1日～令和11年3月31日

(単位：円)

〔納税義務の有無の判定〕
(1) 基準期間における課税売上高
　　6,648,000 ≦ 10,000,000
(2) 特定期間における課税売上高
　　3,387,000 ≦ 10,000,000
(3) 分割等があった場合の納税義務の免除の特例
　① 特定要件
　　　100% ＞ 50%　　∴ 該当
　② 課税売上高
　　イ　6,648,000
　　ロ　$\dfrac{3,408,000}{12} \times 12 = 3,408,000$
　　ハ　イ＋ロ＝10,056,000
　　　　10,056,000 ＞ 10,000,000　　∴ 納税義務あり

解説

　新設分割が行われた場合における新設分割親法人の納税義務の有無の判定では、分割事

業年度の翌々事業年度以後の判定に分割等の特例が設けられています。

したがって、本問の問1と問2の課税期間における納税義務の有無の判定には特例がないため、新設分割親法人の基準期間における課税売上高と特定期間における課税売上高で納税義務を判定します。

問3と問4については、新設分割子法人が基準期間の末日において特定要件を満たしている（甲法人が乙法人の発行するすべての株式を保有している）ため、甲法人の基準期間における課税売上高と特定期間における課税売上高がともに1,000万円以下の場合には、甲法人の基準期間における課税売上高と乙法人の対応する期間（※1）の課税売上高の合計額が1,000万円を超えるか否かで納税義務の有無を判定します。

なお、基準期間中に分割等があった場合の乙法人の課税売上高は、以下の算式で計算しますので注意が必要です。

$$\text{新設分割子法人の対応する期間の課税売上高} = \frac{\text{新設分割子法人の対応する期間の課税売上高}}{\text{上記期間の月数}} \times 12\text{（円未満切捨）} \times \frac{\text{分割等があった日から新設分割親法人の基準期間の末日までの月数}}{\text{基準期間に含まれる事業年度の月数}}$$

（※1） 乙法人の対応する期間
問3：令和7年11月1日から令和8年9月30日
問4：令和8年10月1日から令和9年9月30日

解答　問題4　分割等があった場合の納税義務の免除の特例(3)

問1　令和7年4月1日～令和8年3月31日

(単位：円)

〔納税義務の有無の判定〕
(1) 基準期間における課税売上高
　　10,068,000 ＞ 10,000,000
　　∴ 納税義務あり

問2　令和8年4月1日～令和9年3月31日

(単位：円)

〔納税義務の有無の判定〕
(1) 基準期間における課税売上高
　　9,708,000 ≦ 10,000,000
(2) 特定期間における課税売上高
　　3,701,000 ≦ 10,000,000
　　∴ 納税義務なし

問3　令和9年4月1日～令和10年3月31日

(単位：円)

〔納税義務の有無の判定〕
(1) 基準期間における課税売上高
　　7,119,000 ≦ 10,000,000
(2) 特定期間における課税売上高
　　3,144,000 ≦ 10,000,000
(3) 分割等があった場合の納税義務の免除の特例
　① 特定要件
　　100％ ＞ 50％　　∴ 該当
　② 課税売上高
　　イ　7,119,000
　　ロ　$\dfrac{1,824,000+3,972,000}{6+12} \times 12 = 3,864,000$
　　ハ　イ＋$\dfrac{ロ}{12}$×9＝10,017,000
　　　10,017,000 ＞ 10,000,000　　∴ 納税義務あり

問4　令和10年4月1日～令和11年3月31日

(単位：円)

〔納税義務の有無の判定〕
(1) 基準期間における課税売上高
　　6,048,000 ≦ 10,000,000
(2) 特定期間における課税売上高
　　2,824,000 ≦ 10,000,000
(3) 分割等があった場合の納税義務の免除の特例
　① 特定要件
　　100％ ＞ 50％　　∴ 該当
　② 課税売上高
　　イ　6,048,000
　　ロ　$\dfrac{4,140,000}{12} \times 12 = 4,140,000$
　　ハ　イ＋ロ＝10,188,000
　　　10,188,000 ＞ 10,000,000　　∴ 納税義務あり

解説

　本問も新設分割が行われた場合における新設分割親法人の納税義務の有無の判定を行う問題です。

問1と問2の課税期間では分割等の特例が設けられていないため、通常どおり新設分割親法人の基準期間における課税売上高と特定期間における課税売上高で、納税義務の有無を判定します。

問3と問4については、新設分割子法人であるY社が基準期間の末日に特定要件を満たしているため、分割等の特例による判定も行うこととなります。

なお、基準期間中に分割等があった場合の判定において合計する新設分割子法人の課税売上高は、新設分割親法人の基準期間中に開始した新設分割子法人の事業年度が対象となります。したがって、令和7年7月1日から令和7年12月31日の課税売上高だけでなく、令和8年1月1日から令和8年12月31日の課税売上高も合計する対象となり、この合計した課税売上高のうち、分割等があった日から新設分割親法人の基準期間の末日までの月数に相当する金額に換算して求めます。

解答　問題5　特定要件の判定

〔特定要件の判定〕

$$\underset{16,000株}{A} + \underset{1,000株}{B} + \underset{1,000株}{C} + \underset{1,000株}{D} + \underset{800株}{丙社} = 19,800株$$

$$\frac{19,800株}{20,000株} = 0.99 > 50\% \quad \therefore \quad 特定要件に該当する$$

解説

新設分割子法人及び新設分割親法人の分割等の翌々事業年度以後の納税義務の判定における特定要件に該当する場合とは、新設分割親法人及び新設分割親法人と特殊な関係にある者が、新設分割子法人の発行済株式又は出資の総数又は総額の50％超を所有している場合をいいます。

なお、この「特殊な関係にある者」には、次に掲げる者が含まれます。

(1) 新設分割親法人の株主等の1人が新設分割親法人を支配している場合におけるその株主等の1人
(2) (1)の株主等の親族
(3) (1)の株主等と婚姻の届出をしていないが事実上婚姻関係と同様の事情にある者
(4) (1)の株主等の使用人
(5) 上記(1)、(2)の者が他の会社を支配している場合におけるその他の会社

本問のAは、新設分割親法人の株式を80,000株（80％、50％超）保有しているため、新設分割親法人を支配する株主となります。

また、B、C、DはAの親族であり、丙社はCが発行済株式のすべてを所有していることから特殊な関係にある者に該当します。

なお、Fについては、乙社（新設分割親法人）の株主でもなく、Aとの親族関係も有していないため、特殊な関係にある者に該当しません。

解答　問題6　分割等があった場合の納税義務の免除の特例の理論

① （　　　分割等があった日　　　）　② （　　　事業年度終了の日　　　）
③ （　課税資産の譲渡等及び特定課税仕入れ　）　④ （　　　1,000万円を超える　　　）
⑤ （　　　1年前の日の前日　　　）　⑥ （　　　対応する期間　　　）
⑦ （　　　基準期間の末日　　　）　⑧ （　　　特定要件　　　）
⑨ （　　　1,000万円以下　　　）　⑩ （　　　課税事業者の選択　　　）
⑪ （　特定期間における課税売上高　）　⑫ （　　　新設分割子法人　　　）

解説

(1) 新設分割子法人

① 分割事業年度

分割等があった場合において、次の要件を満たすときは、その新設分割子法人のその（①分割等があった日）からその（①分割等があった日）の属する（②事業年度終了の日）までの間における（③課税資産の譲渡等及び特定課税仕入れ）については、納税義務は免除されない。

イ　新設分割親法人（2以上ある場合にはいずれか）の対応する期間の課税売上高が（④1,000万円を超える）こと

② 分割事業年度の翌事業年度

新設分割子法人のその事業年度開始の日の（⑤1年前の日の前日）からその事業年度開始の日の前日までの間に分割等があった場合において、次の要件を満たすときは、その新設分割子法人のその事業年度における（③課税資産の譲渡等及び特定課税仕入れ）については、納税義務は免除されない。

イ　新設分割親法人（2以上ある場合にはいずれか）の（⑥対応する期間）の課税売上高が（④1,000万円を超える）こと

③ 分割事業年度の翌々事業年度以後

新設分割子法人のその事業年度開始の日の1年前の日の前々日以前に分割等（新設分割親法人が2以上ある場合のものを除く。）があった場合において、次の要件を満たすときは、その新設分割子法人のその事業年度における（③**課税資産の譲渡等及び特定課税仕入れ**）については、納税義務は免除されない。

イ　その事業年度の（⑦**基準期間の末日**）において新設分割子法人が（⑧**特定要件**）に該当すること

ロ　新設分割子法人の基準期間における課税売上高が（⑨**1,000万円以下**）であること

ハ　新設分割子法人の基準期間における課税売上高として一定の金額とその新設分割親法人の（⑥**対応する期間**）の課税売上高との合計額が（④**1,000万円を超える**）こと

④ 適用除外

この規定は、新設分割子法人が次のいずれかに該当する場合には適用しない。

イ　（⑩**課税事業者の選択**）の適用を受けていること

ロ　（⑪**特定期間における課税売上高**）が（④**1,000万円を超える**）こと

(2) 新設分割親法人

① 内容

新設分割親法人のその事業年度開始の日の1年前の日の前々日以前に分割等（新設分割親法人が2以上ある場合のものを除く。）があった場合において、次の要件を満たすときは、その新設分割親法人のその事業年度における（③**課税資産の譲渡等及び特定課税仕入れ**）については、納税義務は免除されない。

イ　その事業年度の（⑦**基準期間の末日**）において新設分割子法人が（⑧**特定要件**）に該当すること

ロ　新設分割親法人の基準期間における課税売上高が1,000万円以下であること

ハ　新設分割親法人の基準期間における課税売上高とその（⑫**新設分割子法人**）の対応する期間の課税売上高との合計額が1,000万円を超えること

② 適用除外

この規定は、新設分割親法人が次のいずれかに該当する場合には適用しない。

イ　（⑩**課税事業者の選択**）の適用を受けていること

ロ　（⑪**特定期間における課税売上高**）が（④**1,000万円を超える**）こと

| 解答 | 問題7　吸収分割があった場合の納税義務の免除の特例(1) |

問1　令和7年4月1日～令和8年3月31日

(単位：円)

〔納税義務の有無の判定〕
(1) 基準期間における課税売上高
　　4,536,000 ≦ 10,000,000
(2) 特定期間における課税売上高
　　2,222,000 ≦ 10,000,000
(3) 分割等があった場合の納税義務の免除の特例
　　$\frac{10,680,000}{12} \times 12 = 10,680,000$
　　10,680,000 ＞ 10,000,000
　　∴　令和7年7月1日から令和8年3月31日までの期間納税義務あり

問2　令和8年4月1日～令和9年3月31日

(単位：円)

〔納税義務の有無の判定〕
(1) 基準期間における課税売上高
　　4,728,000 ≦ 10,000,000
(2) 特定期間における課税売上高
　　2,899,000 ≦ 10,000,000
(3) 分割等があった場合の納税義務の免除の特例
　　$\frac{9,732,000}{12} \times 12 = 9,732,000$
　　9,732,000 ≦ 10,000,000
　　∴　納税義務なし

問3　令和9年4月1日～令和10年3月31日

(単位：円)

〔納税義務の有無の判定〕
(1) 基準期間における課税売上高
　　7,020,000 ≦ 10,000,000
(2) 特定期間における課税売上高
　　3,832,000 ≦ 10,000,000
　　∴　納税義務なし

解説

本問は、吸収分割が行われた場合における分割承継法人の納税義務の有無の判定問題です。

吸収分割があった事業年度とその翌事業年度においては、分割等の特例が設けられており、分割法人（甲社）の対応する期間（※1）の課税売上高が1,000万円を超えている場合には、納税義務は免除されないこととなっています（吸収分割があった事業年度については、吸収分割があった日からその事業年度の末日までの期間納税義務が免除されません。）

なお、吸収分割があった事業年度の翌々事業年度以後については、分割等の特例が設けられていないため、問3に関しては分割承継法人（乙社）の基準期間における課税売上高と特定期間における課税売上高の判定のみを行うこととなります。

（※1） 甲社の対応する期間
　問1：令和5年1月1日から令和5年12月31日
　問2：令和6年1月1日から令和6年12月31日

解答　問題8　吸収分割があった場合の納税義務の免除の特例(2)

問1　（B社）令和8年1月1日～令和8年12月31日

（単位：円）

〔納税義務の有無の判定〕
(1) 基準期間における課税売上高
　　8,892,000 ≦ 10,000,000
(2) 特定期間における課税売上高
　　4,375,000 ≦ 10,000,000
(3) 分割等があった場合の納税義務の免除の特例
　　$\dfrac{10,740,000}{12} \times 12 = 10,740,000$
　　10,740,000 ＞ 10,000,000
　　∴　令和8年2月1日から令和8年12月31日までの期間納税義務あり

問2　（B社）令和9年1月1日～令和9年12月31日

（単位：円）

〔納税義務の有無の判定〕
(1) 基準期間における課税売上高
　　8,580,000 ≦ 10,000,000

(2) 特定期間における課税売上高

5,185,000 ≦ 10,000,000

(3) 分割等があった場合の納税義務の免除の特例

$$\frac{9,924,000}{12} \times 12 = 9,924,000$$

9,924,000 ≦ 10,000,000

∴ 納税義務なし

問3 （B社）令和10年1月1日～令和10年12月31日

（単位：円）

〔納税義務の有無の判定〕

(1) 基準期間における課税売上高

10,168,000 ＞ 10,000,000

∴ 納税義務あり

問4 （A社）令和9年4月1日～令和10年3月31日

（単位：円）

〔納税義務の有無の判定〕

(1) 基準期間における課税売上高

9,832,000 ≦ 10,000,000

(2) 特定期間における課税売上高

4,103,000 ≦ 10,000,000

∴ 納税義務なし

解説

本問は、吸収分割が行われた場合における分割承継法人と分割法人の納税義務の有無の判定問題です。

このうち、分割等の特例が設けられているのは吸収分割があった事業年度とその翌事業年度における分割承継法人の判定のみです。

分割法人（A社）の納税義務の判定においては分割等の特例が設けられていないため、通常どおり、基準期間における課税売上高と特定期間における課税売上高が1,000万円を超えているか否かで判定することとなります。

解答　問題9　吸収分割があった場合の納税義務の免除の特例の理論

① （　　　分割承継法人　　　）　② （　　　吸収分割があった日　　　）
③ （　　事業年度終了の日　　）　④ （　課税資産の譲渡等及び特定課税仕入れ　）
⑤ （　　　　対応する期間　　　）　⑥ （　　　　開始の日の前日　　　　）
⑦ （　　　課税事業者の選択　　　）　⑧ （　　特定期間における課税売上高　　）

解説

(1) 分割事業年度

　吸収分割があった場合において、次の要件を満たすときは、その（①**分割承継法人**）のその（②**吸収分割があった日**）からその吸収分割があった日の属する（③**事業年度終了の日**）までの間における（④**課税資産の譲渡等及び特定課税仕入れ**）については、納税義務は免除されない。

① （①**分割承継法人**）の基準期間における課税売上高が1,000万円以下であること
② 分割法人（2以上ある場合にはいずれか）の（⑤**対応する期間**）の課税売上高が1,000万円を超えること

(2) 分割事業年度の翌事業年度

　（①**分割承継法人**）のその事業年度開始の日の1年前の日の前日からその事業年度（⑥**開始の日の前日**）までの間に吸収分割があった場合において、次の要件を満たすときは、その分割承継法人のその事業年度における（④**課税資産の譲渡等及び特定課税仕入れ**）については、納税義務は免除されない。

① （①**分割承継法人**）の基準期間における課税売上高が1,000万円以下であること
② 分割法人（2以上ある場合にはいずれか）の（⑤**対応する期間**）の課税売上高が1,000万円を超えること

(3) 適用除外

　この規定は、分割承継法人が次のいずれかに該当する場合には適用しない。

① （⑦**課税事業者の選択**）の適用を受けていること
② （⑧**特定期間における課税売上高**）が1,000万円を超えること

Chapter10　合併があった場合の中間申告に係る納付税額の計算

解答　問題1　吸収合併があった場合(1)

〔ケース1〕
(単位：円)

〔中間納付税額の計算〕

(1) 1月中間申告

① 4月、5月、6月、7月、8月、9月

$$\frac{24,000,000}{12} = 2,000,000 \leq 4,000,000 \quad \therefore \quad 適用なし$$

② 10月

$$\frac{24,000,000}{12} + \frac{5,400,000}{12} = 2,450,000 \leq 4,000,000$$

∴ 適用なし

③ 11月、12月、1月、2月

$$\frac{24,000,000}{12} + \frac{3,000,000}{6} = 2,500,000 \leq 4,000,000$$

∴ 適用なし

(2) 3月中間申告

① 4月～6月、7月～9月

$$\frac{24,000,000}{12} \times 3 = 6,000,000 > 1,000,000$$

∴ 適用あり

中間納付税額　6,000,000（百円未満切捨）

② 10月～12月

$$\frac{24,000,000}{12} \times 3 + \frac{3,000,000}{6} \times 3 = 7,500,000 > 1,000,000$$

∴ 適用あり

中間納付税額　7,500,000（百円未満切捨）

(3) 中間納付税額の合計額

6,000,000 × 2 + 7,500,000 = 19,500,000

〔ケース2〕
(単位：円)

〔中間納付税額の計算〕

(1) 1月中間申告

$$\frac{36,000,000}{12} + \frac{14,400,000}{6} \times 6 \times \frac{1}{12} = 4,200,000 > 4,000,000$$

∴ 適用あり
中間納付税額　4,200,000（百円未満切捨）

(2) 中間納付税額の合計額
4,200,000×11＝46,200,000

解説

〔ケース1〕
本問では、被合併法人特定課税期間（令和7年4月1日から令和7年9月30日）の消費税額が確定したのは令和7年11月25日です。すなわち、10月末時点では未確定の状態です。そこで、1月中間申告の②（10月）における判定では、被合併法人の特定課税期間の直前の課税期間（令和6年4月1日から令和7年3月31日）における確定消費税額が計算の基礎となります。

〔ケース2〕
本問では、前課税期間中に被合併法人の消費税額が確定しており、かつ、被合併法人特定課税期間（令和6年4月1日から令和6年9月30日）が6ヵ月≧3ヵ月です。そのため、被合併法人特定課税期間の確定消費税額 14,400,000 円を用いて中間申告の判定を行います。

解答　問題2　吸収合併があった場合(2)

（単位：円）

〔中間納付税額の計算〕

(1) 1月中間申告
$$\frac{1,739,900+1,980,100}{12}+\frac{600,000}{4}\times 1 \times \frac{1}{12}=322,500 \leqq 4,000,000$$
∴ 適用なし

(2) 3月中間申告
$$\frac{1,739,900+1,980,100}{12}\times 3+\frac{600,000}{4}\times 1 \times \frac{3}{12}=967,500 \leqq 1,000,000$$
∴ 適用なし

(3) 6月中間申告
$$\frac{1,739,900+1,980,100}{12}\times 6+\frac{870,000+858,000}{12}\times 1 \times \frac{6}{12}$$
$$=1,932,000 > 240,000$$
∴ 適用あり
中間納付税額　1,932,000（百円未満切捨）

解説

6月中間申告における判定では、被合併法人特定課税期間（令和6年1月1日から令和6年4月30日）が4ヵ月＜6ヵ月であるため、被合併法人特定課税期間の直前の課税期間（令和5年1月1日から令和5年12月31日）における確定消費税額1,728,000円（＝870,000円＋858,000円）が計算の基礎となります。

解答　問題3　吸収合併があった場合(3)

（単位：円）

〔中間納付税額の計算〕

(1) 1月中間申告

$$\frac{503,100}{11} + \frac{1,680,400}{10} \times 6 \times \frac{1}{11} = 137,394 \leqq 4,000,000$$

∴ 適用なし

(2) 3月中間申告

$$\frac{503,100}{11} \times 3 + \frac{1,680,400}{10} \times 6 \times \frac{3}{11} = 412,182 \leqq 1,000,000$$

∴ 適用なし

(3) 6月中間申告

$$\frac{503,100}{11} \times 6 + \frac{1,680,400}{10} \times 6 \times \frac{6}{11} = 824,364 > 240,000$$

∴ 適用あり
中間納付税額　　824,300（百円未満切捨）

解説

本問では、合併法人の特定課税期間（令和6年5月15日から令和7年3月31日）の月数が11ヵ月である点に注意してほしい。

また、被合併法人の特定課税期間（令和6年1月1日から令和6年10月31日）の月数が10ヵ月≧3ヵ月（6ヵ月）のため、被合併法人特定課税期間における確定消費税額1,680,400円が計算の基礎となります。

解答 問題4 新設合併があった場合(1)

〔ケース1〕
(単位:円)

〔中間納付税額の計算〕

(1) 1月中間申告

$$\frac{12,600,000}{12} + \frac{9,450,000}{12} = 1,837,500 \leqq 4,000,000$$

∴ 適用なし

(2) 3月中間申告

$$\frac{12,600,000}{12} \times 3 + \frac{9,450,000}{12} \times 3 = 5,512,500 > 1,000,000$$

∴ 適用あり

中間納付税額　5,512,500（百円未満切捨）

(3) 中間納付税額の合計額

5,512,500 × 3 = 16,537,500

〔ケース2〕
(単位:円)

〔中間納付税額の計算〕

(1) 1月中間申告

$$\frac{1,620,000}{12} + \frac{480,000}{3} = 295,000 \leqq 4,000,000$$

∴ 適用なし

(2) 3月中間申告

$$\frac{1,620,000}{12} \times 3 + \frac{480,000}{3} \times 3 = 885,000 \leqq 1,000,000$$

∴ 適用なし

(3) 6月中間申告

$$\frac{1,620,000}{12} \times 6 + \frac{2,160,000}{12} \times 6 = 1,890,000 > 240,000$$

∴ 適用あり

中間納付税額　1,890,000（百円未満切捨）

解説

〔ケース2〕
　6月中間申告における判定では、被合併法人B社の特定課税期間（令和7年1月1日から令和7年3月31日）が3ヵ月＜6ヵ月であるため、被合併法人B社の特定課税期間

の直前の課税期間（令和6年1月1日から令和6年12月31日）における確定消費税額2,160,000円が計算の基礎となります。

解答 問題5 新設合併があった場合(2)

（単位：円）

〔中間納付税額の計算〕

(1) 1月中間申告

$$\frac{840,000}{3} + \frac{270,000}{6} = 325,000 \leqq 4,000,000$$

∴ 適用なし

(2) 3月中間申告

$$\frac{840,000}{3} \times 3 + \frac{270,000}{6} \times 3 = 975,000 \leqq 1,000,000$$

∴ 適用なし

(3) 6月中間申告

$$\frac{1,560,000 + 1,500,000}{12} \times 6 + \frac{270,000}{6} \times 6 = 1,800,000$$

$$1,800,000 > 240,000$$

∴ 適用あり

中間納付税額　　1,800,000（百円未満切捨）

解説

6月中間申告における判定では、被合併法人A社の特定課税期間（令和7年4月1日から令和7年6月30日）が3ヵ月＜6ヵ月であるため、被合併法人A社の特定課税期間の直前の課税期間（令和6年4月1日から令和7年3月31日）における確定消費税額3,060,000円（＝1,560,000円＋1,500,000円）が計算の基礎となります。

Chapter11 簡易課税制度

解答 問題 1 控除対象仕入税額の計算

Ⅰ 納税義務及び簡易課税制度適用有無の判定

〔納税義務の有無の判定〕

計　算　過　程　　　　　　　　（単位：円）
(1) 基準期間における課税売上高 　　37,100,000 ＞ 10,000,000 　　∴ 納税義務あり

〔簡易課税制度適用有無の判定〕

計　算　過　程　　　　　　　　（単位：円）
消費税簡易課税制度選択届出書提出 基準期間における課税売上高　　37,100,000 ≦ 50,000,000 ∴ 適用あり

Ⅱ 課税標準額に対する消費税額の計算

〔課税標準額〕

計　算　過　程　　（単位：円）	金額	円
$41,350,000 \times \frac{100}{110} = 37,590,909$ 　　→ 37,590,000（千円未満切捨）		37,590,000

〔課税標準額に対する消費税額〕

計　算　過　程　　（単位：円）	金額	円
$37,590,000 \times 7.8\% = 2,932,020$		2,932,020

〔控除過大調整税額〕

計　算　過　程　　（単位：円）	金額	円
$230,000 \times \frac{7.8}{110} = 16,309$		16,309

Ⅲ 仕入れに係る消費税額の計算等

〔控除対象仕入税額〕

計　算　過　程 （単位：円）		
(1) 基礎税額 　　2,932,020＋16,309－50,345＝2,897,984		
(2) 控除対象仕入税額 　　2,897,984×90％＝2,608,185	金額	円 2,608,185

〔売上げの返還等対価に係る税額〕

計　算　過　程　（単位：円）		
$710,000 \times \dfrac{7.8}{110} = 50,345$	金額	円 50,345

〔控除税額小計〕

計　算　過　程　（単位：円）		
2,608,185＋50,345＝2,658,530	金額	円 2,658,530

Ⅳ 差引税額の計算

〔差引税額〕

計　算　過　程　（単位：円）		
2,932,020＋16,309－2,658,530 ＝289,799 → 289,700（百円未満切捨）	金額	円 289,700

Ⅴ 納付税額の計算

〔納付税額〕

計　算　過　程　（単位：円）		
289,700	金額	円 289,700

解説

本問は卸売業を営む事業者で、すべて他の事業者に対する課税売上高であることから、みなし仕入率は第一種事業の90％を適用します。

また、簡易課税制度を適用する場合、控除対象仕入税額は以下のように計算します。

$$控除対象仕入税額 = \left\{\underbrace{課税標準額に対する消費税額 + 貸倒回収に係る消費税額 - 売上げに係る対価の返還等に係る消費税額}_{基礎税額（残額）}\right\} \times みなし仕入率$$

解答　問題2　簡易課税制度の理論

問1

①	（消費税）簡易課税制度選択届出書を提出している
②	基準期間における課税売上高が5,000万円以下である

問2

①	（　　適用を受けることをやめよう　　）	②	（　　事業を廃止　　）
③	（　　簡易課税制度選択不適用届出書　　）	④	（　　納税地の所轄税務署長　　）
⑤	（　　初日　　）	⑥	（　　2年を経過する日　　）
⑦	（　　初日以後　　）	⑧	（　　末日の翌日以後　　）
⑨	（　　効力　　）	⑩	（　　やむを得ない事情　　）
⑪	（　　初日の前日　　）	⑫	（　　承認　　）
⑬	（　　みなす　　）		

解説

問1

簡易課税制度はこれら2つの要件をすべて満たした場合に適用することができます。

なお、簡易課税制度の適用が認められた場合には、原則的な仕入税額控除の計算を行うことはできなくなります。

また、実際の課税仕入れ等をもとに計算を行うわけではないので、帳簿及び請求書等の保存は要件とされません。

問2
1 選択不適用の届出
  (1) 提出
   　簡易課税制度選択届出書を提出した事業者は、その規定の（①**適用を受けることをやめよう**）とするとき又は（②**事業を廃止**）したときは、（③**簡易課税制度選択不適用届出書**）をその（④**納税地の所轄税務署長**）に提出しなければならない。
  (2) 提出制限
   　簡易課税制度選択届出書を提出した事業者は、（②**事業を廃止**）した場合を除き、簡易課税制度の適用を受けることとなった課税期間の（⑤**初日**）から（⑥**2年を経過する日**）の属する課税期間の（⑦**初日以後**）でなければ（③**簡易課税制度選択不適用届出書**）を提出することができない。
  (3) 届出の効力
   　（③**簡易課税制度選択不適用届出書**）の提出があったときは、その提出があった日の属する課税期間の（⑧**末日の翌日以後**）は、簡易課税制度の選択の届出は、その（⑨**効力**）を失う。
2 宥恕規定
 　事業者が、（⑩**やむを得ない事情**）があるため簡易課税制度選択届出書又は（③**簡易課税制度選択不適用届出書**）を簡易課税制度の適用を受けようとし又は受けることをやめようとする課税期間の（⑪**初日の前日**）までに提出できなかった場合において、その（④**納税地の所轄税務署長**）の（⑫**承認**）を受けたときは、これらの届出書をその課税期間の（⑪**初日の前日**）にその税務署長に提出したものと（⑬**みなす**）。

解答	問題3	事業区分の判定(1)

(1)	①	(2)	②	(3)	③	(4)	③	(5)	④
(6)	⑤	(7)	⑥	(8)	④	(9)	①	(10)	②
(11)	②	(12)	④	(13)	③	(14)	④	(15)	③
(16)	⑥	(17)	③	(18)	②				

解説

簡易課税制度の事業区分の分類については、各事業区分の概要と各取引の内容を照らし合わせながら判定するようにしましょう。

(1) 仕入れた商品を加工せずに、他の事業者へ販売する行為は「卸売業」に該当するため、「第一種事業」に区分します。

(2) 仕入れた商品を加工せずに、一般消費者へ販売する行為は「小売業」に該当するため、「第二種事業」に区分します。

(3)(4) 「製造業」は販売相手にかかわらず「第三種事業」に区分します。

(5) 「飲食店業」はサービス業の一種ですが、「第四種事業」に区分します。

(6) 「宿泊業」は「サービス業」の一種なので、基本的に「第五種事業」に区分します。

(7) 不動産の賃貸は「第六種事業」に区分します。

(8) 事業用固定資産の売却は、通常行う事業に関係なく「第四種事業」に区分します。

(9)(10) 小売業や卸売業を営む事業者が、その事業に伴って生じた段ボール等の不要物品を売却した場合には、その不用物品が生じた事業区分に属するものとして処理することも認められています。そのため、本問では「卸売業」を営む事業者の売却収入は「第一種事業」に、「小売業」を営む事業者の売却収入は「第二種事業」に属するものとします。

(11) 不動産業を営む事業者の取引でも、他の者から購入した建物をそのまま消費者へ売却することは「小売業」に該当するため、「第二種事業」に区分します。

(12) 飲食店業を営む事業者が、自ら調理した飲食物を店内でなく出前等により提供した場合も、「第四種事業」に区分します。

(13) 製造業を営む事業者が事業に伴い生じた作業くずや副産物を売却する取引も、「第三種事業」に区分します。

(14) 無償支給された材料等に加工を施してその対価を受領する役務の提供は、製造業である第三種事業ではなく、「第四種事業」に区分します。

(15) 自ら調達した材料で建物を建設して販売する「建設業」は、「第三種事業」に区分します。

(16) 不動産の売買に伴う仲介は、不動産業に該当するため「第六種事業」に区分します。

(17) 飲食店業を営む事業者の取引でも、調理した飲食物を持ち帰り用に販売する取引は「製造業」に該当するため、「第三種事業」に区分します。

(18) 自社役員への贈与は「みなし譲渡」に該当します。「みなし譲渡」は役員個人への譲渡であり、加工等を行っていない商品のみなし譲渡は、「第二種事業」に区分します。

| 解答 | 問題 4 | 事業区分の判定(2) |

(1)	②	(2)	③	(3)	④	(4)	②	(5)	⑧
(6)	③	(7)	④	(8)	②	(9)	⑦	(10)	⑥
(11)	①	(12)	⑥	(13)	⑥	(14)	③	(15)	⑦

解説

(1)(2) 食料品小売店舗においては、加熱を伴わない程度の軽微な加工であれば「性質及び形状を変更しない」に該当するため「第一種事業」又は「第二種事業」に区分します。一方、加熱を伴う加工については製造業の一種とみなして、「第三種事業」に区分します。

(3) 事業用固定資産の売却は、通常行う事業区分に関係なく「第四種事業」に区分します。

(4) 個人事業者の家事消費は「みなし譲渡」に該当します。加工等を行っていない商品のみなし譲渡は「第二種事業」に区分します。

(5) 自家用乗用車の売却は、事業者が「事業として」行う資産の譲渡ではないため、「不課税取引」となります。

(6) 飲食設備を有さない事業者が自ら調理した飲食物を宅配等により提供する取引は、製造業と考え「第三種事業」に区分します。

(7) 店内飲食用に提供するものの売上げは、調理の有無に関係なく「第四種事業」に区分します。

(8) 仕入れた商品を加工せずに、持ち帰り用に販売した場合には、第一種事業又は第二種事業となります。本問では、消費者に販売していることから、「小売業」となるため「第二種事業」に区分します。

(9) 土地の売却は、「非課税取引」となります。

(10) ビルの管理業務を請負う事業は、不動産業の一種に含まれるため、「第六種事業」に区分します。

(11) 他の事業者から購入した棚卸資産(建物)をそのまま他の事業者へ販売する事業は、「卸売業」に該当するため、「第一種事業」に区分します。

(12) 駐車場の貸付けは不動産業であるため、「第六種事業」に区分します。

(13) 土地の貸付けは基本的に非課税取引になりますが、貸付期間が1ヵ月未満であれば課税取引となります。この場合には、不動産業に含まれるため、「第六種事業」に区分します。

(14) 自社で受注した工事すべてを下請先に委託する、いわゆる元請会社にあたる事業も「建設業」の一種として「第三種事業」に区分します。

(15) 有価証券の売却は「非課税取引」となります。

解答 問題5 2以上の事業を営む場合（原則）

I 課税標準額に対する消費税額の計算

〔課税標準額〕

計　算　過　程　（単位：円）	金額	円
$56,490,000 \times \dfrac{100}{110} = 51,354,545$ 　　→ 51,354,000（千円未満切捨）		51,354,000

〔課税標準額に対する消費税額〕

計　算　過　程　（単位：円）	金額	円
$51,354,000 \times 7.8\% = 4,005,612$		4,005,612

II 仕入れに係る消費税額の計算等

〔控除対象仕入税額〕

計　算　過　程　（単位：円）

(1) 業種別消費税額

① 第一種事業

イ　$15,224,000 \times \dfrac{7.8}{110} = 1,079,520$

ロ　$566,000 \times \dfrac{7.8}{110} = 40,134$

ハ　イ－ロ＝1,039,386

② 第二種事業

イ　$8,612,000 \times \dfrac{7.8}{110} = 610,669$

ロ　$422,000 \times \dfrac{7.8}{110} = 29,923$

ハ　イ－ロ＝580,746

③ 第三種事業

イ　$17,851,000 \times \dfrac{7.8}{110} = 1,265,798$

ロ　$1,072,000 \times \dfrac{7.8}{110} = 76,014$

ハ　イ－ロ＝1,189,784

〔控除対象仕入税額〕（続き）

計　算　過　程　　　　　　　　　　　　（単位：円）
④　第四種事業 　　イ　$6,827,000 \times \dfrac{7.8}{110} = 484,096$ 　　ロ　$211,000 \times \dfrac{7.8}{110} = 14,961$ 　　ハ　イ－ロ＝469,135 ⑤　第六種事業 　　イ　$7,976,000 \times \dfrac{7.8}{110} = 565,570$ 　　ロ　$397,000 \times \dfrac{7.8}{110} = 28,150$ 　　ハ　イ－ロ＝537,420 ⑥　合計 　　①＋②＋③＋④＋⑤＝3,816,471 (2)　控除対象仕入税額 　①　基礎税額 　　　4,005,612－189,185＝3,816,427 　②　控除対象仕入税額 　　　$3,816,427 \times \dfrac{1,039,386 \times 90\% + 580,746 \times 80\% + 1,189,784 \times 70\% + 469,135 \times 60\% + 537,420 \times 40\%}{3,816,471}$ 　　　＝2,729,308

	金額	円 2,729,308

〔売上げの返還等対価に係る税額〕

計　算　過　程　　（単位：円）	金額	円
$2,668,000 \times \dfrac{7.8}{110} = 189,185$		189,185

〔控除税額小計〕

計　算　過　程　（単位：円）	金額	円
2,729,308＋189,185＝2,918,493		2,918,493

Ⅲ　差引税額の計算

〔差引税額〕

計　算　過　程　（単位：円）	金額	円
4,005,612－2,918,493 ＝1,087,119　→　1,087,100（百円未満切捨）		1,087,100

Ⅳ　納付税額の計算

〔納付税額〕

計　算　過　程　（単位：円）	金額	円
1,087,100		1,087,100

解説

各事業区分のみなし仕入率は次のとおりです。

区　分	みなし仕入率
第一種事業	90％
第二種事業	80％
第三種事業	70％
第四種事業	60％
第五種事業	50％
第六種事業	40％

複数の事業を営んでいる場合のみなし仕入率は、各事業のみなし仕入率を各事業ごとの課税売上げに係る消費税額で加重平均した率を用います。

$$\frac{\text{各事業の課税売上げ}}{\text{に係る消費税額}} = \text{各事業の課税売上げ} \times \frac{7.8}{110} - \text{各事業の売上げに係る対価の返還等} \times \frac{7.8}{110}$$

$$\text{みなし仕入率} = \frac{A \times 90\% + B \times 80\% + C \times 70\% + D \times 60\% + E \times 50\% + F \times 40\%}{A + B + C + D + E + F}$$

A…第一種事業の課税売上げに係る消費税額
B…第二種事業の課税売上げに係る消費税額
C…第三種事業の課税売上げに係る消費税額
D…第四種事業の課税売上げに係る消費税額
E…第五種事業の課税売上げに係る消費税額
F…第六種事業の課税売上げに係る消費税額

なお、控除対象仕入税額の計算における基礎税額については、売上げに係る対価の返還等に係る消費税額を先に求めておくとスムーズに計算できます。

また、本問では特例計算が適用されない旨が明示されているため、解答において業種別課税売上高の計算は省略しています。

解答 問題6 2以上の事業を営む場合（特例1）

I 課税標準額に対する消費税額の計算

〔課税標準額〕

計　算　過　程	（単位：円）
38,200,000＋8,500,000＝46,700,000 46,700,000×$\frac{100}{110}$＝42,454,545 → 42,454,000（千円未満切捨）	
金額	42,454,000 円

〔課税標準額に対する消費税額〕

計　算　過　程　（単位：円）	金額	円
42,454,000×7.8％＝3,311,412		3,311,412

Ⅱ 仕入れに係る消費税額の計算等

〔控除対象仕入税額〕

計　算　過　程　　　　　　　　（単位：円）

(1) 業種別課税売上高

　① 第一種事業

　　イ　$38,200,000 \times \dfrac{100}{110} = 34,727,272$

　　ロ　$560,000 \times \dfrac{100}{110} = 509,090$

　　ハ　イ－ロ＝34,218,182

　② 第四種事業

　　イ　$8,500,000 \times \dfrac{100}{110} = 7,727,272$

　　ロ　$320,000 \times \dfrac{100}{110} = 290,909$

　　ハ　イ－ロ＝7,436,363

　③ 合計

　　①＋②＝41,654,545

(2) 業種別消費税額

　① 第一種事業

　　イ　$38,200,000 \times \dfrac{7.8}{110} = 2,708,727$

　　ロ　$560,000 \times \dfrac{7.8}{110} = 39,709$

　　ハ　イ－ロ＝2,669,018

　② 第四種事業

　　イ　$8,500,000 \times \dfrac{7.8}{110} = 602,727$

　　ロ　$320,000 \times \dfrac{7.8}{110} = 22,690$

　　ハ　イ－ロ＝580,037

　③ 合計

　　①＋②＝3,249,055

(3) 控除対象仕入税額

〔控除対象仕入税額〕（続き）

計　算　過　程　　　　　　　　　（単位：円）
① 基礎税額   　　3,311,412 − 62,400 = 3,249,012   ② 原則法   　　$3,249,012 \times \dfrac{2,669,018 \times 90\% + 580,037 \times 60\%}{3,249,055} = 2,750,101$ ③ 特例（特定1事業）   　　第一種事業　$\dfrac{34,218,182}{41,654,545} = 0.8214\cdots \geqq 75\%$　　∴ 適用   　　3,249,012 × 90% = 2,924,110

	④ 有利判定 　　② ＜ ③　　∴　2,924,110	金額	円 2,924,110

〔売上げの返還等対価に係る税額〕

計　算　過　程　　（単位：円）	金額	円
$(560,000 + 320,000) \times \dfrac{7.8}{110} = 62,400$		62,400

〔控除税額小計〕

計　算　過　程　　（単位：円）	金額	円
2,924,110 + 62,400 = 2,986,510		2,986,510

Ⅲ　差引税額の計算

〔差引税額〕

計　算　過　程　　（単位：円）	金額	円
3,311,412 − 2,986,510 ＝ 324,902 → 324,900（百円未満切捨）		324,900

Ⅳ 納付税額の計算

〔納付税額〕

計　算　過　程　　（単位：円）	金額	円
324,900		324,900

解説

　2以上の事業を営む事業者で、特定1事業の課税売上高が全体の75%以上を占める事業者については、特例によりすべての課税売上高が75%以上を占める事業であったと考えて計算した金額を、控除対象仕入税額とすることができます。本問の場合、第一種事業の課税売上高が75%以上を占めていることから、特例によって、業種別消費税額の全体に対して、第一種事業のみなし仕入率である90%を適用することができます。

　ただし、原則的な計算の方が有利になることも考えられるため、原則的な計算も行った上で、有利な方（控除対象仕入税額が大きくなる方）を選択するようにしましょう。

解答　問題7　2以上の事業を営む場合（特例2）

Ⅰ　課税標準額に対する消費税額の計算

〔課税標準額〕

計　算　過　程　　　　　　　　　　　　　　　　　（単位：円）
9,910,000 ＋ 31,400,000 ＝ 41,310,000
41,310,000 × $\dfrac{100}{110}$ ＝ 37,554,545 → 37,554,000（千円未満切捨）

金額	円
	37,554,000

〔課税標準額に対する消費税額〕

計　算　過　程　　（単位：円）	金額	円
37,554,000 × 7.8% ＝ 2,929,212		2,929,212

〔控除過大調整税額〕

計　算　過　程　（単位：円）	金額	円
$356,000 \times \dfrac{7.8}{110} = 25,243$		25,243

Ⅱ　仕入れに係る消費税額の計算等

〔控除対象仕入税額〕

計　算　過　程　　（単位：円）
(1)　業種別課税売上高 　　①　第二種事業 　　　　イ　$9,910,000 \times \dfrac{100}{110} = 9,009,090$ 　　　　ロ　$329,000 \times \dfrac{100}{110} = 299,090$ 　　　　ハ　イ－ロ＝8,710,000 　　②　第五種事業 　　　　イ　$31,400,000 \times \dfrac{100}{110} = 28,545,454$ 　　　　ロ　$864,000 \times \dfrac{100}{110} = 785,454$ 　　　　ハ　イ－ロ＝27,760,000 　　③　合計 　　　　①＋②＝36,470,000 (2)　業種別消費税額 　　①　第二種事業 　　　　イ　$9,910,000 \times \dfrac{7.8}{110} = 702,709$ 　　　　ロ　$329,000 \times \dfrac{7.8}{110} = 23,329$ 　　　　ハ　イ－ロ＝679,380 　　②　第五種事業 　　　　イ　$31,400,000 \times \dfrac{7.8}{110} = 2,226,545$ 　　　　ロ　$864,000 \times \dfrac{7.8}{110} = 61,265$

〔控除対象仕入税額〕（続き）

計　算　過　程　　　　　　　　　（単位：円）
ハ　イーロ＝2,165,280 ③　合計 　　①＋②＝2,844,660 (3)　控除対象仕入税額 　①　基礎税額 　　2,929,212＋25,243－84,594＝2,869,861 　②　原則法 　　$2,869,861 \times \dfrac{679,380 \times 80\% + 2,165,280 \times 50\%}{2,844,660} = 1,640,550$ 　③　特例（特定1事業） 　　第五種事業　$\dfrac{27,760,000}{36,470,000} = 0.7611\cdots \geqq 75\%$　∴　適用 　　$2,869,861 \times 50\% = 1,434,930$

	金額	円
④　有利判定 　　②＞③　　∴　1,640,550		1,640,550

〔売上げの返還等対価に係る税額〕

計　算　過　程　（単位：円）	金額	円
$(329,000 + 864,000) \times \dfrac{7.8}{110} = 84,594$		84,594

〔控除税額小計〕

計　算　過　程　（単位：円）	金額	円
1,640,550＋84,594＝1,725,144		1,725,144

Ⅲ 差引税額の計算

〔差引税額〕

計 算 過 程 （単位：円）	金額	円
2,929,212＋25,243－1,725,144 ＝1,229,311 → 1,229,300（百円未満切捨）		1,229,300

Ⅳ 納付税額の計算

〔納付税額〕

計 算 過 程 （単位：円）	金額	円
1,229,300		1,229,300

解説

　本問のようにみなし仕入率の低い事業が全体の75％以上を占める場合には、特例計算を行うよりも、原則的な計算を行った方が有利になります。

　なお、貸倒れの回収については各事業の課税売上げや消費税額を求める際に、計算に含めない点に注意しましょう。

解答　問題8　2以上の事業を営む場合（特例3）

Ⅰ　課税標準額に対する消費税額の計算

〔課税標準額〕

計 算 過 程 （単位：円）
17,500,000＋25,700,000＋3,100,000＝46,300,000 46,300,000×$\frac{100}{110}$＝42,090,909 → 42,090,000（千円未満切捨）

	金額	円
		42,090,000

〔課税標準額に対する消費税額〕

計　算　過　程　（単位：円）	金額	円
42,090,000 × 7.8％ ＝ 3,283,020		3,283,020

Ⅱ　仕入れに係る消費税額の計算等

〔控除対象仕入税額〕

計　算　過　程　（単位：円）
(1)　業種別課税売上高 　　① 第一種事業 　　　　イ　17,500,000 × $\dfrac{100}{110}$ ＝ 15,909,090 　　　　ロ　680,000 × $\dfrac{100}{110}$ ＝ 618,181 　　　　ハ　イ－ロ＝15,290,909 　　② 第三種事業 　　　　イ　25,700,000 × $\dfrac{100}{110}$ ＝ 23,363,636 　　　　ロ　860,000 × $\dfrac{100}{110}$ ＝ 781,818 　　　　ハ　イ－ロ＝22,581,818 　　③ 第五種事業 　　　　イ　3,100,000 × $\dfrac{100}{110}$ ＝ 2,818,181 　　　　ロ　85,000 × $\dfrac{100}{110}$ ＝ 77,272 　　　　ハ　イ－ロ＝2,740,909 　　④ 合計 　　　　①＋②＋③＝40,613,636 (2)　業種別消費税額 　　① 第一種事業 　　　　イ　17,500,000 × $\dfrac{7.8}{110}$ ＝ 1,240,909 　　　　ロ　680,000 × $\dfrac{7.8}{110}$ ＝ 48,218

〔控除対象仕入税額〕（続き）

計 算 過 程　　　　　　　　（単位：円）

　　ハ　イ－ロ＝1,192,691

② 第三種事業

　イ　$25,700,000 \times \dfrac{7.8}{110} = 1,822,363$

　ロ　$860,000 \times \dfrac{7.8}{110} = 60,981$

　ハ　イ－ロ＝1,761,382

③ 第五種事業

　イ　$3,100,000 \times \dfrac{7.8}{110} = 219,818$

　ロ　$85,000 \times \dfrac{7.8}{110} = 6,027$

　ハ　イ－ロ＝213,791

④ 合計

　①＋②＋③＝3,167,864

(3) 控除対象仕入税額

① 基礎税額

　3,283,020－115,227＝3,167,793

② 原則法

　$3,167,793 \times \dfrac{1,192,691 \times 90\% + 1,761,382 \times 70\% + 213,791 \times 50\%}{3,167,864} = 2,413,228$

③ 特例（第一種事業、第三種事業）

　$\dfrac{15,290,909 + 22,581,818}{40,613,636} = 0.9325\cdots \geqq 75\%$　　∴ 適用

　$3,167,793 \times \dfrac{1,192,691 \times 90\% + (3,167,864 - 1,192,691) \times 70\%}{3,167,864} = 2,455,986$

④ 有利判定

　②＜③　　∴ 2,455,986

金額	円
	2,455,986

〔売上げの返還等対価に係る税額〕

計　算　過　程　　（単位：円）	金額	円
$(680,000+860,000+85,000) \times \dfrac{7.8}{110} = 115,227$		115,227

〔控除税額小計〕

計　算　過　程　　（単位：円）	金額	円
$2,455,986 + 115,227 = 2,571,213$		2,571,213

Ⅲ　差引税額の計算

〔差引税額〕

計　算　過　程　　（単位：円）	金額	円
$3,283,020 - 2,571,213$ $= 711,807 \rightarrow 711,800$（百円未満切捨）		711,800

Ⅳ　納付税額の計算

〔納付税額〕

計　算　過　程　　（単位：円）	金額	円
711,800		711,800

解説

　3以上の事業を営む事業者で、特定2事業の課税売上高の合計額が全体の75％以上を占める事業者については、全体の75％以上を占める特定2事業のうち、みなし仕入率の高い事業についてはそのみなし仕入率を使って計算し、残りの事業はすべて特定2事業のうちみなし仕入率の低い事業であったと考えて、そのみなし仕入率を使って原則の計算方法に準じて計算することができます。

　ただし、原則的な計算を行った方が有利になる可能性も考えられるため、必ず原則的な計算も行ったうえで控除対象仕入税額が多くなる方を選択するようにしましょう。

| 解答 | 問題9 | 2以上の事業を営む場合（特例4） |

I 課税標準額に対する消費税額の計算

〔課税標準額〕

計　算　過　程	（単位：円）
$5,832,000 + 43,487,000 + 1,781,000 = 51,100,000$ $51,100,000 \times \dfrac{100}{110} = 46,454,545 \rightarrow 46,454,000$（千円未満切捨）	
	金額　　　　　　　　　　　　　　　円 　　　　　　　　　　46,454,000

〔課税標準額に対する消費税額〕

計　算　過　程　（単位：円）	金額　　　　　　　　　円
$46,454,000 \times 7.8\% = 3,623,412$	3,623,412

II 仕入れに係る消費税額の計算等

〔控除対象仕入税額〕

計　算　過　程　　　　　　　　　　　　　　　　（単位：円）
(1) 業種別課税売上高
① 第一種事業
イ　$5,832,000 \times \dfrac{100}{110} = 5,301,818$
ロ　$182,000 \times \dfrac{100}{110} = 165,454$
ハ　イ－ロ＝5,136,364
② 第二種事業
イ　$43,487,000 \times \dfrac{100}{110} = 39,533,636$
ロ　$407,000 \times \dfrac{100}{110} = 370,000$
ハ　イ－ロ＝39,163,636
③ 第四種事業
イ　$1,781,000 \times \dfrac{100}{110} = 1,619,090$

〔控除対象仕入税額〕（続き）

計　算　過　程　　　　　　　　　　（単位：円）

ロ　$31,000 \times \dfrac{100}{110} = 28,181$

ハ　イーロ＝1,590,909

④　合計

①＋②＋③＝45,890,909

(2)　業種別消費税額

①　第一種事業

イ　$5,832,000 \times \dfrac{7.8}{110} = 413,541$

ロ　$182,000 \times \dfrac{7.8}{110} = 12,905$

ハ　イーロ＝400,636

②　第二種事業

イ　$43,487,000 \times \dfrac{7.8}{110} = 3,083,623$

ロ　$407,000 \times \dfrac{7.8}{110} = 28,860$

ハ　イーロ＝3,054,763

③　第四種事業

イ　$1,781,000 \times \dfrac{7.8}{110} = 126,289$

ロ　$31,000 \times \dfrac{7.8}{110} = 2,198$

ハ　イーロ＝124,091

④　合計

①＋②＋③＝3,579,490

(3)　控除対象仕入税額

①　基礎税額

3,623,412－43,963＝3,579,449

②　原則法

$3,579,449 \times \dfrac{400,636 \times 90\% + 3,054,763 \times 80\% + 124,091 \times 60\%}{3,579,490} = 2,878,803$

〔控除対象仕入税額〕（続き）

計　算　過　程　　　　　　　　　　　　　　　　　（単位：円）
③　特例（第二種事業） $\dfrac{39,163,636}{45,890,909}=0.8534\cdots \geqq 75\%$　　∴　適用 $3,579,449 \times 80\% = 2,863,559$ ④　特例（第一種事業、第二種事業） $\dfrac{5,136,364+39,163,636}{45,890,909}=0.9653\cdots \geqq 75\%$　　∴　適用 $3,579,449 \times \dfrac{400,636 \times 90\% + (3,579,490-400,636) \times 80\%}{3,579,490} = 2,903,621$ ⑤　特例（第二種事業、第四種事業） $\dfrac{39,163,636+1,590,909}{45,890,909}=0.8880\cdots \geqq 75\%$　　∴　適用 $3,579,449 \times \dfrac{3,054,763 \times 80\% + (3,579,490-3,054,763) \times 60\%}{3,579,490} = 2,758,614$ ⑥　有利判定 　　④ ＞ ② ＞ ③ ＞ ⑤ 　　∴　2,903,621

	金額	円 2,903,621

〔売上げの返還等対価に係る税額〕

計　算　過　程　　（単位：円）	金額	円
$(182,000+407,000+31,000) \times \dfrac{7.8}{110} = 43,963$		43,963

〔控除税額小計〕

計　算　過　程　　（単位：円）	金額	円
$2,903,621 + 43,963 = 2,947,584$		2,947,584

Ⅲ 差引税額の計算

〔差引税額〕

計　算　過　程　（単位：円）	金額	円
3,623,412－2,947,584 ＝675,828 → 675,800（百円未満切捨）		675,800

Ⅳ 納付税額の計算

〔納付税額〕

計　算　過　程　（単位：円）	金額	円
675,800		675,800

解説

　特定1事業が全体の75％以上である場合には、もう1つの事業の課税売上高を加えて「特定2事業」の判定を行った場合にも必ず全体の75％以上になります。

　この場合には特定2事業のうち、その75％以上を占める特定1事業とその業種よりもみなし仕入率が高い事業との組合せが有利となるため、それ以外の特定2事業の組合せについては計算過程欄にコメントを付すことにより、計算を省略することも可能です。

　最終的に、①原則的な加重平均によるみなし仕入率を適用する方法、②特定1事業の特例計算、③特定2事業の特例計算のうち最も納税者に有利になる（控除対象仕入税額が大きくなる）計算を選択します。

解答 問題10 事業区分をしていない場合の特例

〔控除対象仕入税額〕

　　　　　　　　　　計　算　過　程　　　　　　　　（単位：円）

(1) 業種別課税売上高

　① 第二種事業

　　$58,450,000 \times \dfrac{100}{110} = 53,136,363$

　② 第四種事業

　　$1,400,000 \times \dfrac{100}{110} = 1,272,727$

　③ 合計

　　①＋② ＝ 54,409,090

(2) 業種別消費税額

　① 第二種事業

　　$58,450,000 \times \dfrac{7.8}{110} = 4,144,636$

　② 第四種事業

　　$1,400,000 \times \dfrac{7.8}{110} = 99,272$

　③ 合計

　　①＋② ＝ 4,243,908

(3) 控除対象仕入税額

　① 基礎税額

　　4,243,902

　② 原則法

　　$4,243,902 \times \dfrac{4,144,636 \times 80\% + 99,272 \times 60\%}{4,243,908} = 3,375,266$

　③ 特例（第二種事業）

　　$\dfrac{53,136,363}{54,409,090} = 0.9766\cdots \geq 75\%$　　∴ 適用

　　$4,243,902 \times 80\% = 3,395,121$

　④ 有利判定

　　② ＜ ③　　∴ 3,395,121

金額	円
	3,395,121

解説

事業ごとに課税売上高を区分していない売上高については、その区分していない売上高のうち最も低いみなし仕入率をその区分していない売上高全体に適用して計算します。

本問の場合、第一種事業と第二種事業に係る課税売上高が区分されていないので、これについてはすべて、みなし仕入率の低い第二種事業（80％）として計算します。営業用車両の売却（第四種事業）については区分されているので、原則どおり第四種事業として計算します。

解答　問題11　軽減税率の適用がある場合

I　課税標準額に対する消費税額の計算

〔課税標準額〕

計　算　過　程	（単位：円）
(1)　標準税率適用分 　　$960,000 + 10,960,000 + 490,000 = 12,410,000$ 　　$12,410,000 \times \dfrac{100}{110} = 11,281,818 \to 11,281,000$（千円未満切捨） (2)　軽減税率適用分 　　$2,860,000 + 12,450,000 + 9,460,000 = 24,770,000$ 　　$24,770,000 \times \dfrac{100}{108} = 22,935,185 \to 22,935,000$（千円未満切捨） (3)　(1)＋(2)＝34,216,000	金額 34,216,000円

〔課税標準額に対する消費税額〕

計　算　過　程	（単位：円）
(1)　標準税率適用分 　　$11,281,000 \times 7.8\% = 879,918$ (2)　軽減税率適用分 　　$22,935,000 \times 6.24\% = 1,431,144$ (3)　(1)＋(2)＝2,311,062	金額 2,311,062円

Ⅱ 仕入れに係る消費税額の計算等

〔控除対象仕入税額〕

	計　算　過　程	（単位：円）

(1) 業種別課税売上高

① 第一種事業

イ　$960,000 \times \dfrac{100}{110} = 872,727$

ロ　$2,860,000 \times \dfrac{100}{108} = 2,648,148$

ハ　イ＋ロ＝3,520,875

② 第二種事業

イ　$10,960,000 \times \dfrac{100}{110} = 9,963,636$

ロ　$12,450,000 \times \dfrac{100}{108} = 11,527,777$

ハ　イ＋ロ＝21,491,413

③ 第三種事業

イ　$490,000 \times \dfrac{100}{110} = 445,454$

ロ　$9,460,000 \times \dfrac{100}{108} = 8,759,259$

ハ　イ＋ロ＝9,204,713

④ 合計

①＋②＋③＝34,217,001

(2) 業種別消費税額

① 第一種事業

イ　$960,000 \times \dfrac{7.8}{110} = 68,072$

ロ　$2,860,000 \times \dfrac{6.24}{108} = 165,244$

② 第二種事業

イ　$10,960,000 \times \dfrac{7.8}{110} = 777,163$

ロ　$12,450,000 \times \dfrac{6.24}{108} = 719,333$

③ 第三種事業

〔控除対象仕入税額〕（続き）

計　算　過　程　　　　　　　　　（単位：円）

イ　$490,000 \times \dfrac{7.8}{110} = 34,745$

ロ　$9,460,000 \times \dfrac{6.24}{108} = 546,577$

④　合計

　イ　標準税率適用分

　　$68,072 + 777,163 + 34,745 = 879,980$

　ロ　軽減税率適用分

　　$165,244 + 719,333 + 546,577 = 1,431,154$

(3)　控除対象仕入税額

　①　基礎税額

　　イ　標準税率適用分

　　　879,918

　　ロ　軽減税率適用分

　　　1,431,144

　②　原則法

　　イ　標準税率適用分

　　　$879,918 \times \dfrac{68,072 \times 90\% + 777,163 \times 80\% + 34,745 \times 70\%}{879,980} = 707,265$

　　ロ　軽減税率適用分

　　　$1,431,144 \times \dfrac{165,244 \times 90\% + 719,333 \times 80\% + 546,577 \times 70\%}{1,431,154} = 1,106,780$

　　ハ　イ＋ロ＝1,814,045

　③　特例（第二種事業、第三種事業）

　　イ　判定

　　　$\dfrac{21,491,413 + 9,204,713}{34,217,001} = 0.8971\cdots \geqq 75\%$　　∴　適用

　　ロ　標準税率適用分

　　　$879,918 \times \dfrac{777,163 \times 80\% + (879,980 - 777,163) \times 70\%}{879,980} = 693,652$

〔控除対象仕入税額〕（続き）

計算過程		（単位：円）
ハ　軽減税率適用分 $$1,431,144 \times \frac{719,333 \times 80\% + (1,431,154 - 719,333) \times 70\%}{1,431,154} = 1,073,732$$ ニ　ロ＋ハ＝1,767,384 ④　有利判定　　②＞③　　∴　1,814,045	金額	円 1,814,045

Ⅲ　差引税額の計算

〔差引税額〕

計算過程　（単位：円）		円
2,311,062 － 1,814,045 ＝ 497,017 → 497,000（百円未満切捨）	金額	497,000

Ⅳ　納付税額の計算

〔納付税額〕

計算過程　（単位：円）		円
497,000	金額	497,000

解説

　軽減税率が適用される取引がある場合は、標準税率と軽減税率が適用される取引ごとにみなし仕入率を求め控除対象仕入税額を計算し、標準税率適用分の控除対象仕入税額と軽減税率適用分の控除対象仕入税額を合計します。

　なお、特定1事業又は特定2事業の課税売上高が75％以上か否かの判定は、それぞれの事業区分の標準税率適用取引と軽減税率適用取引を合計して判定します。

解答　問題12　災害等があった場合の特例の理論(1)

① （　やむを得ない理由　）　② （　被害を受けた　）
③ （　選択被災課税期間　）　④ （　適用を受けることが必要　）
⑤ （　納税地の所轄税務署長　）　⑥ （　簡易課税制度選択届出書　）
⑦ （　みなす　）　⑧ （　調整対象固定資産　）
⑨ （　提出制限　）　⑩ （　不適用被災課税期間　）
⑪ （　簡易課税制度　）　⑫ （　必要がなくなった　）
⑬ （　簡易課税制度選択不適用届出書　）

解説

1　簡易課税制度選択届出に関する特例

災害その他（①やむを得ない理由）が生じたことにより（②被害を受けた）事業者（免税事業者及び簡易課税制度の適用を受ける事業者を除く。）が、その被害を受けたことにより（③選択被災課税期間）につき簡易課税制度の（④適用を受けることが必要）となった場合において、（⑤納税地の所轄税務署長）の承認を受けたときは、（⑥簡易課税制度選択届出書）をその承認を受けた（③選択被災課税期間）の初日の前日にその税務署長に提出したものと（⑦みなす）。

この場合において、（⑧調整対象固定資産）の仕入れ等を行った場合の（⑥簡易課税制度選択届出書）の（⑨提出制限）の規定は、適用しない。

2　簡易課税制度選択不適用届出に関する特例

災害その他（①やむを得ない理由）が生じたことにより（②被害を受けた）事業者（簡易課税制度の適用を受ける事業者に限る。）が、その被害を受けたことにより（⑩不適用被災課税期間）につき（⑪簡易課税制度）の適用を受けることの（⑫必要がなくなった）場合において、（⑤納税地の所轄税務署長）の承認を受けたときは、（⑬簡易課税制度選択不適用届出書）をその承認を受けた（⑩不適用被災課税期間）の初日の前日にその税務署長に提出したものと（⑦みなす）。

この場合において（⑬簡易課税制度選択不適用届出書）の（⑨提出制限）の規定は、適用しない。

| 解答 | 問題13 | 災害等があった場合の特例の理論(2) |

　A社は、火災の発生により被害を受けた課税期間において簡易課税制度の適用を受けることをやめるため、災害等による消費税簡易課税制度選択（不適用）届出に係る特例承認申請書と消費税簡易課税制度選択不適用届出書を納税地の所轄税務署長に提出しなければならない。
　また、A社は、翌課税期間以後改めて簡易課税制度を適用するために、当課税期間末日までに消費税簡易課税制度選択届出書を納税地の所轄税務署長に提出しなければならない。

解説

　本問は、簡易課税制度の適用を受けている事業者が災害の発生により災害の発生した課税期間に簡易課税制度の適用を受けることをやめようとする問題であることから法37の2⑥の規定を解答することとなる。
　この場合事業者は、一定の申請書（災害等による消費税簡易課税制度選択（不適用）届出に係る特例承認申請書）をその理由がやんだ日から2月以内に納税地の所轄税務署長に提出し承認を受けなければならない。なお、事業者は、一定の申請書にあわせて消費税簡易課税制度選択不適用届出書を提出することとなる。

Chapter12　資産の譲渡等の時期の特例

解答　問題1　リース譲渡に係る資産の譲渡等の時期の特例(1)

〔課税標準額〕

計　算　過　程		（単位：円）
40,000 ×（7回－1回）＋100,000×12回＝1,440,000		
$1,440,000 \times \dfrac{100}{110} = 1,309,090 \rightarrow 1,309,000$ （千円未満切捨）	金額	円 1,309,000

解説

リース譲渡について延払基準を選択した場合の計算方法は次のようになります。

(1) リース譲渡をした課税期間

売上高 ＝ $\begin{pmatrix} リース譲渡に \\ 係る対価の額 \end{pmatrix}$ － $\begin{pmatrix} 支払期日の到来しない \\ 賦払金に係る対価の額 \\ (既に支払いを受けたものを除く) \end{pmatrix}$

(2) 翌課税期間以後

売上高 ＝ 支払期日の到来した賦払金に係る対価の額
（既に支払いを受けたものを除く）

支払期日が当課税期間に到来するものであっても、前課税期間にすでに回収したものは除きます。また、翌課税期間に支払期日が到来するものであっても、当課税期間に回収したものは含みます。機械Aについては、本来当課税期間において回収期限到来分が7回のところですが、既に前課税期間に1回分回収済です。

また、適用される税率は資産の引渡しが行われた課税期間において適用される税率を使用します。

解答　問題2　リース譲渡に係る資産の譲渡等の時期の特例(2)

〔課税標準額〕

計　算　過　程		（単位：円）
7,500,000 －（450,000＋235,000×9回）＝4,935,000		
$4,935,000 \times \dfrac{100}{110} = 4,486,363 \rightarrow 4,486,000$ （千円未満切捨）	金額	円 4,486,000

解説

延払基準の適用を受けないこととなった場合、その適用を受けないこととした課税期間において、支払期日未到来分を一括して売上げに計上しなければなりません。

解答　問題３　リース譲渡に係る資産の譲渡等の時期の特例の理論

問1

① （　延払基準　）　② （　経理する　）
③ （　支払期日　）　④ （　資産の譲渡等　）
⑤ （　みなして　）　⑥ （　対価の額　）
⑦ （　控除することができる　）

問2

①	リース譲渡に該当する資産の譲渡等を行っている
②	リース譲渡に係る対価の額につき、所得税法又は法人税法上延払基準の方法により経理している
③	この規定の適用を受ける旨を確定申告書に付記している

解説

問1

　事業者がリース譲渡を行った場合において、そのリース譲渡に係る対価の額につき、所得税法又は法人税法に規定する（①**延払基準**）の方法により（②**経理する**）こととしているときは、そのリース譲渡をした日の属する課税期間においてその（③**支払期日**）が到来しないものに係る部分については、その課税期間において（④**資産の譲渡等**）を行わなかったものと（⑤**みなして**）、その部分に係る対価の額を、そのリース譲渡に係る（⑥**対価の額**）から（⑦**控除することができる**）。

問2

①について

　所得税法や法人税法で規定されている売買取引とされるリース譲渡を行っているという意味です。

②について

会計処理の際に延払基準を使って処理しているということです。

③について

確定申告書の該当する場所に〇印を付けるという意味です。

| 解答 | 問題 4 | 工事の請負に係る資産の譲渡等の時期の特例 |

×3期　2,275,000,000 円

×4期　1,820,000,000 円

×5期　1,155,000,000 円

解説

工事の請負の特例を選択した場合の計算方法は次のようになります。

(1) 引渡し課税期間の直前課税期間まで

$$売上高 = 請負に係る対価の額 \times \frac{当課税期間末までに支出した原価の額}{見積原価} - 前課税期間までの売上計上額$$

(2) 引渡し課税期間

$$売上高 = 請負に係る対価の額 - 前課税期間までの売上計上額$$

(3) 本問の計算

① ×3期

$$5,250,000,000 円 \times \frac{1,625,000,000 円}{3,750,000,000 円} = 2,275,000,000 円$$

② ×4期

$$5,250,000,000 円 \times \frac{1,625,000,000 円 + 1,300,000,000 円}{3,750,000,000 円} - 2,275,000,000 円$$
$$= 1,820,000,000 円$$

③ ×5期

$$5,250,000,000 円 - (2,275,000,000 円 + 1,820,000,000 円) = 1,155,000,000 円$$

| 解答 | 問題5 | 工事の請負に係る資産の譲渡等の時期の特例の理論 |

問1

①	（　　　　　長期大規模工事　　　　　）	②	（　　　　　工事進行基準　　　　　）
③	（　　　　　計算した　　　　　）	④	（　　　　　工事　　　　　）
⑤	（　　　　　経理する　　　　　）	⑥	（　　　　　総収入金額　　　　　）
⑦	（　　　　　益金の額　　　　　）		

問2

(1) 長期大規模工事

①	長期大規模工事の請負に係る契約に基づき資産の譲渡等を行っていること
②	この規定の適用を受ける旨を確定申告書に付記している

(2) 工事

①	工事の請負に係る契約に基づき資産の譲渡等を行っていること
②	工事の請負に係る対価の額につき所得税法又は法人税法上、工事進行基準の方法により経理している
③	この規定の適用を受ける旨を確定申告書に付記している

解説

問1

1　長期大規模工事の場合

　　事業者が（①**長期大規模工事**）の請負に係る契約に基づき資産の譲渡等を行う場合には、その目的物のうち所得税法又は法人税法に規定する（②**工事進行基準**）の方法により（③**計算した**）収入金額又は収益の額に係る部分については、次の3に掲げるいずれかの課税期間において資産の譲渡等を行ったものとすることができる。

2　工事の場合

　　事業者が（④**工事**）の請負に係る契約に基づき資産の譲渡等を行う場合において、その対価の額につき所得税法又は法人税法に規定する（②**工事進行基準**）の方法により（⑤**経理する**）こととしているときは、その目的物のうちその方法により経理した収入金額又は収益の額に係る部分については、次の3に掲げるいずれかの課税期間において資産の譲渡等を行ったものとすることができる。

3 計上時期
(1) 個人事業者
工事進行基準により、その収入金額が（⑥**総収入金額**）に算入されたそれぞれの年の12月31日の属する課税期間
(2) 法人
工事進行基準により、その収益の額が（⑦**益金の額**）に算入されたそれぞれの事業年度終了の日の属する課税期間

問2
(1) 長期大規模工事
①について
所得税法や法人税法で規定されている「長期大規模工事」に該当する取引を行っているということです。
②について
確定申告書の該当する場所に〇印をつけるということです。
(2) 工事
①について
所得税法や法人税法で規定されている「工事」に該当する取引を行っているということです。
②について
所得税法や法人税法の計算を行う上で、工事進行基準により会計処理を行っているということです。
③について
確定申告書の該当する場所に〇印をつけるということです。

解答 問題6 小規模事業者に係る資産の譲渡等の時期等の特例

〔課税標準額〕

計　算　過　程		（単位：円）
$8,400,000 + 2,400,000 = 10,800,000$ $10,800,000 \times \dfrac{100}{110} = 9,818,181 \rightarrow 9,818,000$ （千円未満切捨）	金額	円 9,818,000

解説

小規模事業者に係る特例は現金基準によるため、未回収の売掛金は課税標準額に含めません。

解答　問題 7　小規模事業者に係る資産の譲渡等の時期等の特例の理論

問 1

① （　　個人事業者　　）		② （　　現金基準　　）	
③ （　　資産の譲渡等　　）		④ （　　課税仕入れ　　）	
⑤ （　　収入した日　　）		⑥ （　　支出した日　　）	
⑦ （　　できる　　）		⑧ （　　確定申告書　　）	
⑨ （　　付記　　）			

問 2

①	所得税法上の小規模事業者の特例の適用を受けている
②	この規定の適用を受ける旨を確定申告書に付記している

解説

問 1

1　現金基準

　（①**個人事業者**）で、所得税法に規定する（②**現金基準**）による所得計算の特例の適用を受ける者の（③**資産の譲渡等**）及び（④**課税仕入れ**）を行った時期は、その（③**資産の譲渡等**）に係る対価の額を（⑤**収入した日**）及びその（④**課税仕入れ**）に係る費用の額を（⑥**支出した日**）とすることが（⑦**できる**）。

2　付記事項

　この規定の適用を受けようとする事業者は、（⑧**確定申告書**）にその旨を（⑨**付記**）するものとする。

問 2

①について

　所得税法で現金基準の適用を受けていなければ、消費税法の特例の適用は受けられません。

②について

　確定申告書の該当する場所に○印をつけるということです。

Chapter13 国、地方公共団体等に対する特例

解答	問題 1　特定収入の分類

課税仕入れ等に係る特定収入　　　300,000　円

使途不特定の特定収入　　　　　1,400,000　円

非特定収入　　　　　　　　　　1,250,000　円

解説

課税仕入れ等に係る特定収入　：300,000 円
使途不特定の特定収入　　　　：800,000 円 ＋ 100,000 円 ＋ 300,000 円 ＋ 200,000 円
　　　　　　　　　　　　　　　＝ 1,400,000 円
非特定収入　　　　　　　　　：500,000 円 ＋ 600,000 円 ＋ 150,000 円 ＝ 1,250,000 円

(1) 補助金収入

　　交付要綱等に定められた補助金の用途が課税仕入れであるため、課税仕入れ等に係る特定収入となります。

(2) 交付金収入

　　交付要綱等に定められた交付金の用途が人件費（不課税仕入れ）であるため、非特定収入となります。

(3) 寄附金収入

　　使途が特定されていないため、使途不特定の特定収入となります。

(4) 配当金

　　使途が特定されていないため、使途不特定の特定収入となります。

(5) 保険金収入

　　使途にかかわらず、使途不特定の特定収入となります。

(6) 出資金収入

　　B/S 取引による収入であるため、非特定収入となります。

(7) 貸付金の回収額

　　B/S 取引による収入であるため、非特定収入となります。

(8) 損害賠償金収入

　　使途にかかわらず、使途不特定の特定収入となります。

解答 問題2 特定収入割合の計算

〔課税売上割合〕

計　算　過　程	（単位：円）

(1) 課税売上高

① $55,000,000 \times \dfrac{100}{110} = 50,000,000$

② $2,050,000 \times \dfrac{100}{110} = 1,863,636$

③ ①－② ＝ 48,136,364

(2) 非課税売上高

$500,000 \times 5\% + 100,000 = 125,000$

(3) 課税売上割合

$\dfrac{(1)}{(1)+(2)} = \dfrac{48,136,364}{48,261,364} = 0.9974\cdots \geqq 95\%$

$48,136,362 \leqq 500,000,000$

∴　按分計算は不要

割合	48,136,364	円
	48,261,364	円

〔特定収入割合〕

計　算　過　程	（単位：円）

(1) 資産の譲渡等の対価の額

$50,000,000 + 500,000 + 100,000 + 1,000,000 = 51,600,000$

(2) 特定収入の額

① 使途特定の特定収入の額

5,000,000

② 使途不特定の特定収入の額

2,000,000

③ ①＋② ＝ 7,000,000

(3) 特定収入割合

$\dfrac{(2)}{(1)+(2)} = \dfrac{7,000,000}{58,600,000} = 0.1194\cdots > 5\%$

∴　調整あり

割合	7,000,000	円
	58,600,000	円

〔調整割合〕

	計　算　過　程		（単位：円）
⑴	資産の譲渡等の対価の額　　51,600,000		
⑵	使途不特定の特定収入の額　　2,000,000		
⑶	調整割合 $\dfrac{⑵}{⑴+⑵} = \dfrac{2,000,000}{53,600,000}$	割合	$\dfrac{2,000,000 \text{ 円}}{53,600,000 \text{ 円}}$

解説

1　課税売上割合

$$\dfrac{課税売上高}{課税売上高＋非課税売上高}$$

非課税売上高の計算にあたり、有価証券の売却収入については5％を乗じるのを忘れないようにしましょう。

2　特定収入割合

$$\dfrac{特定収入の合計額}{資産の譲渡等の対価の額の合計額＋特定収入の合計額}$$

資産の譲渡等の対価の額の合計額 ＝ 税抜課税売上高＋輸出売上高＋非課税売上高＋国外売上高

なお、それぞれの売上高を出す際は、売上返還等の控除は行いません。

また、有価証券の売却収入については、5％を乗じない点と、国外売上高を加算する点に注意しましょう。

3　調整割合

$$\dfrac{使途不特定の特定収入の合計額}{資産の譲渡等の対価の額の合計額＋使途不特定の特定収入の合計額}$$

解答 問題3 控除対象仕入税額の計算(1)

I 課税標準額に対する消費税額の計算

〔課税標準額〕

計 算 過 程 　（単位：円）	金額	円
$178,500,000 \times \dfrac{100}{110} = 162,272,727$ 　　　→ 162,272,000（千円未満切捨）		162,272,000

〔課税標準額に対する消費税額〕

計 算 過 程 　（単位：円）	金額	円
$162,272,000 \times 7.8\% = 12,657,216$		12,657,216

II 仕入れに係る消費税額の計算等

〔課税売上割合〕

計 算 過 程 　　　　　　　　　　　（単位：円）	割合	円
(1) 課税売上高 　　162,272,727 (2) 非課税売上高 　　1,800,000 (3) 課税売上割合 　　$\dfrac{(1)}{(1)+(2)} = \dfrac{162,272,727}{164,072,727} = 0.9890\cdots \geqq 95\%$ 　　$162,272,727 \leqq 500,000,000$ 　　∴　按分計算は不要		$\dfrac{162,272,727 \text{ 円}}{164,072,727 \text{ 円}}$

〔調整前控除対象仕入税額〕

計　算　過　程	（単位：円）
$131,250,000 + 7,876,000 + 15,750,000 = 154,876,000$ $154,876,000 \times \dfrac{7.8}{110} = 10,982,116$	金額　　　　　　　　　　　　円 　　　　　10,982,116

〔特定収入割合〕

計　算　過　程	（単位：円）
(1)　資産の譲渡等の対価の額 　　　$162,272,727 + 1,800,000 = 164,072,727$ (2)　特定収入の額 　①　使途特定の特定収入の額 　　　28,874,000 　②　使途不特定の特定収入の額 　　　5,250,000 　③　①＋②＝34,124,000 (3)　特定収入割合 　　　$\dfrac{(2)}{(1)+(2)} = \dfrac{34,124,000}{198,196,727} = 0.1721\cdots > 5\%$ 　　∴　調整あり	割合　$\dfrac{34,124,000\ \text{円}}{198,196,727\ \text{円}}$

〔調整割合〕

計　算　過　程	（単位：円）
(1)　資産の譲渡等の対価の額　　164,072,727 (2)　使途不特定の特定収入の額　　5,250,000 (3)　調整割合 　　　$\dfrac{(2)}{(1)+(2)} = \dfrac{5,250,000}{169,322,727}$	割合　$\dfrac{5,250,000\ \text{円}}{169,322,727\ \text{円}}$

〔特定収入に係る課税仕入れ等の税額〕

計 算 過 程 （単位：円）		
(1)　$28,874,000 \times \dfrac{7.8}{110} = 2,047,429$ (2)　$(10,982,116 - (1)) \times \dfrac{5,250,000}{169,322,727} = 277,027$ (3)　$(1)+(2) = 2,324,456$	金額	円 2,324,456

〔調整後控除対象仕入税額〕

計 算 過 程　（単位：円）		
$10,982,116 - 2,324,456 = 8,657,660$	金額	円 8,657,660

Ⅲ　差引税額の計算

〔差引税額〕

計 算 過 程　（単位：円）		
$12,657,216 - 8,657,660 = 3,999,556$ 　　　→　3,999,500（百円未満切捨）	金額	円 3,999,500

Ⅳ　納付税額の計算

〔納付税額〕

計 算 過 程　（単位：円）		
3,999,500	金額	円 3,999,500

解説

　特定収入割合が5％を超える場合の控除対象仕入税額の計算は、まず、調整前控除税額（通常の計算による控除対象仕入税額）を計算し、その調整前控除税額から、特定収入に係る課税仕入れ等の税額（調整税額）を控除して求めます。

$$控除対象仕入税額 = \begin{pmatrix} 調整前控除税額 \\ (通常の計算による \\ 控除対象仕入税額) \end{pmatrix} - \begin{matrix} 特定収入に係る \\ 課税仕入れ等の税額 \\ （調整税額） \end{matrix}$$

$$\begin{matrix}特定収入に係る\\課税仕入れ等の税額\end{matrix} = \begin{matrix}課税仕入れ等に係る\\特定収入の税額\end{matrix} + \begin{matrix}使途不特定の\\特定収入に係る税額\end{matrix}$$

$$\begin{matrix}課税仕入れ等に係る\\特定収入の税額\end{matrix} = 課税仕入れ等に係る特定収入 \times \frac{7.8}{110}$$

$$\begin{matrix}使途不特定の\\特定収入に係る税額\end{matrix} = \begin{pmatrix}調整前控除税額 - \begin{matrix}課税仕入れ等に係る\\特定収入の税額\end{matrix}\end{pmatrix} \times 調整割合$$

解答　問題4　控除対象仕入税額の計算(2)

I　課税標準額に対する消費税額の計算

〔課税標準額〕

計　算　過　程　（単位：円）	金額	円
$153,090,000 \times \dfrac{100}{110} = 139,172,727$ 　→　139,172,000（千円未満切捨）		139,172,000

〔課税標準額に対する消費税額〕

計　算　過　程　（単位：円）	金額	円
$139,172,000 \times 7.8\% = 10,855,416$		10,855,416

Ⅱ 仕入れに係る消費税額の計算等

〔課税売上割合〕

計　算　過　程		（単位：円）
(1) 課税売上高 　　139,172,727 (2) 非課税売上高 　　15,750,000 (3) 課税売上割合 　　$\dfrac{(1)}{(1)+(2)} = \dfrac{139,172,727}{154,922,727} = 0.8983\cdots < 95\%$ 　　∴　按分計算が必要	割合	139,172,727　円 ――――――― 154,922,727　円

〔調整前控除対象仕入税額〕

計　算　過　程　　　　　　　　　　　　　　（単位：円）
(1) 区分経理及び税額 　① 個別対応方式 　　イ　課税資産の譲渡等にのみ要するもの 　　　　$106,051,000 \times \dfrac{7.8}{110} = 7,519,980$ 　　ロ　その他の資産の譲渡等にのみ要するもの 　　　　$7,876,000 \times \dfrac{7.8}{110} = 558,480$ 　　ハ　共通して要するもの 　　　　$15,752,000 \times \dfrac{7.8}{110} = 1,116,960$ 　　ニ　控除対象仕入税額 　　　　$7,519,980 + 1,116,960 \times \dfrac{139,172,727}{154,922,727} = 8,523,385$ 　② 一括比例配分方式 　　イ　課税仕入れ 　　　　$106,051,000 + 7,876,000 + 15,752,000 = 129,679,000$ 　　　　$129,679,000 \times \dfrac{7.8}{110} = 9,195,420$ 　　ロ　控除対象仕入税額 　　　　$9,195,420 \times \dfrac{139,172,727}{154,922,727} = 8,260,580$

〔特定収入割合〕

計　算　過　程		（単位：円）
(1)　資産の譲渡等の対価の額 　　　139,172,727＋15,750,000＝154,922,727 (2)　特定収入の額 　①　使途特定の特定収入の額 　　　28,877,000 　②　使途不特定の特定収入の額 　　　5,250,000 　③　①＋②＝34,127,000 (3)　特定収入割合 　　　$\dfrac{(2)}{(1)+(2)}=\dfrac{34,127,000}{189,049,727}=0.1805\cdots>5\%$ 　　∴　調整あり	割合	$\dfrac{34,127,000}{189,049,727}$　円 　　　　　　円

〔調整割合〕

計　算　過　程		（単位：円）
(1)　資産の譲渡等の対価の額　　154,922,727 (2)　使途不特定の特定収の額入　　5,250,000 (3)　調整割合 　　　$\dfrac{(2)}{(1)+(2)}=\dfrac{5,250,000}{160,172,727}$	割合	$\dfrac{5,250,000}{160,172,727}$　円 　　　　　　円

〔特定収入に係る課税仕入れ等の税額〕

計　算　過　程	（単位：円）
(1)　個別対応方式 　①　$18,376,000\times\dfrac{7.8}{110}=1,303,025$ 　②　$10,501,000\times\dfrac{7.8}{110}\times\dfrac{139,172,727}{154,922,727}=668,915$ 　③　$(8,523,385-①-②)\times\dfrac{5,250,000}{160,172,727}=214,737$ 　④　①＋②＋③＝2,186,677	

〔特定収入に係る課税仕入れ等の税額〕(続き)

計　算　過　程　　(単位：円)
(2)　一括比例配分方式 　　① 　$28,877,000 \times \dfrac{7.8}{110} \times \dfrac{139,172,727}{154,922,727} = 1,839,470$ 　　② 　$(8,260,580 - ①) \times \dfrac{5,250,000}{160,172,727} = 210,465$ 　　③ 　① ＋ ② ＝ 2,049,935

〔調整後控除対象仕入税額〕

計　算　過　程		(単位：円)	
(1)　個別対応方式 　　　8,523,385 － 2,186,677 ＝ 6,336,708 (2)　一括比例配分方式 　　　8,260,580 － 2,049,935 ＝ 6,210,645 (3)　有利判定 　　　(1) ＞ (2) 　　∴ 6,336,708	金額		円 6,336,708

Ⅲ　差引税額の計算

〔差引税額〕

計　算　過　程　　(単位：円)		円
10,855,416 － 6,336,708 ＝ 4,518,708 　　　　　→ 4,518,700（百円未満切捨）	金額	4,518,700

Ⅳ　納付税額の計算

〔納付税額〕

計　算　過　程　　(単位：円)		円
4,518,700	金額	4,518,700

> 解説

　全額控除以外の場合の控除対象仕入税額の計算では、調整前控除税額の計算が個別対応方式と一括比例配分方式の選択が可能なため、調整後の控除対象仕入税額も両者の方法で計算し、有利な方を選択します。

　なお、それぞれの計算による調整税額は、下記の課税仕入れ等に係る特定収入（使途特定の特定収入）の税額の求め方に違いがあるだけです。

1　個別対応方式

(1)　調整前控除税額（通常の計算による控除対象仕入税額）

(2)　特定収入に係る課税仕入れ等の税額（調整税額）

　① 使途特定の特定収入

　　イ　$\begin{pmatrix} 課税資産の譲渡等にのみ要する課税仕入れ等に \\ 使途が特定されている特定収入 \end{pmatrix} \times \dfrac{7.8}{110}$

　　ロ　$\begin{pmatrix} 共通して要する課税仕入れ等に \\ 使途が特定されている特定収入 \end{pmatrix} \times \dfrac{7.8}{110} \times 課税売上割合$

　　ハ　イ＋ロ

　② 使途不特定の特定収入

　　　（(1)－(2)①ハ）×調整割合

　③　①＋②

(3)　調整後控除対象仕入税額

　　(1)－(2)③

2　一括比例配分方式

(1)　調整前控除税額（通常の計算による控除対象仕入税額）

(2)　特定収入に係る課税仕入れ等の税額（調整税額）

　① 使途特定の特定収入

　　　使途特定の特定収入の額 $\times \dfrac{7.8}{110} \times 課税売上割合$

　② 使途不特定の特定収入

　　　（(1)－(2)①）×調整割合

　③　①＋②

(3)　調整後控除対象仕入税額

　　(1)－(2)③

| 解答 | 問題5 | 仕入税額控除の特例の理論 |

問1

① （　　　　特別会計　　　　）　② （　　　人格のない社団等　　　）
③ （　　　　特定収入　　　　）　④ （　　　　5％を超える　　　　）
⑤ （　　　簡易課税制度　　　）　⑥ （　課税仕入れ等の税額の合計額　）
⑦ （　　仕入れに係る消費税額　）　⑧ （　　　　　みなす　　　　　　）

問2

①	国若しくは地方公共団体の特別会計、別表第三に掲げる法人又は人格のない社団等（免税事業者を除く。）が課税仕入れ等を行っていること
②	その課税仕入れ等の日の属する課税期間において特定収入があること
③	その課税期間における特定収入割合が5％超であること
④	簡易課税制度の適用を受けないこと

解説

問1

　　国若しくは地方公共団体の（①**特別会計**）、別表第三に掲げる法人又は（②**人格のない社団等**）（免税事業者を除く。）が課税仕入れ等を行った場合において、その課税仕入れ等の日の属する課税期間において（③**特定収入**）があり、かつ、特定収入割合が（④**5％を超える**）ときは（⑤**簡易課税制度**）の適用を受ける場合を除き、その課税期間の課税標準額に対する消費税額から控除することができる（⑥**課税仕入れ等の税額の合計額**）は、一定の方法により計算した金額とする。

　　この場合において、その金額は、その課税期間における（⑦**仕入れに係る消費税額**）と（⑧**みなす**）。

問2

①について

　　仕入税額控除の特例は、他の国、地方公共団体等の特例と比べ、適用団体が多いことがポイントとなります。

　　なお、仕入税額控除の特例なので、当然、その課税期間に課税仕入れ等を行っていることが要件となります。

②、③について

　①のような団体でもその運営費が、ほぼ資産の譲渡等の対価で賄われている団体は、普通法人となんら変わらないことから特例計算の対象となりません。

④について

　簡易課税制度の適用を受ける場合には、この特例は適用されません。

| 解答 | 問題 6 | 事業単位の特例の理論 |

① （　　一般会計　　）　② （　　一の法人が行う事業　　）

解説

　国若しくは地方公共団体の（①**一般会計**）又は特別会計については、その（①**一般会計**）又は特別会計ごとに（②**一の法人が行う事業**）とみなして、消費税法の規定を適用する。

　ただし、専ら（①**一般会計**）に対して資産の譲渡等を行う特別会計については（①**一般会計**）とみなす。

| 解答 | 問題 7 | 資産の譲渡等の時期等の特例の理論 |

① （　　収納すべき会計年度　　）　② （　　支払いをすべき会計年度　　）

解説

　国、地方公共団体、別表第三に掲げる法人（一定の承認を受けたものに限る。）が行った取引については、資産の譲渡等はその対価を（①**収納すべき会計年度**）の末日において、課税仕入れ及び課税貨物の保税地域からの引取りはその費用の（②**支払いをすべき会計年度**）の末日に行われたものとすることができる。

解答 問題8 一般会計に係る業務の特例の理論

問1
① （ 課税標準額に対する消費税額 ）

問2
① （ 申告 ）　② （ 届出 ）

解説

問1
　国又は地方公共団体の一般会計については、課税標準額に対する消費税額から控除することができる消費税額の合計額は、その（①**課税標準額に対する消費税額**）と同額とみなす。

問2
　国又は地方公共団体の一般会計については、一定の（①**申告**）、（②**届出**）等の規定は、適用しない。

解答 問題9 申告期限の特例の理論

① （ 5 ）　② （ 6 ）　③ （ 3 ）　④ （ 6 ）

解説

(1)　国：（①5）月以内
(2)　地方公共団体（下記(3)を除く。）：（②6）月以内
(3)　一定の地方公共団体の経営する企業：（③3）月以内
(4)　別表第三に掲げる法人（一定の承認を受けたものに限る。）：（④6）月以内で税務署長の承認する期間内

解答　問題10　国等の特例の理論

> 　課税事業者であるYの本堂の屋根の葺き替え工事費用は、国内における課税仕入れに該当し、Yの消費税額の計算上、仕入れに係る消費税額の控除が適用される。
> 　なお、宗教法人であるYは、消費税法別表第三に掲げる法人に該当し、当課税期間中に本堂の屋根の葺き替え工事に係る寄附金（特定収入に該当する。）があり、かつ、当課税期間の特定収入割合が5％を超え、簡易課税制度の適用を受けていないことから、Yの仕入れに係る消費税額の控除については、国又は地方公共団体等に対する仕入れに係る消費税額の控除の特例が適用され、Yの当課税期間の課税仕入れ等の税額の合計額から特定収入に係る課税仕入れ等の税額を控除した残額がYの当課税期間の仕入れに係る消費税額とみなされる。

解説

　まず、本堂の屋根の葺き替え工事費用が課税仕入れになることを述べた上で、仕入れに係る消費税額の控除の適用関係を述べます。

　次に、仕入れに係る消費税額の控除の特例について、適用要件を本問のケースにあてはめながら述べていきます。

　国、地方公共団体等に係る仕入れに係る消費税額の控除の特例の適用要件
(1) 国若しくは地方公共団体の特別会計、別表第三に掲げる法人又は人格のない社団等（免税事業者を除く。）が課税仕入れ等を行っていること
(2) その課税仕入れ等の日の属する課税期間において特定収入があること
(3) その課税期間における特定収入割合が5％超であること
(4) 簡易課税制度の適用を受けていないこと

Chapter 14 特殊論点

解答 問題1 個人事業者の税額計算

〔課税標準額〕

計算過程 (単位：円)		
$15,000,000 + 85,000,000 \times \dfrac{3}{3+7} \times \dfrac{1}{1+9} + 50,000 + (※)\ 95,000 = 17,695,000$		
(※) みなし譲渡		
$\qquad 150,000 \times 50\% = 75,000 < 95,000 \quad \therefore\ 95,000$		
$17,695,000 \times \dfrac{100}{110} = 16,086,363 \rightarrow 16,086,000$	金額	円
（千円未満切捨）		16,086,000

解説

1 (2) 店舗兼住宅の売却収入は、店舗の売却部分と自宅の売却部分の両方の部分があるため、まず、使用割合で按分し店舗部分を抜き出し、土地付建物の売却であるため、さらに時価比率で按分した金額が事業用建物の売却額となります。

(4) 有価証券の売却は事業としての売却に該当しないため、課税標準に含めません。

(5) 自家用車の売却は、事業資金の調達が目的であっても、売却時に事業の用に供していないため、課税標準に含めません。

2 個人事業者の家事消費は、同一生計親族にも適用されるため、甲の長男が自宅に持ち帰った商品は家事消費となり、みなし譲渡の取扱いを受けます。（基通5－3－1）

解答 問題2 事業承継があった場合の取扱い(1)

I 課税標準額に対する消費税額の計算

〔課税標準額〕

計 算 過 程 （単位：円）		
$25,200,000 \times \dfrac{100}{110} = 22,909,090$	金額	円
$\qquad \rightarrow 22,909,000$ （千円未満切捨）		22,909,000

〔課税標準額に対する消費税額〕

計　算　過　程　（単位：円）	金額	円
22,909,000 × 7.8% ＝ 1,786,902		1,786,902

Ⅱ　仕入れに係る消費税額の計算等

〔控除対象仕入税額〕

計　算　過　程　　　　　　　　（単位：円）
(1) 課税売上割合 　　98% ≧ 95% 　　22,909,090 ≦ 500,000,000 　　∴ 按分計算は不要 (2) 控除対象仕入税額 　① 課税仕入れに係る消費税額の合計額 　　　$18,500,000 \times \dfrac{7.8}{110} = 1,311,818$ 　② 仕入れ返還等に係る消費税額の合計額 　　　$1,080,000 \times \dfrac{7.8}{110} = 76,581$

③ 控除対象仕入税額　　①－②＝1,235,237	金額	円　1,235,237

〔貸倒れに係る消費税額〕

計　算　過　程　（単位：円）	金額	円
$216,000 \times \dfrac{7.8}{110} = 15,316$		15,316

〔控除税額小計〕

計　算　過　程　（単位：円）	金額	円
1,235,237 ＋ 15,316 ＝ 1,250,553		1,250,553

Ⅲ 差引税額の計算

〔差引税額〕

計 算 過 程 （単位：円）	金額	円
1,786,902 － 1,250,553 ＝ 536,349 → 536,300（百円未満切捨）		536,300

Ⅳ 納付税額の計算

〔納付税額〕

計 算 過 程 （単位：円）	金額	円
536,300		536,300

解説

1 仕入れに係る対価の返還等

　被相続人により行われた課税仕入れにつき、その被相続人の相続人が仕入れに係る対価の返還等を受けた場合は、その相続人が行った課税仕入れにつき仕入れに係る対価の返還等を受けたものとみなして、仕入れに係る対価の返還等の規定を適用します。

2 貸倒れに係る消費税額の控除

　被相続人により行われた課税資産の譲渡等の相手方に対する売掛金その他の債権について相続があった後に貸倒れの事実が生じたときは、その相続人がその課税資産の譲渡等を行ったものとみなして、貸倒れに係る消費税額の控除の規定を適用します。

解答　問題3　事業承継があった場合の取扱い(2)

〔調整対象固定資産に係る控除税額の調整額〕

計 算 過 程 （単位：円）
(1) 調整対象固定資産の判定 　　$5,500,000 \times \dfrac{100}{110} = 5,000,000 \geq 1,000,000$　　∴　該当する
(2) 課税売上割合が著しく変動した場合の控除税額の調整 　　① 甲社の仕入れ等の課税期間の課税売上割合

$$\frac{32,000,000}{32,000,000+168,000,000} = \frac{32,000,000}{200,000,000} = 0.16$$

② 通算課税売上割合

イ 甲社の仕入れ等の課税期間の課税売上割合

$$\frac{32,000,000}{200,000,000}$$

ロ 甲社の前課税期間の課税売上割合

$$\frac{21,000,000}{21,000,000+2,250,000} = \frac{21,000,000}{23,250,000}$$

ハ 乙社の前課税期間の課税売上割合

$$\frac{336,000,000}{336,000,000+34,200,000} = \frac{336,000,000}{370,200,000}$$

ニ 乙社の当課税期間の課税売上割合

$$\frac{307,600,000}{307,600,000+27,750,000} = \frac{307,600,000}{335,350,000}$$

ホ 通算課税売上割合

$$\frac{32,000,000+21,000,000+336,000,000+307,600,000}{200,000,000+23,250,000+370,200,000+335,350,000} = \frac{696,600,000}{928,800,000}$$

$$= 0.75$$

③ 著しい変動の判定

$0.75 - 0.16 = 0.59 \geq 5\%$

$\frac{0.59}{0.16} = 3.6875 \geq 50\%$　　∴　著しい増加

④ 調整税額

イ 調整対象基準税額

$5,500,000 \times \frac{7.8}{110} = 390,000$

ロ 調整税額

$390,000 \times 0.75 - 390,000 \times 0.16$

$= 230,100$（加算調整）

金額	円
	230,100

解説

　被合併法人が取得した調整対象固定資産を承継した合併法人には、調整対象固定資産に係る消費税額の調整の規定が適用されます。

　ここで、通算課税売上割合は、仕入れ等の課税期間から第3年度の課税期間までの各課税期間において適用される課税売上割合を通算した課税売上割合のことです。

そのため、本問では、通算課税売上割合は、甲社の前々課税期間の課税売上割合、甲社の前課税期間の課税売上割合、乙社の前課税期間の課税売上割合及び乙社の当課税期間の課税売上割合を通算した割合となります。

解答　問題4　事業承継があった場合の取扱い(3)

〔調整対象固定資産に係る控除税額の調整額〕

計　算　過　程	（単位：円）

(1) 調整対象固定資産の判定

$6,600,000 \times \dfrac{100}{110} = 6,000,000 \geqq 1,000,000$　　∴　該当する

(2) 調整対象固定資産を転用した場合の控除税額の調整

① 調整割合

課税業務用から非課税業務用への転用

令和4年12月1日～令和7年6月30日　→　2年超3年以内　　∴　$\dfrac{1}{3}$

② 調整税額

イ　調整対象税額

$6,600,000 \times \dfrac{7.8}{110} = 468,000$

ロ　調整税額

$468,000 \times \dfrac{1}{3} = 156,000$（減算調整）

金額	円
	156,000

解説

合併により引き継いだ調整対象固定資産を従来の用途と異なるものに転用した場合も、自身が取得した場合と同様に調整税額を算定します。なお、相続、分割の場合も同様の取扱いをします。

調整対象固定資産を転用した場合には、課税仕入れ等の日からその転用した日までの期間に応じた調整税額を計算します。

ここで、課税仕入れ等の日は、被合併法人甲社が調整対象固定資産を取得した日である令和4年12月1日に、転用した日は令和7年6月30日になります。

したがって、取得日から転用した日までの期間が2年超3年以内に該当するため、調整対象税額の3分の1を調整します。

| 解答 | 問題 5 | 相続等があった場合の棚卸資産に係る消費税額の調整の理論 |

① （　　　初日の前日　　　）　② （　　　課税仕入れ等　　　）
③ （　　　棚卸資産　　　）　④ （　　　有している　　　）
⑤ （　　棚卸資産に係る消費税額　　）　⑥ （　　仕入れに係る消費税額　　）
⑦ （　　課税仕入れ等の税額　　）　⑧ （　　みなす　　）
⑨ （　　　免税事業者　　　）　⑩ （　　　承継　　　）
⑪ （　　　引き継いだ　　　）

解説

1　免税事業者が課税事業者となった場合
　　免税事業者が、課税事業者となった場合において、その課税事業者となった課税期間の（①**初日の前日**）において免税事業者であった期間中に国内において譲り受けた（②**課税仕入れ等**）に係る（③**棚卸資産**）を（④**有している**）ときは、その（⑤**棚卸資産に係る消費税額**）をその課税事業者となった課税期間の（⑥**仕入れに係る消費税額**）の計算の基礎となる（⑦**課税仕入れ等の税額**）と（⑧**みなす**）。

2　免税事業者から事業承継により引き継いだ場合
　　事業者（免税事業者を除く。）が、相続、合併、分割により（⑨**免税事業者**）である被相続人、被合併法人、分割法人の事業を（⑩**承継**）した場合において、これらの者が免税事業者であった期間中に国内において譲り受けた課税仕入れ等に係る（③**棚卸資産**）を（⑪**引き継いだ**）ときは、その棚卸資産に係る消費税額をその引き継ぎを受けた事業者のその相続、合併、分割があった日の属する課税期間の（⑥**仕入れに係る消費税額**）の計算の基礎となる課税仕入れ等の税額と（⑧**みなす**）。

| 解答 | 問題 6 | 課税事業者を選択した場合の届出の制限の理論 |

① （　　　2年　　　）　② （　　調整対象固定資産の仕入れ等　　）
③ （　　事業を廃止した場合　　）　④ （　　　仕入れ等の日　　　）
⑤ （　　　3年　　　）　⑥ （　　　初日以後　　　）
⑦ （　課税事業者選択不適用届出書　）

解説

　課税事業者選択届出書を提出した事業者は、課税事業者の選択の適用を受けることとなった課税期間の初日から（①2年）を経過する日までの間に開始した各課税期間（簡易課税制度の適用を受ける課税期間を除く。）中に（②調整対象固定資産の仕入れ等）を行った場合には、届出書の提出制限にかかわらず、（③事業を廃止した場合）を除き、その（④仕入れ等の日）の属する課税期間の初日から（⑤3年）を経過する日の属する課税期間の（⑥初日以後）でなければ（⑦課税事業者選択不適用届出書）を提出することができない。

解答　問題7　新設法人に該当する場合の納税義務の免除の理論

① （　　基準期間がない事業年度　　）　② （　　調整対象固定資産　　）
③ （　　初日　　）　④ （　　3年　　）
⑤ （　　免除されない　　）

解説

　新設法人が、その（①基準期間がない事業年度）に含まれる各課税期間（簡易課税制度の適用を受ける課税期間を除く。）中に（②調整対象固定資産）の仕入れ等を行った場合には、その新設法人のその仕入れ等の日の属する課税期間からその課税期間の（③初日）以後（④3年）を経過する日の属する課税期間までの各課税期間における課税資産の譲渡等及び特定課税仕入れについては、納税義務は（⑤免除されない）。

解答　問題8　簡易課税制度と届出の制限の理論

① （　　初日　　）　② （　　3年を経過する日　　）
③ （　　初日の前日　　）　④ （　　簡易課税制度選択届出書　　）
⑤ （　　課税事業者選択不適用届出書　　）　⑥ （　　基準期間がない事業年度　　）
⑦ （　　なかったものとみなす　　）

解説

1 選択届出書を提出できない場合

簡易課税制度の適用を受けようとする事業者は、次のいずれかに該当するときは、その調整対象固定資産の仕入れ等の日の属する課税期間の（**①初日**）から（**②3年を経過する日**）の属する課税期間の（**③初日の前日**）までの期間は、（**④簡易課税制度選択届出書**）を提出することができない。

ただし、事業を開始した日の属する課税期間から簡易課税制度の適用を受けようとする場合には、この限りでない。

⑴ 調整対象固定資産の仕入れ等を行った場合の（**⑤課税事業者選択不適用届出書**）の提出制限を受けるとき

⑵ 新設法人又は特定新規設立法人の（**⑥基準期間がない事業年度**）に含まれる各課税期間中に調整対象固定資産の仕入れ等を行ったとき

2 提出がなかったものとみなす場合

1の場合において、その調整対象固定資産の仕入れ等の日の属する課税期間の（**①初日**）からその仕入れ等の日までの間に（**④簡易課税制度選択届出書**）をその納税地の所轄税務署長に提出しているときは、その届出書の提出は（**⑦なかったものとみなす**）。

解答 問題9 調整対象固定資産と納税義務

問1 甲の納税義務に関する適用関係

> 課税事業者選択届出書を提出した事業者は、課税事業者の選択の適用を受けることとなった課税期間の初日から2年を経過する日までの間に開始した各課税期間（簡易課税制度の適用を受ける課税期間を除く。）中に調整対象固定資産の仕入れ等を行った場合には、届出の制限にかかわらず、調整対象固定資産の仕入れ等の日の属する課税期間の初日から3年を経過する日の属する課税期間の初日以後でなければ、課税事業者選択不適用届出書を提出することができない。
>
> したがって、本問の甲は令和7年及び令和8年は課税事業者の選択の適用を受けるため、調整対象固定資産の仕入れ等の日の属する課税期間の初日から3年を経過する日の属する課税期間までは課税事業者選択不適用届出書の提出が制限され、課税事業者となる。

問2 法人の納税義務に関する適用関係

> 当該法人は設立時の資本金の額が1,000万円であることから、基準期間がない設立事業年度及び翌事業年度においては、新設法人に該当し、課税事業者となる。
>
> また、新設法人がその基準期間がない事業年度に含まれる各課税期間（簡易課税制度の適用を受ける課税期間を除く。）中に調整対象固定資産の仕入れ等を行った場合には、その新設法人のその仕入れ等の日の属する課税期間からその課税期間の初日以後3年を経過する日の属する課税期間までの各課税期間における課税資産の譲渡等及び特定課税仕入れについては、納税義務は免除されない。
>
> したがって、本問の法人は設立事業年度に調整対象固定資産の仕入れを行っている場合は設立事業年度の翌々事業年度まで、設立事業年度の翌事業年度に仕入れを行っている場合は設立事業年度の翌々々事業年度まで課税事業者となる。

解説

1 甲の納税義務に関する適用関係

　課税事業者を選択した場合の課税事業者選択不適用届出書の提出制限を述べた上で、本問のケースにあてはめ解答します。

2 法人の納税義務に関する適用関係

　新設法人に該当し、調整対象固定資産の仕入れ等を行った場合の納税義務の免除の特例を述べた上で、本問のケースにあてはめ解答します。

解答　問題10　課税売上割合

〔課税売上割合〕

計　算　過　程　　　　　　　　　（単位：円）

(1) 課税売上高

$9,625,000 \times \dfrac{100}{110} + 15,000,000 = 23,750,000$

(2) 非課税売上高

$(300,000 - 280,000) + 12,000,000 + 30,000,000 \times 5\% + 150,000$
$- (9,000,000 - 8,900,000) = 13,570,000$

(3) 課税売上割合

$\dfrac{(1)}{(1)+(2)} = \dfrac{23,750,000}{37,320,000} = 0.6363\cdots < 95\%$

∴ 按分計算が必要

割合		
	23,750,000	円
	37,320,000	円

解説

1 売掛金の売却額

　売掛金の売却額は、資産の譲渡等の対価として取得した金銭債権の譲渡に該当します。

　資産の譲渡等の対価として取得した金銭債権の譲渡については、「同一債権に係る一事業者間での売上げの重複計上」を避けるため、課税売上割合の計算上、資産の譲渡等の対価の額に算入しません。

2　売掛金の譲受け

　　第三者が、当初の債権者から貸付金その他の金銭債権を譲り受ける行為は、利子を対価とする金銭の貸付けに該当します。そのため、債権の回収額と購入額（譲受け額）との差額を受取利息として、資産の譲渡等の対価の額（非課税売上高）に含めます。

3　手形の売却額

　　手形の売却は、支払手段の譲渡に該当します。支払手段の譲渡は、取引の分類上非課税取引に該当します。しかし、両替や換金などを行う都度、非課税売上げが計上されることは、課税売上割合が不合理に低く計算されることになるため、課税売上割合の計算に算入しないこととしています。

4　合同会社の出資持分の売却額

　　合同会社の出資持分は有価証券に類するものに該当し、課税売上割合の計算上、譲渡対価相当額を非課税売上高として計上します。（5％は乗じません。）

5　社債売却額

　　有価証券の譲渡であるため、譲渡対価に5％を乗じます。

6　社債利息の受取額

　　利子を対価とする金銭の貸付けの対価に該当するため、非課税売上げとして計上します。

7　社債の償還損

　　国債や社債といった債券の額面金額と発行価額との差額（償還差損益）は、利子を対価とした金銭の貸付けの対価に該当するため、非課税売上げとなり、課税売上割合を構成します。ここで、償還損が生じる場合には、非課税売上高からマイナスします。

解答　問題11　売現先取引・買現先取引

1

　　A社の買戻し条件付き国債証券の譲渡は、現先取引債券等に係る売現先取引に該当する。

　　したがって、当該債券の譲渡は、課税売上割合の計算上、資産の譲渡等の対価の額の合計額に含まれず、消費税法上の取扱いはない。

2
> A社の売戻し条件付き社債券の購入は、現先取引債券等に係る買現先取引に該当する。
>
> したがって、課税売上割合の計算上、資産の譲渡等の対価の額は、売戻しに係る対価の額から購入に係る対価の額を控除した残額となる。

解説

1　売現先取引

売現先取引とは、一定期間後一定の価格で同一銘柄の債券を買い戻すことをあらかじめ約定した債券の譲渡に係る取引をいいます。

売却価格と買戻し価格があらかじめ決定されているため、債券の売買の形式を取っていますが、実質的には債券を担保とした短期の資金調達手段です。そのため、課税売上割合の計算上、有価証券の譲渡として取り扱わず、金銭の借入れとして取り扱われ、課税売上割合の計算上、何ら考慮されません。

2　買現先取引

買現先取引とは、一定期間後一定の価格で同一銘柄の債券を売り戻すことをあらかじめ約定した債券の購入に係る取引をいいます。

購入価格と売戻し価格があらかじめ決定されているため、債券の売買の形式を取っていますが、実質的には債券を担保とした金銭の貸付けに該当します。したがって、課税売上割合の計算では、売戻しに係る対価の額のうち、利息相当額(売戻し価格－購入価格)を非課税売上げに計上します。

解答　問題12　高額特定資産を取得した場合の特例の理論

① （　　簡易課税制度　　）　② （　　高額特定資産　　）

③ （　　翌課税期間　　）　④ （　　初日　　）

⑤ （　　3年　　）　⑥ （　　課税資産の譲渡等　　）

⑦ （　　特定課税仕入れ　　）

解説

　事業者が、（ ①**簡易課税制度** ）の適用を受けない課税期間中に国内における（ ②**高額特定資産** ）の仕入れ等を行った場合には、（ ②**高額特定資産** ）の仕入れ等の日の属する課税期間の（ ③**翌課税期間** ）からその（ ②**高額特定資産** ）の仕入れ等の日の属する課税期間の（ ④**初日** ）以後（ ⑤**3年** ）を経過する日の属する課税期間までの各課税期間における（ ⑥**課税資産の譲渡等** ）及び（ ⑦**特定課税仕入れ** ）については、納税義務は免除されない。

解答　問題13　棚卸資産の調整措置の適用を受ける場合の理論

①	(棚卸資産)	②	(課税貨物)
③	(調整対象自己建設高額資産)	④	(翌課税期間)
⑤	(初日)	⑥	(3年)
⑦	(課税資産の譲渡等)	⑧	(特定課税仕入れ)

解説

　事業者が、高額特定資産である（ ①**棚卸資産** ）若しくは（ ②**課税貨物** ）又は（ ③**調整対象自己建設高額資産** ）について納税義務が免除されないこととなった場合の（ ①**棚卸資産** ）に係る消費税額の調整の規定の適用を受けた場合には、この規定の適用を受けた課税期間の（ ④**翌課税期間** ）からこの規定の適用を受けた課税期間の（ ⑤**初日** ）以後（ ⑥**3年** ）を経過する日の属する課税期間までの各課税期間における（ ⑦**課税資産の譲渡等** ）及び（ ⑧**特定課税仕入れ** ）については、納税義務は免除されない。

解答　問題14　金地金等の仕入れ等を行った場合の特例の理論

①	(金地金等の仕入れ等)	②	(翌課税期間)
③	(3年)		

解説

事業者（免税事業者を除く。）が、簡易課税制度の適用を受けない課税期間中に国内における（ ①**金地金等の仕入れ等** ）を行った場合において、その課税期間中のその（ ①**金地金等の仕入れ等** ）の金額の合計額が高額である場合として一定の場合に該当するときは、その（ ①**金地金等の仕入れ等** ）を行った課税期間の（ ②**翌課税期間** ）からその（ ①**金地金等の仕入れ等** ）を行った課税期間の初日以後（ ③**3年** ）を経過する日の属する課税期間までの各課税期間における課税資産の譲渡等及び特定課税仕入れについては、納税義務は免除されない。

解答 問題15　居住用賃貸建物の取得に係る税額控除の理論

問1
① （　　　住宅の貸付け　　　）　② （　　　高額特定資産　　　）
③ （　調整対象自己建設高額資産　）　④ （　　　適用しない　　　）

問2
① （　　　居住用賃貸建物　　　）　② （　　第3年度の課税期間　　）
③ （　　　住宅の貸付け　　　）　④ （　　　課税賃貸割合　　　）
⑤ （　　　　加算　　　　）　⑥ （　　　　みなす　　　　）

問3
① （　　　居住用賃貸建物　　　）　② （　　　調整期間　　　）
③ （　　　　譲渡　　　　）　④ （　　　課税譲渡割合　　　）
⑤ （　　　　加算　　　　）　⑥ （　　　　みなす　　　　）

解説

問1
　仕入れに係る消費税額の控除の規定は、事業者が国内において行う（ ①**住宅の貸付け** ）の用に供しないことが明らかな建物以外の建物（（ ②**高額特定資産** ）又は（ ③

調整対象自己建設高額資産 ）に該当するものに限る。）に係る課税仕入れ等の税額については、（ ④適用しない ）。

問2

　事業者が、（ ①居住用賃貸建物 ）に係る課税仕入れ等の税額について仕入れに係る消費税額の控除が適用されない場合において、その事業者が（ ②第3年度の課税期間 ）の末日においてその（ ①居住用賃貸建物 ）を有しており、かつ、その（ ①居住用賃貸建物 ）の全部又は一部をその（ ①居住用賃貸建物 ）の仕入れ等の日から（ ②第3年度の課税期間 ）の末日までの間に（ ③住宅の貸付け ）以外の貸付けの用に供したときは、その有している（ ①居住用賃貸建物 ）に係る課税仕入れ等の税額に（ ④課税賃貸割合 ）を乗じて計算した金額に相当する消費税額をその事業者のその（ ②第3年度の課税期間 ）の仕入れに係る消費税額に（ ⑤加算 ）する。この場合において、その（ ⑤加算 ）をした後の金額をその課税期間における仕入れに係る消費税額と（ ⑥みなす ）。

問3

　事業者が、（ ①居住用賃貸建物 ）に係る課税仕入れ等の税額について仕入れに係る消費税額の控除が適用されない場合において、その事業者がその（ ①居住用賃貸建物 ）の全部又は一部を（ ②調整期間 ）に他の者に（ ③譲渡 ）したときは、その（ ③譲渡 ）をした（ ①居住用賃貸建物 ）に係る課税仕入れ等の税額に（ ④課税譲渡割合 ）を乗じて計算した金額に相当する消費税額をその事業者のその（ ③譲渡 ）をした課税期間の仕入れに係る消費税額に（ ⑤加算 ）する。この場合において、その（ ⑤加算 ）をした後の金額を当該課税期間における仕入れに係る消費税額と（ ⑥みなす ）。

| 解答 | 問題16 | 居住用賃貸建物を課税賃貸用に供した場合 |

計　算　過　程　　　　　　　　（単位：円）

(1) 課税賃貸割合

　① 課税賃貸収入の額

　　　$(990,000 + 1,980,000) \times \dfrac{100}{110} = 2,700,000$

② 非課税賃貸収入の額

4,800,000＋4,800,000＋3,960,000＝13,560,000

③ 課税賃貸割合

$$\frac{①}{①+②}=\frac{2,700,000}{16,260,000}$$

(2) 調整税額

$$38,500,000\times\frac{7.8}{110}\times\frac{2,700,000}{16,260,000}=453,321$$

仕入れに係る消費税額の調整を行うべき課税期間	第 23 期	調整税額	円 453,321

解説

(1) 課税賃貸用に供した場合の調整を行うべき課税期間

居住用賃貸建物の仕入れ等の日の属する課税期間の開始の日から3年を経過する日の属する課税期間において調整を行う。

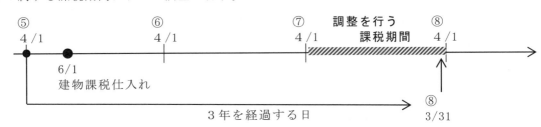

(2) 課税賃貸用に供した場合の調整計算

① 調整税額の計算

居住用賃貸建物に係る課税仕入れ等の税額×課税賃貸割合＝調整税額（加算）

② 課税賃貸割合

その事業者が調整期間に行ったその居住用賃貸建物の貸付けの対価の額（税抜金額）の合計額のうちにその事業者が調整期間に行ったその居住用賃貸建物の貸付け（課税賃貸用に供したものに限る。）の対価の額の合計額の占める割合をいう。

$$\frac{調整期間における賃料収入のうち課税売上げとなる金額（税抜き）}{調整期間における賃貸料収入の総額（税抜き）}$$

Chapter 15 適格請求書発行事業者

解答 問題1 適格請求書発行事業者の登録

① （課税資産の譲渡等）　② （　適格請求書　）　③ （　登録　）

解説

国内において（①**課税資産の譲渡等**）を行い、又は行おうとする事業者であって、（②**適格請求書**）の交付をしようとする事業者（免税事業者を除く。）は、税務署長の（③**登録**）を受けることができる。

解答 問題2 適格請求書発行事業者の申請

① （　申請書　）　② （　免税事業者　）　③ （　課税事業者　）

④ （　初日　）　⑤ （　15日前の日　）

解説

適格請求書発行事業者の登録を受けようとする事業者は、一定の事項を記載した（①**申請書**）をその納税地の所轄税務署長に提出しなければならない。この場合において、（②**免税事業者**）が、（③**課税事業者**）となる課税期間の初日から適格請求書発行事業者の登録を受けようとするときは、その課税期間の（④**初日**）から起算して（⑤**15日前の日**）までに、その申請書をその税務署長に提出しなければならない。

解答　問題３　適格請求書発行事業者の取消し

(1)

①	その適格請求書発行事業者が１年以上所在不明であること。
②	その適格請求書発行事業者が事業を廃止したと認められること。
③	その適格請求書発行事業者（法人に限る。）が合併により消滅したと認められること。
④	その適格請求書発行事業者が納税管理人の届出をしていないこと。
⑤	当該適格請求書発行事業者がこの消費税法に違反して罰金以上の刑に処せられたこと。
⑥	虚偽の記載をして申請書を提出し、その申請に基づき適格請求書発行事業者の登録を受けた者であること。

(2)

①	その適格請求書発行事業者が事業を廃止したと認められること。
②	その適格請求書発行事業者（法人に限る。）が合併により消滅したと認められること。
③	その適格請求書発行事業者の確定申告書の提出期限までに、その申告書に係る消費税に関する税務代理の権限を有することを証する書面が提出されていないこと。
④	その適格請求書発行事業者が納税管理人の届出をしていないこと。
⑤	消費税につき期限内申告書の提出がなかった場合において、その提出がなかったことについて正当な理由がないと認められること。
⑥	現に国税の滞納があり、かつ、その滞納額の徴収が著しく困難であること。
⑦	当該適格請求書発行事業者がこの消費税法に違反して罰金以上の刑に処せられたこと。
⑧	虚偽の記載をして申請書を提出し、その申請に基づき適格請求書発行事業者の登録を受けた者であること。

解答 問題4 登録事項の変更

① (適格請求書発行事業者登録簿)　② (変更)
③ (届出書)　④ (速やかに)
⑤ (納税地の所轄税務署長)

解説

　適格請求書発行事業者は、(①**適格請求書発行事業者登録簿**) に登載された事項に (②**変更**) があったときは、その旨を記載した (③**届出書**) を、(④**速やかに**)、その (⑤**納税地の所轄税務署長**) に提出しなければならない。

解答 問題5 適格請求書の交付義務

① (課税資産の譲渡等)　② (請求書)　③ (納品書)
④ (適格請求書)　⑤ (交付)　⑥ (困難)
⑦ (この限りでない)

解説

　適格請求書発行事業者は、国内において (①**課税資産の譲渡等**) を行った場合において、その (①**課税資産の譲渡等**) を受ける他の事業者から一定事項を記載した (②**請求書**)、(③**納品書**) その他これらに類する書類の交付を求められたときは、その (①**課税資産の譲渡等**) に係る (④**適格請求書**) をその他の事業者に (⑤**交付**) しなければならない。ただし、その適格請求書発行事業者が行う事業の性質上、(④**適格請求書**) を交付することが (⑥**困難**) な (①**課税資産の譲渡等**) として一定の取引を行う場合は、(⑦**この限りでない**)。

解答 問題6 適格請求書の記載事項

①	適格請求書発行事業者の氏名又は名称及び登録番号
②	課税資産の譲渡等を行った年月日（又は取引の対象となる期間）
③	課税資産の譲渡等に係る資産又は役務の内容（軽減対象課税資産の譲渡等である場合には、資産の内容及び軽減対象課税資産の譲渡等である旨）
④	課税資産の譲渡等に係る税抜価額又は税込価額を税率の異なるごとに区分して合計した金額及び適用税率
⑤	消費税額等
⑥	書類の交付を受ける事業者の氏名又は名称

解答 問題7 適格簡易請求書の記載事項

①	適格請求書発行事業者の氏名又は名称及び登録番号
②	課税資産の譲渡等を行った年月日
③	課税資産の譲渡等に係る資産又は役務の内容（軽減対象課税資産の譲渡等である場合には、資産の内容及び軽減対象課税資産の譲渡等である旨）
④	課税資産の譲渡等に係る税抜価額又は税込価額を税率の異なるごとに区分して合計した金額
⑤	消費税額等又は適用税率

解答 問題8 適格請求書の交付義務免除

①	公共交通機関である船舶、バス又は鉄道等による旅客の運送（税込価額が3万円未満のものに限る。）
②	卸売市場及び協同組合等による一定の委託販売
③	①、②のほか、適格請求書を交付することが著しく困難な課税資産の譲渡等

Chapter16 信託

解答 問題1 信託の理論

	正誤	訂正
(1)	○	
(2)	×	受益者等課税信託における信託財産に係る資産等取引は、受益者の資産等取引とみなして消費税法の規定が適用される。
(3)	×	受益者等課税信託における受益者には、受益者としての権利を現に有する者だけでなく、みなし受益者も含まれる。
(4)	○	
(5)	×	受託者事業者の納税義務の判定は、受託事業者の基準期間における課税売上高を基準にせず、固有事業者の納税義務の有無により判定する。

Chapter 17　届出等

解答	問題 1　届出等の理論(1)

① （　　所轄税務署長の判断　　）　② （　　原則的な　　）
③ （　　選択適用　　）　④ （　　特別な　　）

解説

(1) 届出とは、事業者が必要な書類を提出することによって、（①**所轄税務署長の判断**）に関係なく、特定の効力が生じるものをいう。
(2) 承認とは、（②**原則的な**）規定の中から（③**選択適用**）する際に、（①**所轄税務署長の判断**）により、適用の可否が左右されるものをいう。
(3) 許可とは、（④**特別な**）規定の中から（③**選択適用**）する際に、（①**所轄税務署長の判断**）により、適用の可否が左右されるものをいう。

解答	問題 2　届出等の理論(2)

(1)	(2)	(3)	(4)	(5)	(6)	(7)	(8)	(9)
(オ)	(カ)	(ア)	(キ)	(ウ)	(エ)	(イ)	(ク)	(ケ)

| 解答 | 問題3 | 届出等の理論(3) |

1

1. 提出すべき消費税の届出書
消費税課税事業者選択届出書及び消費税簡易課税制度選択不適用届出書
2. 提出期限
当課税期間の末日まで
3. 理　由
甲社は、翌課税期間の基準期間における課税売上高及び特定期間における課税売上高が1,000万円以下であるため、翌課税期間は免税事業者に該当する。
したがって、控除不足額の還付を受けるため、当課税期間の末日までに消費税課税事業者選択届出書を提出し、翌課税期間において課税事業者となる必要がある。
また、甲社は消費税簡易課税制度選択届出書を提出しており、翌課税期間の基準期間における課税売上高が5,000万円以下であるため、翌課税期間の仕入れに係る消費税額の控除は簡易課税制度が適用されるので、当課税期間の末日までに消費税簡易課税制度選択不適用届出書を提出し、翌課税期間原則課税を適用することにより、翌課税期間において仕入れに係る消費税額の控除不足額の還付を受けることができる。

2

1. 提出すべき消費税の届出書
消費税課税事業者選択届出書
2. 提出期限
当課税期間の末日まで

> 3. 理　由
>
> 　　乙社は、設立時において資本金の額が1,000万円以上であることから、新設法人に該当し、設立1期目及び2期目は課税事業者となる。また、翌課税期間の基準期間における課税売上高は1,000万円以下であり、特定期間における課税売上高も1,000万円以下となるため、翌課税期間は免税事業者に該当することとなる。
>
> 　　したがって、当課税期間の末日までに消費税課税事業者選択届出書を提出することにより、翌課税期間課税事業者となり、仕入れに係る消費税額の控除不足額の還付を受けることができる。

解説

消費税の届出書に関する問題です。本試験においては、平成13年度と平成21年度に本問とほぼ同様の形式で出題されています。届出書の問題では「何を、いつまでに」を意識していくことが重要です。

1について

　控除不足額の還付を受けるためには、①課税事業者であること、②原則課税であること（簡易課税では、原則として還付税額は発生しない。）が必要です。そのため、本問では、翌課税期間に控除不足額の還付を受けるため、課税事業者を選択し、課税事業者となると同時に簡易課税制度の適用をやめる必要があります。

　なお、「消費税課税事業者届出書」（法57①一）は免税事業者が課税事業者となることとなった場合に提出するものであり、「消費税課税事業者**選択**届出書」（法9④）とは異なります。

2について

　新設法人とは、その事業年度の基準期間がない法人のうち、その事業年度開始の日における資本金の額又は出資の金額が1,000万円以上である法人をいいます。新設法人に該当する場合には納税義務が免除されず、課税事業者となります。本問の乙社は設立初年度において、資本金の額が1,000万円以上であるため、設立1期目（令和6年4月1日から令和7年3月31日）は課税事業者となります。そのため、3期目における基準期間における課税売上高を計算する際は、税抜処理を行う必要が生じ、その金額は1,000万円以下となります。また、前課税期間における課税売上高が1,000万円以下であるこ

とから、特定期間における課税売上高も1,000万円以下となります。したがって、免税事業者となることから控除不足額の還付を受けるために、課税事業者の選択を行う必要があります。

答案用紙

Chapter 1 電気通信利用役務の提供及び特定役務の提供

問題 1

問題 2

問題 3

問題 4

I 課税標準額に対する消費税額の計算

〔課税標準額〕

計　算　過　程　　　　　　　　（単位：円）
金額　　　　　　　　　　　　　　　　　円

〔課税標準額に対する消費税額〕

計　算　過　程　　（単位：円）	金額	円

問題 5

I　課税標準額に対する消費税額の計算

〔課税標準額〕

計　算　過　程　　　　　　　　　　　　（単位：円）
金額　　　　　　　　　　　　　　円

〔課税標準額に対する消費税額〕

計　算　過　程	（単位：円）
	金額　　　　　　　円

問題 6

I　仕入れに係る消費税額の計算等
〔控除対象仕入税額〕

計　算　過　程	（単位：円）
	金額　　　　　　　円

問題 7

I 仕入れに係る消費税額の計算等

〔控除対象仕入税額〕

計　算　過　程 （単位：円）
金額　　　　　　　　　　　円

問題8

I 課税標準額に対する消費税額の計算

〔課税標準額〕

計　算　過　程	（単位：円）

	金額	円

〔課税標準額に対する消費税額〕

計　算　過　程　（単位：円）	金額	円

II 仕入れに係る消費税額の計算等

〔課税売上割合〕

計　算　過　程	（単位：円）

次ページへ続く

〔課税売上割合〕（続き）

計　算　過　程 （単位：円）

割合　　　　　　　　　　円
　　　　　　　　　　　　円

〔控除対象仕入税額〕

計　算　過　程 （単位：円）

次ページへ続く

〔控除対象仕入税額〕（続き）

計　算　過　程	（単位：円）
	金額　　　　　　　　　円

〔売上げの返還等対価に係る税額〕

計　算　過　程　　（単位：円）	金額	円

〔控除税額小計〕

計　算　過　程　　（単位：円）	金額	円

Ⅲ　差引税額の計算

〔差引税額〕

計　算　過　程　　（単位：円）	金額	円

Ⅳ　納付税額の計算

〔納付税額〕

計　算　過　程　　（単位：円）	金額	円

Chapter 2　非課税資産の輸出等

問題 1

問題 2

仕入れに係る消費税額の計算等

〔課税売上割合〕

計　算　過　程	（単位：円）

割合　_____ 円
　　　　　　円

〔控除対象仕入税額〕

	計　算　過　程	（単位：円）

| | 金額 | 円 |

問題 3

仕入れに係る消費税額の計算等

〔課税売上割合〕

計　算　過　程	（単位：円）

割合	_____ 円 / 円

〔控除対象仕入税額〕

計　算　過　程	（単位：円）

次ページへ続く

〔控除対象仕入税額〕（続き）

計　算　過　程		（単位：円）
	金額	円

問題 4

仕入れに係る消費税額の計算等

〔課税売上割合〕

計　算　過　程	（単位：円）
	次ページへ続く

〔課税売上割合〕（続き）

計　算　過　程	（単位：円）

割合	_____ 円 / 円

〔控除対象仕入税額〕

計　算　過　程	（単位：円）

次ページへ続く

〔控除対象仕入税額〕（続き）

| 計　算　過　程 | （単位：円） |
|---|---|ешь

	金額	円

問題 5

〔課税標準額〕

計　算　過　程	（単位：円）

	金額	円

〔課税標準額に対する消費税額〕

計 算 過 程 （単位：円）	金額	円

〔課税売上割合〕

計 算 過 程 （単位：円）

割合	_____ 円 / 円

問題6

問1

① (　　　　　　　　　　　)　　② (　　　　　　　　　　　)

③ (　　　　　　　　　　　)　　④ (　　　　　　　　　　　)

問 2

①	
②	
③	

問題 7

1 について

2 について

Chapter 3　調整対象固定資産

問題 1

（単位：円）

(1)	
(2)	
(3)	
(4)	
(5)	
(6)	
(7)	
(8)	
(9)	
(10)	

問題 2

(単位：円)

(1) 調整対象固定資産の判定

(2) 課税売上割合が著しく変動した場合の控除税額の調整

　① 仕入れ等の課税期間における課税売上割合

　② 通算課税売上割合

　③ 著しい変動の判定

　④ 調整税額

問題 3

問 1

(単位：円)

---

(1) 調整対象固定資産の判定

(2) 課税売上割合が著しく変動した場合の控除税額の調整

　① 仕入れ等の課税期間における課税売上割合

　② 通算課税売上割合

　③ 著しい変動の判定

　④ 調整税額

問2

(単位:円)

1. 仕入れに係る消費税額

2. 調整対象固定資産に係る控除税額の調整額

 (1) 調整対象固定資産の判定

 (2) 課税売上割合が著しく変動した場合の控除税額の調整

   ① 仕入れ等の課税期間における課税売上割合

   ② 通算課税売上割合

次ページへ続く

問題3問2（続き）

③ 著しい変動の判定

④ 調整税額

3. 控除対象仕入税額

問題4

仕入れに係る消費税額の計算等

〔課税売上割合〕

計　算　過　程	（単位：円）
	次ページへ続く

〔課税売上割合〕（続き）

計　算　過　程		（単位：円）
	割合	_____ 円 / 円

〔控除対象仕入税額〕

計　算　過　程	（単位：円）
〔課税仕入れ等の税額の合計額の計算〕	

〔控除対象仕入税額〕（続き）

計　算　過　程	（単位：円）

〔調整対象固定資産に係る控除税額の調整の計算等〕

次ページへ続く

〔控除対象仕入税額〕（続き）

計　算　過　程	（単位：円）

〔控除対象仕入税額の計算〕	金額	円

問題 5

(単位：円)

(1) 調整対象固定資産の判定

(2) 課税売上割合が著しく変動した場合の控除税額の調整

問題 6

問 1

① (　　　　　　)　② (　　　　　　)　③ (　　　　　　)

④ (　　　　　　)　⑤ (　　　　　　)　⑥ (　　　　　　)

⑦ (　　　　　　)　⑧ (　　　　　　)　⑨ (　　　　　　)

問 2

問題 7

(単位：円)

(1) 調整対象固定資産の判定

(2) 調整対象固定資産を転用した場合の控除税額の調整

問題 8

問1

(単位：円)

1. 仕入れに係る消費税額

2. 調整対象固定資産に係る控除税額の調整

　(1) 調整対象固定資産の判定

　(2) 調整対象固定資産を転用した場合の控除税額の調整

次ページへ続く

問題8 問1 （続き）

3. 控除対象仕入税額

問2

（単位：円）

1. 仕入れに係る消費税額

2. 調整対象固定資産に係る控除税額の調整

　(1) 調整対象固定資産の判定

　(2) 調整対象固定資産を転用した場合の控除税額の調整

次ページへ続く

問題8問2（続き）

3. 控除対象仕入税額

問題9

仕入れに係る消費税額の計算等

〔課税売上割合〕

計　算　過　程		（単位：円）
	割合	_____ 円 / 円

〔控除対象仕入税額〕

計　算　過　程 （単位：円）
〔課税仕入れ等の税額の合計額の計算〕
〔調整対象固定資産に係る控除税額の調整の計算等〕

次ページへ続く

〔控除対象仕入税額〕（続き）

計　算　過　程	（単位：円）

次ページへ続く

〔控除対象仕入税額〕（続き）

計　算　過　程	（単位：円）
〔控除対象仕入税額の計算〕	金額　　　　　　　　　　　　　　円

問題10

問1

① (　　　　　　　　) ② (　　　　　　　　) ③ (　　　　　　　　)

④ (　　　　　　　　) ⑤ (　　　　　　　　) ⑥ (　　　　　　　　)

⑦ (　　　　　　　　) ⑧ (　　　　　　　　) ⑨ (　　　　　　　　)

⑩ (　　　　　　　　) ⑪ (　　　　　　　　) ⑫ (　　　　　　　　)

⑬ (　　　　　　　　) ⑭ (　　　　　　　　)

問2

Chapter 4　棚卸資産に係る消費税額の調整

問題 1

（単位：円）

〔課税仕入れ等の税額の合計額の計算〕

(1) 課税売上割合

(2) 区分経理及び税額

① 個別対応方式

次ページへ続く

問題 1 (続き)

② 一括比例配分方式

(2) 有利判定

問題 2

(単位：円)

〔課税仕入れ等の税額の合計額の計算〕

(1) 課税売上割合

(2) 区分経理及び税額

① 個別対応方式

次ページへ続く

問題2（続き）

② 一括比例配分方式

(2) 有利判定

問題 3

仕入れに係る消費税額の計算等

〔課税売上割合〕

計 算 過 程	（単位：円）

| 割合 | ＿＿＿＿＿＿ 円 |
| | 円 |

〔控除対象仕入税額〕

計 算 過 程	（単位：円）

次ページへ続く

〔控除対象仕入税額〕（続き）

計　算　過　程	（単位：円）

	金額	円

問題4

（単位：円）

問題 5

(1)	
(2)	
(3)	

問題 6

Chapter 5　課税期間

問題 1

① (　　　　　　　　　　　)　② (　　　　　　　　　　　)
③ (　　　　　　　　　　　)　④ (　　　　　　　　　　　)
⑤ (　　　　　　　　　　　)　⑥ (　　　　　　　　　　　)
⑦ (　　　　　　　　　　　)　⑧ (　　　　　　　　　　　)
⑨ (　　　　　　　　　　　)

問題 2

問 1
① (　　　　　　　　　　　)　② (　　　　　　　　　　　)

問 2
(1) (　　　　　　　　) ～ (　　　　　　　　)
(2) (　　　　　　　　) ～ (　　　　　　　　)
(3) (　　　　　　　　) ～ (　　　　　　　　)

問題 3

問 1
① (　　　　　　　　　　　)　② (　　　　　　　　　　　)

問 2
　(　　　　　　　　) ～ (　　　　　　　　)

問題 4

(1) (　　　　　　　　　　)
(2) (　　　　　　　　　　)
(3) (　　　　　　　　　　)
(4) (　　　　　　　　　　)

Chapter 6　納税地

問題 1

(1)	(2)	(3)
(4)	(5)	(6)

問題 2

① (　　　　　　　　　　　　　　) ② (　　　　　　　　　　　　　　)
③ (　　　　　　　　　　　　　　) ④ (　　　　　　　　　　　　　　)

問題 3

(1)	
(2)	

Chapter 7　相続があった場合の納税義務の免除の特例

問題 1

問1　令和7年1月1日～令和7年12月31日

（単位：円）

〔納税義務の有無の判定〕

問2　令和8年1月1日～令和8年12月31日

（単位：円）

〔納税義務の有無の判定〕

問3　令和9年1月1日～令和9年12月31日

（単位：円）

〔納税義務の有無の判定〕

問題 2

問 1 令和 7 年 1 月 1 日～令和 7 年 12 月 31 日

(単位：円)

〔納税義務の有無の判定〕

問 2 令和 8 年 1 月 1 日～令和 8 年 12 月 31 日

(単位：円)

〔納税義務の有無の判定〕

問 3 令和 9 年 1 月 1 日～令和 9 年 12 月 31 日

(単位：円)

〔納税義務の有無の判定〕

問4　令和 10 年 1 月 1 日～令和 10 年 12 月 31 日

(単位：円)

〔納税義務の有無の判定〕

問題 3

(単位：円)

〔納税義務の有無の判定〕

問題 4

① (　　　　　　　　　　)　② (　　　　　　　　　　)
③ (　　　　　　　　　　)　④ (　　　　　　　　　　)
⑤ (　　　　　　　　　　)　⑥ (　　　　　　　　　　)
⑦ (　　　　　　　　　　)　⑧ (　　　　　　　　　　)
⑨ (　　　　　　　　　　)　⑩ (　　　　　　　　　　)
⑪ (　　　　　　　　　　)　⑫ (　　　　　　　　　　)
⑬ (　　　　　　　　　　)

Chapter 8　合併があった場合の納税義務の免除の特例

問題 1

問1　令和7年4月1日～令和8年3月31日

(単位：円)

〔納税義務の有無の判定〕

問2　令和8年4月1日～令和9年3月31日

(単位：円)

〔納税義務の有無の判定〕

問3　令和9年4月1日～令和10年3月31日

(単位：円)

〔納税義務の有無の判定〕

問題 2

問 1 令和 7 年 4 月 1 日～令和 8 年 3 月 31 日

(単位：円)

〔納税義務の有無の判定〕

問 2 令和 8 年 4 月 1 日～令和 9 年 3 月 31 日

(単位：円)

〔納税義務の有無の判定〕

問3　令和9年4月1日～令和10年3月31日

(単位：円)

〔納税義務の有無の判定〕

問題3

(単位：円)

〔納税義務の有無の判定〕

問題 4

問1　令和7年11月1日～令和8年3月31日

(単位：円)

〔納税義務の有無の判定〕

問2　令和8年4月1日～令和9年3月31日

(単位：円)

〔納税義務の有無の判定〕

問3　令和9年4月1日～令和10年3月31日

(単位：円)

［納税義務の有無の判定］

問題5

問1　令和7年8月1日～令和8年3月31日

(単位：円)

［納税義務の有無の判定］

問2　令和8年4月1日～令和9年3月31日

（単位：円）

〔納税義務の有無の判定〕

問3　令和9年4月1日～令和10年3月31日

（単位：円）

〔納税義務の有無の判定〕

問題6

問1　令和7年8月1日～令和8年3月31日

(単位：円)

〔納税義務の有無の判定〕

問2　令和8年4月1日～令和9年3月31日

(単位：円)

〔納税義務の有無の判定〕

問3　令和9年4月1日～令和10年3月31日

(単位：円)

〔納税義務の有無の判定〕

問題 7

問 1

① (　　　　　　　　　　) ② (　　　　　　　　　　　　　　)
③ (　　　　　　　　　　) ④ (　　　　　　　　　　　　　　)
⑤ (　　　　　　　　　　) ⑥ (　　　　　　　　　　　　　　)
⑦ (　　　　　　　　　　) ⑧ (　　　　　　　　　　　　　　)
⑨ (　　　　　　　　　　)

問 2

① (　　　　　　　　　　) ② (　　　　　　　　　　　　　　)
③ (　　　　　　　　　　) ④ (　　　　　　　　　　　　　　)
⑤ (　　　　　　　　　　) ⑥ (　　　　　　　　　　　　　　)
⑦ (　　　　　　　　　　) ⑧ (　　　　　　　　　　　　　　)
⑨ (　　　　　　　　　　)

Chapter 9　会社分割があった場合の納税義務の免除の特例

問題 1

問 1　令和7年5月1日～令和8年3月31日

(単位：円)

〔納税義務の有無の判定〕

問2　令和8年4月1日～令和9年3月31日

(単位：円)

〔納税義務の有無の判定〕

問3　令和9年4月1日～令和10年3月31日

(単位：円)

〔納税義務の有無の判定〕

問4　令和10年4月1日～令和11年3月31日

(単位：円)

〔納税義務の有無の判定〕

問題2

問1　令和7年6月1日～令和8年1月31日

(単位：円)

〔納税義務の有無の判定〕

問2 令和8年2月1日～令和9年1月31日

(単位：円)

〔納税義務の有無の判定〕

問3 令和9年2月1日～令和10年1月31日

(単位：円)

〔納税義務の有無の判定〕

問4　令和10年2月1日～令和11年1月31日

(単位：円)

〔納税義務の有無の判定〕

問題3

問1　令和7年4月1日～令和8年3月31日

(単位：円)

〔納税義務の有無の判定〕

問2　令和8年4月1日～令和9年3月31日

(単位：円)

〔納税義務の有無の判定〕

問3　令和9年4月1日～令和10年3月31日

(単位：円)

〔納税義務の有無の判定〕

問4　令和10年4月1日～令和11年3月31日

(単位：円)

〔納税義務の有無の判定〕

問題 4

問 1 令和 7 年 4 月 1 日～令和 8 年 3 月 31 日

(単位：円)

〔納税義務の有無の判定〕

問 2 令和 8 年 4 月 1 日～令和 9 年 3 月 31 日

(単位：円)

〔納税義務の有無の判定〕

問 3 令和 9 年 4 月 1 日～令和 10 年 3 月 31 日

(単位：円)

〔納税義務の有無の判定〕

問4　令和10年4月1日～令和11年3月31日

（単位：円）

〔納税義務の有無の判定〕

問題 5

〔特定要件の判定〕

問題 6

① (　　　　　　　　　　)　② (　　　　　　　　　　)
③ (　　　　　　　　　　)　④ (　　　　　　　　　　)
⑤ (　　　　　　　　　　)　⑥ (　　　　　　　　　　)
⑦ (　　　　　　　　　　)　⑧ (　　　　　　　　　　)
⑨ (　　　　　　　　　　)　⑩ (　　　　　　　　　　)
⑪ (　　　　　　　　　　)　⑫ (　　　　　　　　　　)

問題 7

問 1 令和 7 年 4 月 1 日 ～ 令和 8 年 3 月 31 日

(単位:円)

〔納税義務の有無の判定〕

問 2 令和 8 年 4 月 1 日 ～ 令和 9 年 3 月 31 日

(単位:円)

〔納税義務の有無の判定〕

問 3 令和 9 年 4 月 1 日 ～ 令和 10 年 3 月 31 日

(単位:円)

〔納税義務の有無の判定〕

問題8

問1　（B社）令和8年1月1日～令和8年12月31日

（単位：円）

〔納税義務の有無の判定〕

問2　（B社）令和9年1月1日～令和9年12月31日

（単位：円）

〔納税義務の有無の判定〕

問3　（B社）令和10年1月1日～令和10年12月31日

（単位：円）

〔納税義務の有無の判定〕

問4　（A社）令和9年4月1日～令和10年3月31日

(単位：円)

〔納税義務の有無の判定〕

問題 9

① (　　　　　　　　　　) ② (　　　　　　　　　　　　　　)

③ (　　　　　　　　　　) ④ (　　　　　　　　　　　　　　)

⑤ (　　　　　　　　　　) ⑥ (　　　　　　　　　　　　　　)

⑦ (　　　　　　　　　　) ⑧ (　　　　　　　　　　　　　　)

Chapter10　合併があった場合の中間申告に係る納付税額の計算

問題 1

〔ケース1〕

(単位：円)

〔中間納付税額の計算〕

〔ケース2〕

(単位:円)

〔中間納付税額の計算〕

問題2

(単位:円)

〔中間納付税額の計算〕

問題 3

(単位：円)

〔中間納付税額の計算〕

問題 4

〔ケース1〕

(単位：円)

〔中間納付税額の計算〕

〔ケース2〕

(単位:円)

〔中間納付税額の計算〕

問題 5

(単位:円)

〔中間納付税額の計算〕

Chapter11　簡易課税制度

問題 1

I　納税義務及び簡易課税制度適用有無の判定

〔納税義務の有無の判定〕

計　算　過　程　　　　　　　　　（単位：円）

〔簡易課税制度適用有無の判定〕

計　算　過　程　　　　　　　　　（単位：円）

II　課税標準額に対する消費税額の計算

〔課税標準額〕

計　算　過　程　（単位：円）	金額	円

〔課税標準額に対する消費税額〕

計　算　過　程　（単位：円）	金額	円

〔控除過大調整税額〕

計　算　過　程　（単位：円）	金額	円

Ⅲ　仕入れに係る消費税額の計算等

〔控除対象仕入税額〕

計　算　過　程　　　　　　　　　　（単位：円）		
	金額	円

〔売上げの返還等対価に係る税額〕

計　算　過　程　（単位：円）	金額	円

〔控除税額小計〕

計　算　過　程　（単位：円）	金額	円

Ⅳ　差引税額の計算

〔差引税額〕

計　算　過　程　（単位：円）	金額	円

V 納付税額の計算

〔納付税額〕

計　算　過　程　（単位：円）	金額	円

問題 2

問 1

①	
②	

問 2

① (　　　　　　　　　　) ② (　　　　　　　　　　　　　　　)

③ (　　　　　　　　　　) ④ (　　　　　　　　　　　　　　　)

⑤ (　　　　　　　　　　) ⑥ (　　　　　　　　　　　　　　　)

⑦ (　　　　　　　　　　) ⑧ (　　　　　　　　　　　　　　　)

⑨ (　　　　　　　　　　) ⑩ (　　　　　　　　　　　　　　　)

⑪ (　　　　　　　　　　) ⑫ (　　　　　　　　　　　　　　　)

⑬ (　　　　　　　　　　)

問題 3

(1)	(2)	(3)	(4)	(5)
(6)	(7)	(8)	(9)	(10)
(11)	(12)	(13)	(14)	(15)
(16)	(17)	(18)		

問題 4

(1)		(2)		(3)		(4)		(5)	
(6)		(7)		(8)		(9)		(10)	
(11)		(12)		(13)		(14)		(15)	

問題 5

I 課税標準額に対する消費税額の計算

〔課税標準額〕

計　算　過　程　（単位：円）	金額	円

〔課税標準額に対する消費税額〕

計　算　過　程　（単位：円）	金額	円

II 仕入れに係る消費税額の計算等

〔控除対象仕入税額〕

計　算　過　程　　　　　　　　　　　　　（単位：円）

次ページへ続く

〔控除対象仕入税額〕（続き）

計　算　過　程	（単位：円）

次ページへ続く

〔控除対象仕入税額〕（続き）

計　算　過　程	（単位：円）
	金額　　　　　　　　　　　円

〔売上げの返還等対価に係る税額〕

計　算　過　程　（単位：円）	金額	円

〔控除税額小計〕

計　算　過　程　（単位：円）	金額	円

Ⅲ　差引税額の計算

〔差引税額〕

計　算　過　程　（単位：円）	金額	円

Ⅳ　納付税額の計算

〔納付税額〕

計　算　過　程　（単位：円）	金額	円

問題6

I　課税標準額に対する消費税額の計算

〔課税標準額〕

計　算　過　程		（単位：円）
	金額	円

〔課税標準額に対する消費税額〕

計　算　過　程　（単位：円）		円
	金額	

II　仕入れに係る消費税額の計算等

〔控除対象仕入税額〕

計　算　過　程	（単位：円）

次ページへ続く

〔控除対象仕入税額〕（続き）

計　算　過　程		（単位：円）
	金額	円

〔売上げの返還等対価に係る税額〕

計　算　過　程　　（単位：円）	金額	円

〔控除税額小計〕

計　算　過　程　　（単位：円）	金額	円

Ⅲ　差引税額の計算

〔差引税額〕

計　算　過　程　　（単位：円）	金額	円

Ⅳ　納付税額の計算

〔納付税額〕

計　算　過　程　　（単位：円）	金額	円

問題7

I 課税標準額に対する消費税額の計算

〔課税標準額〕

計　算　過　程	（単位：円）
	金額　　　　　　　　　　円

〔課税標準額に対する消費税額〕

計　算　過　程　（単位：円）	金額　　　　　　　　　　円

〔控除過大調整税額〕

計　算　過　程　（単位：円）	金額　　　　　　　　　　円

II 仕入れに係る消費税額の計算等

〔控除対象仕入税額〕

計　算　過　程	（単位：円）
	次ページへ続く

〔控除対象仕入税額〕（続き）

計　算　過　程　　　　　　　（単位：円）

次ページへ続く

〔控除対象仕入税額〕（続き）

計　算　過　程	（単位：円）
	金額　　　　　　　　　　　円

〔売上げの返還等対価に係る税額〕

計　算　過　程　（単位：円）	金額	円

〔控除税額小計〕

計　算　過　程　（単位：円）	金額	円

Ⅲ　差引税額の計算

〔差引税額〕

計　算　過　程　（単位：円）	金額	円

Ⅳ　納付税額の計算

〔納付税額〕

計　算　過　程　（単位：円）	金額	円

問題 8

I 課税標準額に対する消費税額の計算

〔課税標準額〕

計　算　過　程　　　　　　　　　（単位：円）		
	金額	円

〔課税標準額に対する消費税額〕

計　算　過　程　（単位：円）	金額	円

II 仕入れに係る消費税額の計算等

〔控除対象仕入税額〕

計　算　過　程　　　　　　　　　（単位：円）

次ページへ続く

〔控除対象仕入税額〕（続き）

計　算　過　程	（単位：円）

次ページへ続く

〔控除対象仕入税額〕（続き）

計　算　過　程　　　　　　　　（単位：円）
金額　　　　　　　　　　　　　　　　円

〔売上げの返還等対価に係る税額〕

計　算　過　程　（単位：円）	金額	円

〔控除税額小計〕

計　算　過　程　（単位：円）	金額	円

Ⅲ　差引税額の計算

〔差引税額〕

計　算　過　程　（単位：円）	金額	円

Ⅳ 納付税額の計算

〔納付税額〕

計　算　過　程　（単位：円）	金額	円

問題 9

Ⅰ 課税標準額に対する消費税額の計算

〔課税標準額〕

計　算　過　程　　　　　　　　　　（単位：円）		
	金額	円

〔課税標準額に対する消費税額〕

計　算　過　程　（単位：円）	金額	円

Ⅱ 仕入れに係る消費税額の計算等

〔控除対象仕入税額〕

計　算　過　程　　　　　　　　　　（単位：円）
次ページへ続く

〔控除対象仕入税額〕(続き)

計　算　過　程	(単位：円)

次ページへ続く

〔控除対象仕入税額〕（続き）

計　算　過　程	（単位：円）

金額　　　　　　　　円

〔売上げの返還等対価に係る税額〕

計　算　過　程　　（単位：円）	金額	円

〔控除税額小計〕

計　算　過　程　　（単位：円）	金額	円

Ⅲ　差引税額の計算

〔差引税額〕

計　算　過　程　　（単位：円）	金額	円

Ⅳ　納付税額の計算

〔納付税額〕

計　算　過　程　　（単位：円）	金額	円

問題10

〔控除対象仕入税額〕

計　算　過　程 （単位：円）
次ページへ続く

〔控除対象仕入税額〕（続き）

計　算　過　程		（単位：円）
	金額	円

問題11

I　課税標準額に対する消費税額の計算

〔課税標準額〕

計　算　過　程		（単位：円）
	金額	円

〔課税標準額に対する消費税額〕

	計　算　過　程		（単位：円）
		金額	円

Ⅱ　仕入れに係る消費税額の計算等

〔控除対象仕入税額〕

計　算　過　程　　　　　　　　　　（単位：円）

次ページへ続く

〔控除対象仕入税額〕（続き）

計　算　過　程	（単位：円）

次ページへ続く

〔控除対象仕入税額〕（続き）

計　算　過　程　　　　　　　　　（単位：円）
金額　　　　　　　　　　　円

Ⅲ　差引税額の計算

〔差引税額〕

計　算　過　程　（単位：円）	金額	円

Ⅳ 納付税額の計算

〔納付税額〕

計　算　過　程　　（単位：円）	金額	円

問題12

① (　　　　　　　　　　　) ② (　　　　　　　　　　　)
③ (　　　　　　　　　　　) ④ (　　　　　　　　　　　)
⑤ (　　　　　　　　　　　) ⑥ (　　　　　　　　　　　)
⑦ (　　　　　　　　　　　) ⑧ (　　　　　　　　　　　)
⑨ (　　　　　　　　　　　) ⑩ (　　　　　　　　　　　)
⑪ (　　　　　　　　　　　) ⑫ (　　　　　　　　　　　)
⑬ (　　　　　　　　　　　)

問題13

Chapter12　資産の譲渡等の時期の特例

問題 1

〔課税標準額〕

計　算　過　程		（単位：円）
	金額	円

問題 2

〔課税標準額〕

計　算　過　程		（単位：円）
	金額	円

問題 3

問 1

① (　　　　　　　　　　　) ② (　　　　　　　　　　　)
③ (　　　　　　　　　　　) ④ (　　　　　　　　　　　)
⑤ (　　　　　　　　　　　) ⑥ (　　　　　　　　　　　)
⑦ (　　　　　　　　　　　)

問 2

①	
②	
③	

問題 4

×3 期　[　　　　　　　]　円

×4 期　[　　　　　　　]　円

×5 期　[　　　　　　　]　円

問題 5

問1

① (　　　　　　　　　　　　) ② (　　　　　　　　　　　　)
③ (　　　　　　　　　　　　) ④ (　　　　　　　　　　　　)
⑤ (　　　　　　　　　　　　) ⑥ (　　　　　　　　　　　　)
⑦ (　　　　　　　　　　　　)

問2

(1) 長期大規模工事

①	
②	

(2) 工事

①	
②	
③	

問題 6

〔課税標準額〕

計　算　過　程	（単位：円）	
	金額	円

問題 7

問 1
- ① (　　　　　　　　　　　) ② (　　　　　　　　　　　)
- ③ (　　　　　　　　　　　) ④ (　　　　　　　　　　　)
- ⑤ (　　　　　　　　　　　) ⑥ (　　　　　　　　　　　)
- ⑦ (　　　　　　　　　　　) ⑧ (　　　　　　　　　　　)
- ⑨ (　　　　　　　　　　　)

問 2

①	
②	

Chapter13 国、地方公共団体等に対する特例

問題1

課税仕入れに係る特定収入 　☐ 円

使途不特定の特定収入 　☐ 円

非特定収入 　☐ 円

問題2

〔課税売上割合〕

計　算　過　程 （単位：円）

割合	＿＿＿＿ 円
	円

〔特定収入割合〕

計　算　過　程	（単位：円）

割合　　　_____ 円 / _____ 円

〔調整割合〕

計　算　過　程	（単位：円）

割合　　　_____ 円 / _____ 円

問題 3

I　課税標準額に対する消費税額の計算

〔課税標準額〕

計　算　過　程　　（単位：円）	金額	円

〔課税標準額に対する消費税額〕

計　算　過　程　　（単位：円）	金額	円

II　仕入れに係る消費税額の計算等

〔課税売上割合〕

計　算　過　程　　　　　　　　　　　　　（単位：円）

割合	円
	円

〔調整前控除対象仕入税額〕

計　算　過　程		（単位：円）
	金額	円

〔特定収入割合〕

計　算　過　程		（単位：円）
	割合	_____ 円 / 円

〔調整割合〕

計　算　過　程		（単位：円）
	割合	_____ 円 / 円

〔特定収入に係る課税仕入れ等の税額〕

計　算　過　程　　　　　　　　（単位：円）		
	金額	円

〔調整後控除対象仕入税額〕

計　算　過　程　　（単位：円）	金額	円

Ⅲ　差引税額の計算

〔差引税額〕

計　算　過　程　　（単位：円）	金額	円

Ⅳ　納付税額の計算

〔納付税額〕

計　算　過　程　　（単位：円）	金額	円

問題 4

I 課税標準額に対する消費税額の計算

〔課税標準額〕

計　算　過　程　（単位：円）	金額	円

〔課税標準額に対する消費税額〕

計　算　過　程　（単位：円）	金額	円

II 仕入れに係る消費税額の計算等

〔課税売上割合〕

計　算　過　程　（単位：円）

割合	_____ 円 / 円

〔調整前控除対象仕入税額〕

計　算　過　程	（単位：円）

〔特定収入割合〕

計　算　過　程	（単位：円）

次ページへ続く

〔特定収入割合〕(続き)

	計　算　過　程	（単位：円）
	割合	_____ 円 円

〔調整割合〕

	計　算　過　程	（単位：円）
	割合	_____ 円 円

〔特定収入に係る課税仕入れ等の税額〕

計　算　過　程	（単位：円）

〔調整後控除対象仕入税額〕

	計　算　過　程	（単位：円）
	金額	円

Ⅲ　差引税額の計算

〔差引税額〕

計　算　過　程　（単位：円）	金額	円

Ⅳ　納付税額の計算

〔納付税額〕

計　算　過　程　（単位：円）	金額	円

問題 5

問1

① (　　　　　　　　　　)　② (　　　　　　　　　　)
③ (　　　　　　　　　　)　④ (　　　　　　　　　　)
⑤ (　　　　　　　　　　)　⑥ (　　　　　　　　　　)
⑦ (　　　　　　　　　　)　⑧ (　　　　　　　　　　)

問 2

①
②
③
④

問題 6

① (　　　　　　　　　　　) ② (　　　　　　　　　　　)

問題 7

① (　　　　　　　　　　　) ② (　　　　　　　　　　　)

問題 8

問 1
① (　　　　　　　　　)

問 2
① (　　　　　　　　　　　) ② (　　　　　　　　　　　)

問題 9

① (　　　) ② (　　　) ③ (　　　) ④ (　　　)

問題10

Chapter14　特殊論点

問題1

〔課税標準額〕

計　算　過　程　　　　　　　（単位：円）		
	金額	円

問題2

I　課税標準額に対する消費税額の計算

〔課税標準額〕

計　算　過　程　　（単位：円）		
	金額	円

〔課税標準額に対する消費税額〕

計　算　過　程　　（単位：円）		
	金額	円

Ⅱ 仕入れに係る消費税額の計算等

〔控除対象仕入税額〕

計　算　過　程　　　　　　　（単位：円）
金額 　　　　　　　　　　　　　円

〔貸倒れに係る消費税額〕

計　算　過　程　（単位：円）	金額	円

〔控除税額小計〕

計　算　過　程　（単位：円）	金額	円

Ⅲ 差引税額の計算

〔差引税額〕

計　算　過　程　（単位：円）	金額	円

Ⅳ 納付税額の計算

〔納付税額〕

計　算　過　程　（単位：円）	金額	円

問題3

〔調整対象固定資産に係る控除税額の調整額〕

計　算　過　程　（単位：円）
(1) 調整対象固定資産の判定
(2)

次ページへ続く

〔調整対象固定資産に係る控除税額の調整額〕(続き)

計　算　過　程		(単位：円)
	金額	円

問題 4

〔調整対象固定資産に係る控除税額の調整額〕

計　算　過　程　　　　　　　　（単位：円）
(1)　調整対象固定資産の判定   (2)

金額	円

問題 5

① (　　　　　　　　　　)　② (　　　　　　　　　　　　)
③ (　　　　　　　　　　)　④ (　　　　　　　　　　　　)
⑤ (　　　　　　　　　　)　⑥ (　　　　　　　　　　　　)
⑦ (　　　　　　　　　　)　⑧ (　　　　　　　　　　　　)
⑨ (　　　　　　　　　　)　⑩ (　　　　　　　　　　　　)
⑪ (　　　　　　　　　　)

問題 6

① (　　　　　　　　　　) ② (　　　　　　　　　　)
③ (　　　　　　　　　　) ④ (　　　　　　　　　　)
⑤ (　　　　　　　　　　) ⑥ (　　　　　　　　　　)
⑦ (　　　　　　　　　　)

問題 7

① (　　　　　　　　　　) ② (　　　　　　　　　　)
③ (　　　　　　　　　　) ④ (　　　　　　　　　　)
⑤ (　　　　　　　　　　)

問題 8

① (　　　　　　　　　　) ② (　　　　　　　　　　)
③ (　　　　　　　　　　) ④ (　　　　　　　　　　)
⑤ (　　　　　　　　　　) ⑥ (　　　　　　　　　　)
⑦ (　　　　　　　　　　)

問題 9

問 1　甲の納税義務に関する適用関係

問 2　法人の納税義務に関する適用関係

次ページへ続く

問題9問2続き

問題10

〔課税売上割合〕

計　算　過　程	（単位：円）

割合	＿＿＿＿＿＿ 円
	円

問題11

1

2

問題12

① (　　　　　　　　　　) ② (　　　　　　　　　　　　)
③ (　　　　　　　　　　) ④ (　　　　　　　　　　　　)
⑤ (　　　　　　　　　　) ⑥ (　　　　　　　　　　　　)
⑦ (　　　　　　　　　　)

問題13

① (　　　　　　　　　　) ② (　　　　　　　　　　　　)
③ (　　　　　　　　　　) ④ (　　　　　　　　　　　　)
⑤ (　　　　　　　　　　) ⑥ (　　　　　　　　　　　　)
⑦ (　　　　　　　　　　) ⑧ (　　　　　　　　　　　　)

問題14

① (　　　　　　　　　　) ② (　　　　　　　　　　　　)
③ (　　　　　　　　　　)

問題15

問 1

① (　　　　　　　　　　) ② (　　　　　　　　　　)
③ (　　　　　　　　　　) ④ (　　　　　　　　　　)

問 2

① (　　　　　　　　　　) ② (　　　　　　　　　　)
③ (　　　　　　　　　　) ④ (　　　　　　　　　　)
⑤ (　　　　　　　　　　) ⑥ (　　　　　　　　　　)

問 3

① (　　　　　　　　　　) ② (　　　　　　　　　　)
③ (　　　　　　　　　　) ④ (　　　　　　　　　　)
⑤ (　　　　　　　　　　) ⑥ (　　　　　　　　　　)

問題16

計　算　過　程			（単位：円）
仕入れに係る消費税額の調整を行うべき課税期間	第　　　期	調整税額	円

Chapter15　適格請求書発行事業者

問題 1

① (　　　　　)　② (　　　　　　)　③ (　　　　　　)

問題 2

① (　　　　　)　② (　　　　　　)　③ (　　　　　　)

④ (　　　　　)　⑤ (　　　　　　)

問題 3

(1)

①	
②	
③	
④	
⑤	
⑥	

(2)

①	
②	
③	
④	
⑤	
⑥	
⑦	
⑧	

問題 4

① (　　　　　　　　　)　② (　　　　　　　　　)

③ (　　　　　　　　　)　④ (　　　　　　　　　)

⑤ (　　　　　　　　　)

問題 5

① (　　　　　)　② (　　　　　　)　③ (　　　　　　)

④ (　　　　　)　⑤ (　　　　　　)　⑥ (　　　　　　)

⑦ (　　　　　)

問題 6

①	
②	
③	
④	
⑤	
⑥	

問題 7

①	
②	
③	
④	
⑤	

問題 8

①	
②	
③	

Chapter16　信託

問題 1

	正誤	訂　　正
(1)		
(2)		
(3)		
(4)		
(5)		

Chapter17　届出等

問題1

① (　　　　　　　　　　　　)　② (　　　　　　　　　　　　　　　　)
③ (　　　　　　　　　　　　)　④ (　　　　　　　　　　　　　　　　)

問題2

(1)	(2)	(3)	(4)	(5)	(6)	(7)	(8)	(9)

問題 3

1

1. 提出すべき消費税の届出書
2. 提出期限
3. 理　由

2

1. 提出すべき消費税の届出書

2. 提出期限

3. 理　由

2025年度版　ネットスクール出版
税理士試験教材のラインナップ

● **税理士試験に合格するためのメイン教材**

税理士試験教科書・問題集・理論集

ネットスクール税理士WEB講座の講師陣が自ら「確実に合格できる教材づくり」をコンセプトに執筆・監修した教材です。

税理士試験の合格に必要な内容を効率よく、かつ、挫折しないように工夫した『教科書』、計算力を身に付ける『問題集』、理論問題対策の『理論集』から構成されており、どの科目の教材も、豊富な図解と受験生がつまずきやすいポイントを押さえた、ネットスクール税理士WEB講座でも使用している教材です。

簿記論・財務諸表論の教材

税理士試験教科書	簿記論・財務諸表論Ⅰ	基礎導入編【2025年度版】	3,630円（税込）	好評発売中
税理士試験問題集	簿記論・財務諸表論Ⅰ	基礎導入編【2025年度版】	3,300円（税込）	好評発売中
税理士試験教科書	簿記論・財務諸表論Ⅱ	基礎完成編【2025年度版】	3,630円（税込）	好評発売中
税理士試験問題集	簿記論・財務諸表論Ⅱ	基礎完成編【2025年度版】	3,300円（税込）	好評発売中
税理士試験教科書	簿記論・財務諸表論Ⅲ	応用編【2025年度版】	3,630円（税込）	好評発売中
税理士試験問題集	簿記論・財務諸表論Ⅲ	応用編【2025年度版】	3,300円（税込）	好評発売中
税理士試験教科書	財務諸表論　理論編【2025年度版】		3,850円（税込）	好評発売中

☆簿記論・財務諸表論の方はこちらもオススメ！☆

穂坂式 つながる会計理論

税理士 財務諸表論 穂坂式 つながる会計理論【第2版】	2,640円（税込）	好評発売中

過去問ヨコ解き問題集

税理士試験過去問ヨコ解き問題集 簿記論【第4版】	3,850円（税込）	好評発売中
税理士試験過去問ヨコ解き問題集 財務諸表論【第6版】	3,850円（税込）	好評発売中

● **試験前の総仕上げには必須のアイテム！**

ラストスパート模試　　毎年5～6月ごろ発売予定

試験直前期は、出題予想に基づいた『ラストスパート模試』で総仕上げ！
全3回分の本試験さながらの模擬試験を収載。
分かりやすい解説とともに直前期の得点力UPをサポートします。

※ 画像や内容は2024年度版をベースにしたものです。変更となる場合もございます。

● 税理士試験の学習を本格的に始める前に…

知識ゼロでも大丈夫！ 税理士試験のための簿記入門
税理士試験向けの独自の内容で簿記の基本が学習できる1冊です。
本書を読むことで、税理士試験の簿記論に直結した基礎学習が可能なので、簿記の学習経験が無い方や基礎が不安な方にオススメです。
2,640円（税込）好評発売中！

法人税法の教材

税理士試験教科書・問題集　法人税法Ⅰ　基礎導入編【2025年度版】	3,300円（税込）	好評発売中
税理士試験教科書　法人税法Ⅱ　基礎完成編【2025年度版】	3,630円（税込）	好評発売中
税理士試験問題集　法人税法Ⅱ　基礎完成編【2025年度版】	3,300円（税込）	好評発売中
税理士試験教科書　法人税法Ⅲ　応用編【2025年度版】	3,850円（税込）	好評発売中
税理士試験問題集　法人税法Ⅲ　応用編【2025年度版】	3,520円（税込）	好評発売中
税理士試験理論集　法人税法【2025年度版】	2,420円（税込）	好評発売中

相続税法の教材

税理士試験教科書・問題集　相続税法Ⅰ　基礎導入編【2025年度版】	3,300円（税込）	好評発売中
税理士試験教科書　相続税法Ⅱ　基礎完成編【2025年度版】	3,630円（税込）	好評発売中
税理士試験問題集　相続税法Ⅱ　基礎完成編【2025年度版】	3,300円（税込）	好評発売中
税理士試験教科書　相続税法Ⅲ　応用編【2025年度版】	3,850円（税込）	好評発売中
税理士試験問題集　相続税法Ⅲ　応用編【2025年度版】	3,300円（税込）	好評発売中
税理士試験理論集　相続税法【2025年度版】	2,420円（税込）	好評発売中

消費税法の教材

税理士試験教科書・問題集　消費税法Ⅰ　基礎導入編【2025年度版】	3,300円（税込）	好評発売中
税理士試験教科書　消費税法Ⅱ　基礎完成編【2025年度版】	3,630円（税込）	好評発売中
税理士試験問題集　消費税法Ⅱ　基礎完成編【2025年度版】	3,300円（税込）	好評発売中
税理士試験教科書　消費税法Ⅲ　応用編【2025年度版】	3,630円（税込）	好評発売中
税理士試験問題集　消費税法Ⅲ　応用編【2025年度版】	3,520円（税込）	好評発売中
税理士試験理論集　消費税法【2025年度版】	2,420円（税込）	好評発売中

国税徴収法の教材

税理士試験教科書　国税徴収法【2025年度版】	4,620円（税込）	好評発売中
税理士試験理論集　国税徴収法【2025年度版】	2,420円（税込）	好評発売中

書籍のお求めは全国の書店・インターネット書店、またはネットスクールWEB-SHOPをご利用ください。

ネットスクール WEB-SHOP

https://www.net-school.jp/

ネットスクール WEB-SHOP　検索

※ 書名・価格・発行年月は変更する場合もございますので、予めご了承ください。（2024年12月現在）

本書の発行後に公表された法令等及び試験制度の改正情報、並びに判明した誤りに関する訂正情報については、弊社WEBサイト内の『読者の方へ』にてご案内しておりますので、ご確認下さい。

https://www.net-school.co.jp/

なお、万が一、誤りではないかと思われる箇所のうち、弊社WEBサイトにて掲載がないものにつきましては、**書名（ＩＳＢＮコード）と誤りと思われる内容**のほか、お客様の**お名前**及び**郵送の場合はご返送先の郵便番号とご住所**を明記の上、弊社まで**郵送またはe‐mail**にてお問い合わせ下さい。

＜郵送先＞　〒101‐0054
　　　　　　東京都千代田区神田錦町3-23　神田錦町安田ビル３階
　　　　　　ネットスクール株式会社　正誤問い合わせ係
＜e‐mail＞　seisaku@net-school.co.jp

※正誤に関するもの以外のご質問、本書に関係のないご質問にはお答えできません。
※**お電話によるお問い合わせはお受けできません。**ご了承下さい。

税理士試験　問題集
消費税法Ⅲ　応用編　【2025年度版】

2024年12月7日　初版　第１刷

著　　　　者	ネットスクール株式会社	
発　行　者	桑原知之	
発　行　所	ネットスクール株式会社　出版本部	
	〒101-0054　東京都千代田区神田錦町3-23	
	電　話　03（6823）6458（営業）	
	ＦＡＸ　03（3294）9595	
	https://www.net-school.co.jp	
執 筆 総 指 揮	山本和史	
表紙デザイン	株式会社オセロ	
編　　　　集	吉川史織　安倍淳	
ＤＴＰ制作	中嶋典子　石川祐子　吉永絢子	
	有限会社ドアーズ本舎　長谷川正晴	
印刷・製本	日経印刷株式会社	

©Net-School　2024　　Printed in Japan　　ISBN 978-4-7810-3844-5

本書は、「著作権法」によって、著作権等の権利が保護されている著作物です。本書の全部または一部につき、無断で転載、複写されると、著作権等の権利侵害となります。上記のような使い方をされる場合には、あらかじめ小社宛許諾を求めてください。

落丁・乱丁本はお取り替えいたします。